GUIDE DES LIEUX
DE L'ART CONTEMPORAIN
EN FRANCE

Philippe Piguet

Guide
DES LIEUX
L'ART
DE
CONTEMPORAIN
EN FRANCE

ADAM
BIRO

Édité avec le concours
du Ministère de la Culture et de la Communication
Délégation aux Arts Plastiques
Centre National des Arts Plastiques
– FIACRE –

ISBN 2-87660-225-3
Dépôt légal : octobre 1998
N° d'éditeur : 0224
Imprimé en Italie

AVERTISSEMENT

Vous venez d'ouvrir ce guide de l'art contemporain.

De deux choses l'une : ou vous êtes curieux et vous avez envie d'entrer dans son jeu, ou vous êtes un amateur d'art plus ou moins averti et vous voulez en savoir davantage. Dans tous les cas, ce guide est fait pour vous. Je l'ai imaginé comme d'autres en ont fait pour recommander telle ou telle table. C'est dire si je l'ai voulu gourmand ! Pendant plus de dix ans, je n'ai cessé de sillonner l'Hexagone, de long en large, d'est en ouest et du nord au sud, pour rapporter dans la presse ce qu'il en était du changement considérable du Paysage Artistique Français. J'en ai vu des régions, des départements, des communes, j'en ai vu des musées, des châteaux, des églises, j'en ai vu des Frac*, des Fdac* et des Cac*, j'en ai vu des commandes publiques, des biennales, des galeries et des foires – tous dévoués pour « le bel aujourd'hui » de l'art contemporain.

Très tôt, j'ai eu l'envie de faire partager ces découvertes, mon enthousiasme, mes surprises, voire mes agacements. Mille fois je l'ai fait ponctuellement, à travers un papier, un micro, un écran. Je n'ai pu résister à l'idée de le faire dans un guide. C'était pour moi comme un devoir, je veux dire un exercice. C'est fait. Vous l'avez dans la main. Je le redis : c'est un guide gourmand. Un guide « pour » l'art contemporain.

Puisse votre appétit venir, grandir et ne jamais être satisfait en le dévorant !

SOMMAIRE

GUIDE ET MODE D'EMPLOI

Désolé ! Mais ceux qui s'attendaient – comme il est souvent d'usage dans ce genre de publication – à ce que j'affuble d'une ou de plusieurs palettes, burins, pellicules ou autres icônes idoines chacun des lieux ici mentionnés devront le faire eux-mêmes après avoir vérifié sur place si ce que j'en dis était ou non exact. Il vous faudra donc vous contenter des mots consacrés à chacun d'eux pour pressentir leur intérêt.

Si l'expérience que j'ai faite de ces lieux m'autorise à vous les recommander à la hauteur de leurs mérites, ne cherchez à tirer aucune loi d'appréciation quelconque de la longueur des textes qui les décrivent, ni du format ou de l'absence de leur illustration. Vous vous casseriez les dents. Le choix que j'ai établi l'a été en toute indépendance d'esprit. C'est un choix pleinement subjectif et je le revendique en totalité. Il est un peu celui d'un programme que j'aurais bâti à l'attention d'amis qui m'auraient demandé ce qu'il y avait à voir en France sur le terrain.

Le parti pris est éclatant : il est de souligner ce qu'il en a été des vertus de la décentralisation. Si, pendant des décennies, Paris a résumé à elle seule toute l'activité artistique nationale, la situation est aujourd'hui toute autre. En volume de manifestations, les régions ont largement pris le dessus. Ce guide en rend nettement compte, comme il témoigne en revanche de ce que le marché de l'art reste un phénomène essentiellement capital. Parce que mon objectif n'est pas pointé de ce côté-là, j'ai choisi de ne pas m'attarder sur les galeries parisiennes ne dressant qu'une liste par quartier de celles qui me paraissent jouer un vrai rôle dans la défense et l'illustration d'un art franchement contemporain. On n'y trouvera donc aucun commentaire d'aucune sorte mais tout simplement leurs coordonnées.

Parce qu'il m'est apparu le plus simple et le plus pratique, j'ai choisi d'établir ce guide selon un mode alphabétique par nom de communes. Chacune d'elles y est localisée dans son département et sa région, de la sorte plus facilement repérable sur la carte qui en indique la position. Le lecteur peut ainsi facilement repérer au gré de ses déplacements si une situation est ou non signalée sur son parcours. À propos des informations relatives aux jours et horaires d'ouverture, il lui est vivement conseillé de toujours les vérifier par téléphone ; en ce domaine le flou artistique est récurrent. Abréviations et glossaire d'expressions idiomatiques (ces dernières étant suivies d'un astérisque *) devraient lui permettre enfin de ne pas s'égarer dans le jargon d'un art contemporain trop souvent considéré comme abscons alors qu'il ne l'est pas plus que n'importe quel autre langage propre qu'il soit philosophique, scientifique ou technique.

CARTE DES COMMUNES CITÉES EN RÉFÉRENCE

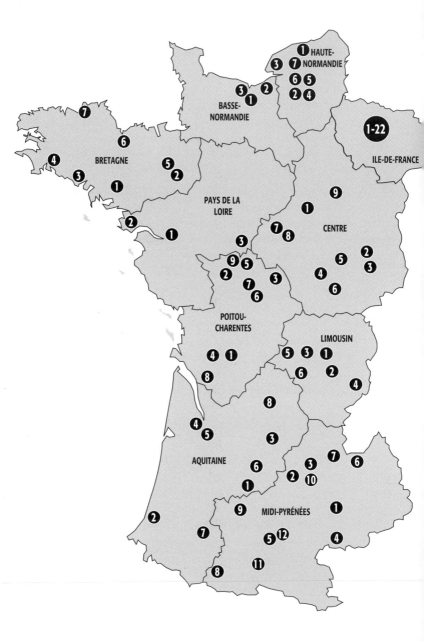

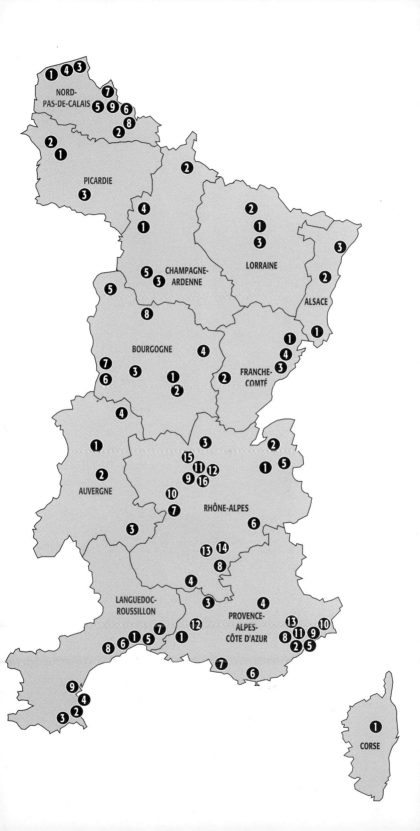

Aquitaine

Musée des Beaux-Arts

Si, à Agen, les « musiques parallèles » ont la chance d'avoir avec *Le Florida* un véritable temple, force est de dire que l'art contemporain n'a jamais vraiment été le fait du musée des Beaux-Arts. Toutefois, depuis plusieurs années, les choses ont sensiblement changé et sa programmation le prend de temps en temps en compte, puisant notamment son inspiration dans les collections du Frac Aquitaine (cf. p. 33). Aussi si l'on passe par là, on peut s'y arrêter. C'est toujours l'occasion de découvrir un de nos petits musées de plus, or celui d'Agen ne manque pas de curiosités.

♦ SITUATION
Musée des Beaux-Arts
Place du Docteur-Esquirol
47916 Agen
Tél. : 05 53 69 47 23
Fax : 05 53 69 47 77
Ouvert tous les jours
sauf mardi, du 2 mai
au 30 septembre
de 10 à 18 heures,
du 1er octobre au 30 avril
de 10 à 17 heures.

Midi-Pyrénées

Espace départemental d'art contemporain
Cimaise et Portique

D'une simple association, fondée en 1982, à la création d'un Espace départemental d'art contemporain, quel chemin parcouru ! Il faut dire que, depuis une quinzaine d'années, Cimaise et Portique n'est pas avare de son énergie et qu'elle a fait plus que la preuve par neuf de son efficacité à la défense et à la promotion de l'art contemporain sur Albi et dans le département. Les expositions qu'elle a organisées, qu'elles soient thématiques (« Siméon et les flamants roses », « Images et Mages »…) ou monographiques (Skoda, Hortala, Touyard, Béquillard…), tout comme son soutien à la production d'œuvres, ont toujours été très favorablement accueillis tant par le public que par les artistes. Sculpture, installation*, travaux en relation avec l'environnement architectural, urbain ou social, sont les vecteurs dynamiques d'une politique attentive au développement d'une création artistique dont on sait qu'elle ne connaît aucune frontière. Cimaise et Portique en a toujours tenu compte et s'est appliquée à le faire valoir en faisant notamment appel à des commissaires extérieurs – et non des moindres parfois,

♦ SITUATION
Espace départemental d'art contemporain Cimaise et Portique
Moulins albigeois
41, rue Porta
81100 Albi
Bureau : 8, rue Jules-Verne
81100 Albi
Tél. : 05 63 47 14 23
Fax : 05 63 54 13 10
Ouvert tous les jours de
10 à 12 heures et de 14 à
19 heures sauf le dimanche
matin, le lundi matin
et le mardi.
Entrée libre.

comme Jan Hoet. Sa définitive installation aux Moulins albigeois, en bordure du Tarn, où elle a régulièrement opéré depuis de nombreuses années, dans un cadre architectural qui vaut à lui seul le déplacement, l'assure de pouvoir poursuivre dans la voie qu'elle s'est tracée parce qu'il est un lieu idéal pour toutes les expérimentations et autres interventions qu'elle ne manquera pas de susciter.

Altkirch / Haut-Rhin 68

Alsace

♦ SITUATION
Centre rhénan
d'art contemporain
18, rue du Château
68130 Altkirch
Tél. : 03 89 08 82 59
Fax : 03 89 40 04 58
Ouverture selon
programmation, téléphoner
pour tout renseignement. En
temps d'exposition, ouvert
du mercredi au dimanche
de 14 à 18 heures.
Entrée libre.

Centre rhénan d'art contemporain

Donnée à la France en 1648 par le traité de Westphalie, la petite ville d'Altkirch est la seule de quelque importance du Sundgau, le « pays du Sud », partie la plus méridionale de l'Alsace. Située à proximité de la Suisse et de l'Allemagne, elle occupe une position stratégique en termes de circulation et d'échanges transfrontaliers vers l'Autriche, le Lichtenstein et l'Italie du Nord. Rien d'étonnant en conséquence que l'on y trouve un centre d'art, qui plus est « rhénan ».

Installé depuis quelques années dans les locaux désaffectés d'un ancien lycée, celui-ci y dispose d'espaces tout à fait avantageux. Dans le cadre de l'aménagement culturel d'une région longtemps défavorisée, le CRAC Alsace y présente toute une programmation d'expositions, les unes consacrées à un artiste confirmé ou à un jeune créateur régional ou européen, les autres

organisées tant à partir des œuvres du Frac Alsace (cf. p. 169) que dans le cadre d'un réseau de quelque quatorze centres d'art établis en Europe, intitulé « Les centres des marges ». Bref, il n'y a pas plus européen que le CRAC Alsace !

Amiens / Somme 80

Picardie

Fonds régional d'art contemporain Picardie

« L'exemplaire dans le dessin des trente dernières années », tel pourrait être le titre d'une exposition que le Frac Picardie organiserait avec ses collections. Depuis 1985 que cette orientation a été arrêtée, la Picardie peut se targuer de posséder aujourd'hui l'un des fonds d'art graphique les plus pertinents qui soient. Attention, le dessin y est entendu au sens large, du trait inscrit sur une feuille de papier ou sur un mur à la découpe opérée dans le vif d'un matériau, d'une écriture déclinée à l'infini à la ligne matérialisée dans l'espace, etc. Bref, le dessin dans tous ses états, en amont comme en aval, entre projection et prospection, qu'il procède d'un… dessein ou d'une représentation. Toutes les activités du Frac Picardie lui sont donc dévolues : collection, programmation, édition, action pédagogique, etc.

Dirigé de main de maître par Yves Lecointre depuis près de douze ans, le Frac Picardie a su se doter de tous les moyens pour remplir sa tâche. Il dispose depuis 1990 d'un bâtiment propre et d'une logistique très fonctionnelle privilégiant la conservation et la gestion des œuvres. Sa collection est riche d'œuvres de tendances et de générations les plus diverses, de Masson à Hybert, en passant par Debré, Titus-Carmel, Tuttle, Penone, Rinke,

♦ SITUATION

Fonds régional
d'art contemporain Picardie
45, rue Pointin
80000 Amiens
Tél. : 03 22 91 66 00
Fax : 03 22 92 97 84
Ouvert du mardi au samedi
de 14 à 18 heures.
Entrée libre.

Blais, Marc Couturier, etc. Au public qu'il a su fidéliser, le Frac Picardie offre un programme d'expositions temporaires, monographiques ou thématiques, qui sont toujours de très grande qualité.

En excellente relation avec l'artiste anglais David Tremlett et eu égard au désir de celui-ci de créer un lieu dans lequel il réunirait l'ensemble de ses *wall drawing**, un projet commun a été élaboré visant à la création d'un Centre international du dessin contemporain. Celui-ci réunirait en son sein un centre David Tremlett, le Frac Picardie, des activités nouvelles liées au dessin mural, des résidences d'artistes et autres services d'accueil, de documentation et de formation spécifiques. Le dossier en est à l'étude de faisabilité. Espérons qu'il aboutisse à l'aube du prochain siècle.

♦ SITUATION
Musée de Picardie
48, rue de la République
80000 Amiens
Tél. : 03 22 97 14 00
Fax : 03 22 92 51 88
Ouvert tous les jours, sauf lundi, de 10 à 12 heures 30 et de 14 à 18 heures.

Musée de Picardie

Riche d'une collection archéologique et historique de renom, le musée de Picardie a récemment bénéficié d'un complet réaménagement. Non seulement la muséographie et l'architecture intérieure ont été repensées mais une commande publique a été passée à Sol LeWitt pour orner une rotonde du nouveau parcours. Si le *wall drawing** environnemental qu'il y a réalisé procède d'une espèce de baroque forain qui en jette plein la vue, il signale toutefois la curiosité du musée à l'égard de l'art contemporain. Une programmation ponctuelle d'expositions, tant thématiques que monographiques, le corrobore comme l'exposition de Philippe Cognée en 1997 ou celle d'Alain Jacquet en 1998.

Fonds régional d'art contemporain Poitou-Charentes

Installé depuis douze ans dans les mêmes locaux, certes prestigieux mais très étroits, de l'hôtel Saint-Simon, le Frac Poitou-Charentes souffre d'un évident manque d'espace. Il faut espérer qu'il puisse sans trop tarder en bénéficier de plus adaptés et que le projet de son déménagement dans une ancienne quincaillerie des années cinquante ne tarde plus à se réaliser. Il le mérite d'autant plus qu'il possède une collection de tout premier plan comme en témoigne l'excellent catalogue qu'il a publié en 1995. Constituée au début d'ensembles d'œuvres d'artistes issus des mouvances surréaliste ou abstraite et d'un fonds photographique historique, la collection du Frac Poitou-Charentes s'est grandement ouverte par la suite à la photographie plasticienne*, à l'objet et à l'installation*. Pivot de toutes les activités que mène l'institution – lesquelles ont parfois remué ciel et terre : on se souvient du scandale provoqué par l'exposition Paul McCarthy –, cette collection balaie pour ainsi dire « les champs les plus radicaux de l'art contemporain » (*Le Monde* du 29 août 1995). Elle est d'ailleurs l'une des rares collections de Frac à s'exporter de façon systématique, ce qui est une excellente chose. Il ne faudrait tout de même pas qu'on nous oblige à nous rendre à Vilnius, à Moscou ou à Coblence pour la découvrir. Vivement donc qu'elle ait son lieu !

♦ SITUATION

Fonds régional d'art contemporain Poitou-Charentes
Hôtel Saint-Simon
15, rue de la Cloche-Verte
16000 Angoulême
Tél. : 05 45 92 87 01
Fax : 05 45 95 94 16.
Ouvert tous les jours
sauf jours fériés
de 10 à 12 heures et de
13 heures 30 à 19 heures.
Entrée libre.

Musée-Château

◆ SITUATION
Musée-Château
Place du Château
74000 Annecy
Tél. : 04 50 33 87 30
Fax : 04 50 33 00 84
Du 1ᵉʳ juin au 30 septembre,
ouvert tous les jours
de 10 à 18 heures.
Du 1ᵉʳ octobre au 31 mai,
ouvert tous les jours sauf
mardi de 10 à 12 heures
et de 14 à 18 heures.

Riche d'un patrimoine architectural fort prégnant, le musée d'Annecy n'en a pas moins traversé les années quatre-vingt en s'inventant une présence sur la scène artistique contemporaine. Le choix qu'il a fait alors de mettre en valeur les œuvres d'artistes travaillant avec le verre, jouant du paradoxe entre forteresse et fragilité, l'a conduit à initier une politique d'expositions dont ont bénéficié parmi d'autres des artistes en renom comme Daniel Pommereulle, Emmanuel Saulnier, Bernard Moninot, Philippe Favier, Bill Culbert, etc. Aujourd'hui que les temps budgétaires sont beaucoup plus difficiles, le musée d'Annecy ne peut plus poursuivre l'aventure qu'au compte-gouttes.

Ne quittez pas cette jolie petite cité sans être allé voir la commande publique d'un autre genre – la voûte peinte d'un petit passage, le hall de l'ancien évêché, en plein cœur de la vieille ville – qu'y a réalisée Claude Viallat. Heureuse surprise.

Villa du Parc

◆ SITUATION
Villa du Parc
12, rue de Genève
74100 Annemasse
Tél. : 04 50 38 84 61
Fax : 04 50 87 28 92
Ouvert le mardi de
14 heures 30 à 20 heures, les
mercredi, jeudi et samedi de
14 heures 30 à 18 heures 30,
le vendredi
de 12 à 18 heures 30.
Entrée libre.

Une villa à l'italienne à la frontière franco-suisse ! Si tant est que l'hybride est la caractéristique majeure de l'art contemporain, alors voilà un lieu tout trouvé pour lui. Centre d'expositions et d'échanges, comme il se définit, il est l'une des rares institutions de ce genre en Haute-Savoie. Sa programmation, assez singulière, alterne des propositions très diverses dont le souci commun est une initiation à l'art contemporain. Montrer des

artistes comme Daniel Walravens, Albert Chubac ou Bernd et Hilla Becher ne manque pas en effet d'éclectisme mais n'est-ce pas là exactement la tâche de ce genre de lieu ? Créée en 1986, la Villa du Parc dispose d'espaces vastes et volumineux qui lui permettent aussi de présenter des expositions thématiques. Elle ne s'en prive d'ailleurs pas, ainsi celle qu'on pouvait voir au printemps 1998, « L'entrelacement et l'enveloppe – pratiques et métaphores textiles ». Éclectique, on a dit.

Arles / Bouches-du-Rhône 13
Provence-Alpes-Côte d'Azur

Rencontres internationales de la photographie

Pour les initiés, les RIP sont la Mecque de la photographie. Créées l'été 1969, elles ont été pendant de très longs temps leur seul rendez-vous, fief privilégié d'une photographie clic-clac traditionnelle. Si elles ont su s'adapter au développement qu'a connu ce médium et intégrer les recherches plasticiennes et vidéastes que mènent les artistes qui l'emploient, elles restent toujours conçues sur le même principe : un programme thématique dont les différents aspects font l'objet d'un certain nombre d'expositions éclatées en différents lieux dans la ville. Depuis quelques années, la responsabilité de celui-ci en incombe à un commissaire artistique extérieur qui en assume la mise en œuvre. En 1998, la critique italienne Giovanna Calvenzi qui a été sollicitée a ainsi axé sa réflexion sur le thème générique d'« Un nouveau paysage humain ». Outre ce rendez-vous estival, les Rencontres proposent hors saison tout un programme d'expositions assurant à l'institution qui fête ses 30 ans en 1999 (avec Gilles Mora comme directeur artistique) une permanence, un suivi et la fidélisation d'un public.

♦ SITUATION
Rencontres internationales de la photographie
10, rond-point des Arènes
BP 96
13632 Arles Cedex
Tél. : 04 90 96 76 06
Fax : 04 90 49 94 39
Les Rencontres se tiennent ordinairement la première semaine de juillet, téléphoner pour tout renseignement.

Aubervilliers / Seine-Saint-Denis 93
Île-de-France

Art'O

On reproche souvent à l'art contemporain de ne pas aller suffisamment au-devant du public. On ne pourra pas le reprocher à la galerie Art'O. Elle est installée en plein cœur d'un quartier populaire, incluse – c'est vrai – dans un contexte architectural daté qui n'a rien de très avenant mais il faut bien combattre sur tous les fronts et c'est tout à l'honneur de ceux qui le font et qui le font bien,

♦ SITUATION
Art'O
9, rue de la Maladrerie
93300 Aubervilliers
Tél. : 01 48 34 85 07
Fax : 01 48 33 54 96
Ouvert du mardi au samedi de 14 à 19 heures.
Entrée libre.

comme c'est le cas ici. Expositions, rencontres et activités pédagogiques y sont à l'ordre du jour d'une petite structure souple et dynamique dont le mot d'ordre est celui de communication. Membre du IAPIF*.

Le Métafort d'Aubervilliers

♦ SITUATION
Le Métafort d'Aubervilliers
4, avenue de la Division-Leclerc
93300 Aubervilliers
Tél. : 01 43 11 22 33
Fax : 01 43 11 22 30
http://www.metafort.com
Téléphoner pour tout renseignement.

Tout dernier-né printemps 1998, le Métafort d'Aubervilliers est un centre d'ingénierie et d'expérimentation de projets multimédias à vocation culturelle et sociale. Véritable laboratoire, il est tout à la fois un lieu de formation, de production et de consultation. Polyvalent, il remplit plusieurs fonctions : il est le siège de la revue *Synesthésis*, il propose aux artistes les moyens de réalisation de leurs projets, il offre au public la possibilité de navigations internautes, il aide à la mise en œuvre de projets associatifs, il contribue à la promotion et à la diffusion de toutes les nouvelles investigations conduites sur son terrain d'action, etc. Bref, un lieu en devenir à découvrir en ses débuts.

Ay / Marne 51

Champagne-Ardenne

♦ SITUATION
Maison du vin
2, rue Roger-Sondag
51160 Ay
Tél. : 03 26 55 18 90
Fax : 03 26 55 19 34
Ouvert tous les jours
de 10 à 12 heures
et de 14 à 17 heures.

Maison du vin
commande publique :
Chris Burden,
The Spirit of the grape, 1995

Alain Collery n'est pas un producteur comme les autres. De la maison de Champagne Pierre-Laurain qu'il dirige il a fait un lieu de rencontres et d'échanges. Non seulement on y visite les caves mais un petit musée, style art et traditions populaires, sur la culture de la vigne. Au milieu de celui-ci s'étend une espèce d'immense plan-relief, c'est l'une des œuvres que Chris Burden a réalisées à l'occasion de son exposition au Frac Champagne-Ardenne (cf. p. 152) en 1995. Mise en dépôt dans cette curieuse maison du Vin, elle prend là toute sa dimension. Burden à Ay, qui le croirait ? Ah oui ! Dietman, lui, a fait l'étiquette de l'une des dernières récoltes de la maison.

Aldébaran

La chance d'une petite commune comme celle-là est de compter parmi ses élus un artiste qui ait envie de faire partager sa passion pour l'art contemporain en donnant de son temps et de son énergie pour y organiser expositions et autres manifestations. Ainsi donc, à Baillargues, le voyageur trouvera un espace consacré à la création artistique envisagée sous toutes ses formes : arts plastiques, musique, danse, etc. Aménagé dans un ancien chai, celui-ci propose une programmation pluridisciplinaire qui conjugue les styles et les genres. Merce Cunningham y est venu danser, c'est tout dire ! Déjà sept ans d'existence.

♦ SITUATION
Aldébaran
Place du Jeu-de-Ballon
Espace Vigneron
34670 Baillargues
Tél. : 04 67 87 81 74
Fax : 04 67 70 84 06
Ouvert du mercredi
au samedi de 17 heures 30
à 19 heures 30.
Entrée libre.

Le Carré

Les trésors du musée Bonnat sont réputés, de son cabinet de dessins anciens – dont une magnifique plume d'oiseau dessinée par Léonard de Vinci – aux portraits de la seconde moitié du XIXe siècle de celui qui donne son nom à l'institution : Léon Bonnat (1833-1922), peintre de figures fort apprécié de la princesse Mathilde.

On ne connaît pas toujours, en revanche, l'entité art contemporain que le musée s'est donnée il y a déjà plusieurs années. Quoique situé dans le même ensemble de bâtiments jouxtant le musée Bonnat, Le Carré – c'est son nom – en est physiquement distinct et il possède une entrée particulière. Partagé sur deux niveaux, il dispose de belles salles modulables qui permettent toutes sortes de présentations.

La programmation du Carré en appelle donc à toutes les formes d'expression, sans aucune restriction esthétique : peinture, sculpture, photographie, installation*, etc. Cinq ou six expositions y sont organisées chaque année, un artiste y étant notamment invité à investir la totalité des lieux en y concevant un projet particulier, comme ce fut le cas en 1997 pour Tom Drahos.

♦ SITUATION
Le Carré
9, rue Frédéric-Bastiat
64100 Bayonne
Tél. : 05 59 59 08 52
Fax : 05 59 59 53 26
Ouvert tous les jours, sauf mardi, de 10 à 11 heures 45 et de 14 heures 30 à 18 heures et le vendredi jusqu'à 20 heures.
Entrée libre.

♦ SITUATION

Centre d'art contemporain
de Vassivière-en-Limousin
Île de Vassivière
87120 Beaumont-du-Lac
Tél. : 05 55 69 27 27
Fax : 05 55 69 29 31
Ouvert de 11 à 13 heures
et de 14 à 19 heures tous les
jours d'avril à novembre,
tous les jours sauf lundi
de décembre à mars.

Centre d'art contemporain de Vassivière-en-Limousin

Interrogez n'importe quel fan de cyclisme, il vous le dira : le site de Vassivière est unique en son genre. Célèbre étape contre la montre du Tour de France, il est inscrit dans un paysage de collines boisées au milieu duquel ont été implantés un lac et une île artificiels suite à la construction d'un barrage par EDF en 1951. Si, au début des années quatre-vingt, l'idée d'y créer un lieu tout entier dévolu à la sculpture contemporaine – centre d'expositions et parc sur l'île – n'a pas tout de suite connu une franche adhésion, elle s'est heureusement imposée petit à petit. Vassivière n'est plus seulement aujourd'hui un site naturel exceptionnel, c'est aussi un centre d'art – le seul qui ait été construit tout exprès au cours des quinze dernières années – et quel centre ! Il est signé Aldo Rossi, c'est tout dire.

Destiné à être tout à la fois un lieu de production et de présentation d'œuvres, il en est une lui-même. Construit en 1990, le bâtiment de Rossi se compose de deux éléments distincts qui épousent magnifiquement le paysage : une grande nef, qui s'offre à voir comme une ligne de fuite jetée en avant en direction du lac, et une tour phare dont la perfection conique assure à l'ensemble son ancrage au site. Nature et culture se conjuguent à Vassivière pour offrir à la sculpture un territoire de prédilection exceptionnel. La diversité des espaces mis à la disposition des artistes – galeries d'exposition, ateliers en résidence, salles polyvalentes, tour phare – leur permet d'y développer des projets inédits et d'imaginer toutes sortes de modes d'intervention les plus divers. Le thème générique du rapport à la nature n'y connaît aucune frontière, comme l'ont éprouvé parmi d'autres des artistes aussi différents que Bertholin, Alain Kirili, Michelangelo Pistoletto, Patrick Dubrac, Sylvie Blocher, Marc Couturier…

Quant au parc de sculptures, il se développe sur l'île en toute liberté, offrant au visiteur l'occasion d'une promenade aux allures de jeu de pistes qui l'oblige à sillonner le terrain dans tous les sens à la

recherche des œuvres. Le serpent de fonte de David Jones, les énormes boules de Dominique Bailly, le mur de pierres sèches de Goldsworthy, la maison d'eau de Per Barclay, le miroir de marbre de Bernard Calet, le monument au solstice d'été de François Bouillon et l'astre au nadir de Marc Couturier comptent parmi les œuvres les plus pertinentes. Véritable île pour la sculpture, Vassivière est un lieu inspiré où il fait bon vivre et où tout un chacun y trouve son compte, l'artiste tout comme l'amoureux de la nature, l'amateur d'art tout comme le simple promeneur. Jean-Jacques Rousseau pour sûr, qui mêlait volontiers toutes ces qualités, y aurait trouvé là l'occasion de l'une de ces rêveries auxquelles il aspirait tant.

Belfort / Territoire de Belfort 90
Franche-Comté

Musée d'Art et d'Histoire

♦ SITUATION
Musée d'Art et d'Histoire
Château de Belfort
BP 733
90020 Belfort
Tél. : 03 84 54 25 51
Fax : 03 84 28 52 96
Du 1ᵉʳ mai au 30 septembre, ouvert tous les jours de 10 à 19 heures ;
du 1ᵉʳ octobre au 30 avril, ouvert tous les jours, sauf mardi, de 10 à 12 heures et de 14 à 17 heures.

On ne se confronte pas sans risque à l'histoire. C'est ce qui fait tout l'intérêt des deux ou trois expositions d'art contemporain que propose chaque année le musée de Belfort. Pour les artistes qui y sont invités, le contexte particulier du château fortifié qui l'abrite est chaque fois l'occasion de relever un défi. Aussi exige-t-il de leur part qu'ils s'y investissent complètement en créant une œuvre spécifique. De ce fait, la programmation n'y est pas réglée par une ligne directrice mais procède des potentialités artistiques de répliquer au lieu.

Bessines / Deux-Sèvres 79
Poitou-Charentes

Commande publique : Fabrice Hybert, *L'Homme de Bessines*, 1989-1990

Selon un scénario digne de *Mars Attacks*, mais bien avant le film, Fabrice Hybert a lâché ses petits hommes verts sur la commune de Bessines. Sous la forme de six fontaines toutes identiques, ils ont pris position aux points les plus stratégiques : à l'entrée de la ville, près de la mairie, à l'ombre de l'église. Ces six petits bonshommes, dont la taille est exactement la moitié de celle de leur créateur, pissent des onze orifices de leur corps synthétique dont la couleur renvoie tant à l'esthétique extraterrestre qu'à celle beaucoup plus terrienne des véhicules agricoles. Une commande publique pleine de santé qui rappelle irrésistiblement un certain « Manneken Pis » et ne manque ni d'humour, ni… d'humeurs !

Bignan / Morbihan 56

Bretagne

Domaine de Kerguéhennec
Centre d'art contemporain

La *Mimi* de Markus Raetz – une sculpture monumentale faite d'un simple jeu de construction de blocs de granit – a bien raison : rien ne vaut que de se prélasser dans l'herbe du domaine de Kerguéhennec. Avec son parc classé de 170 ha, son château du XVIIIᵉ et ses dépendances, son arboretum, son plan d'eau et tous ses petits hameaux périphériques, Kerguéhennec est un site unique en son genre. Racheté dans les années soixante-dix par le conseil général du Morbihan, il a été transformé à partir de 1986 en parc de sculptures. Au détour de la promenade on y découvre ainsi aujourd'hui plus d'une vingtaine d'œuvres, la plupart réalisées pour l'occasion, toutes plus étonnantes les unes que les autres : à fleur du lac, François Morellet a organisé *Le Naufrage de Malevitch* ; près des communs, Jean-Pierre Raynaud a réhabilité une vieille serre en y installant *Mille pots rouges* ; dans la forêt, Ian Hamilton Finlay a inscrit les arbres au nom des amants célèbres ; à la croisée de deux chemins, Ulrich Rückriem a dressé une pierre noire ; devant le château, Franz West a disposé ses canapés tapissés de la *Documenta* de 1992 ; dans la petite chapelle de La Trinité, Mario Merz a dressé une magnifique table de fruits et de légumes ; Richard Long, Giuseppe Penone, Toni Grand, Maria Nordmann, Elisabeth Ballet, Pat Steir figurent encore au programme.

En 1988, le domaine de Kerguéhennec s'est doté d'un centre d'art, aménagé dans les anciens bâti-

♦ SITUATION
Domaine de Kerguéhennec
Centre d'art contemporain
56500 Bignan
Tél. : 02 97 60 44 44
Fax : 02 97 60 44 00
Ouvert tous les jours, sauf lundi, de 10 à 18 heures.

Page ci-contre :
le domaine
de Kerguéhennec.

ments de la bergerie, très vite agrandi aux écuries, et un programme d'expositions y a été développé en relation avec l'idée de parc de sculptures de sorte à illustrer sur un mode plus dynamique l'action engagée : Tony Cragg, Robert Groborne, Claire Lucas en ont été parmi d'autres les hôtes. Avec l'arrivée de Denys Zacharopoulos en 1992 à la tête de l'établissement, Kerguéhennec a connu de nombreuses transformations élargissant notamment ses activités à toutes sortes d'actions pluridisciplinaires. Parallèlement à un programme de formation et de recherches pour les arts plastiques, la musique, le théâtre, la danse et le cinéma ainsi qu'à une savante programmation d'expositions à plusieurs volets, Denys Zacharopoulos développe depuis six ans une politique très active d'artistes en résidence et de rencontres entre les professionnels et le public. Essentiellement thématiques, les expositions qu'il organise visent à revisiter une histoire de l'art contemporain au regard d'une réflexion fondée sur l'idée d'exposition, le fait de production et la notion de transversalité. Sous sa houlette, Kerguéhennec est devenu un véritable lieu de fêtes où tout s'échange, se croise et circule, son souhait étant de faire à court terme de ce lieu exceptionnel un « centre culturel de rencontre » qui soit un foyer ardent et innovant. Visite impérative.

Biron / Dordogne 24

Aquitaine

Commande publique : Jochen Gerz, *Le Monument vivant de Biron*, 1996

Parce qu'il a une vraie conscience historique, il n'y avait que Jochen Gerz pour réussir une telle entreprise. Plutôt que de remplacer l'ancien monument aux morts, comme le souhaitait le maire de Biron, l'artiste a proposé d'en faire le support aux cent vingt-sept réponses des habitants de cette petite commune classée à la question restée secrète que l'artiste leur a posée sur ce qui leur paraît assez important pour risquer sa vie. Cent

vingt-sept plaques en métal émaillé frappées de ces réponses ont ainsi été scellées sur l'obélisque pyramidal originel. Conçue comme un *work in progress*, l'œuvre de Gerz est prise en charge par l'un des habitants de Biron qui, dans quelques décennies, réitérera l'opération à la place de l'artiste avec les futurs adultes de la cité. Et ainsi de suite, de sorte que le monument aux morts soit à jamais un monument aux vivants de Biron qui témoigne de leurs interrogations. Une œuvre interactive qui participe d'une histoire de la mémoire.

Blanquefort / Gironde 33
Aquitaine

◆ SITUATION
Château-Dillon
Chai du lycée viticole
33290 Blanquefort
Tél. : 05 56 95 39 94
Fax : 05 56 95 36 75
Ouvert tous les jours, sauf le samedi et dimanche, de 9 à 11 heures et de 14 à 17 heures. Fermé le mardi à 16 heures.
Entrée libre.

Commande publique : Erik Dietman, *Les Gardiens de fûts*, 1987

À quels étranges Cyrano appartiennent donc tous ces nez ? Et de quel mystérieux temple sont-ils *Les Gardiens de fûts* ? Sagement alignés comme des sphinx du temps jadis, les nez d'Erik Dietman pointent leurs appendices monumentaux avec un soin tout particulier de l'ordonnancement et une

conscience extrême de leur charge. Si la question est de savoir de quel colosse légendaire chacun d'eux est le promontoire, ils font alors penser à des fragments d'antiques comme il y en a dans la cour du musée du Capitole à Rome. Mais peut-être ne sont-ce là que les attributs déguisés d'un personnage qui s'en pare selon les circonstances et le rôle à tenir. Dans tous les cas si, du nez l'artiste ne manque pas, du talent il en a à revendre et cette succession de gardiens de marbre, de bronze, de verre et de fer l'illustre à merveille. Leur équilibre résulte d'un parfait dosage entre le moelleux et l'acidité, de sorte qu'ils forment un ensemble fondu et harmonieux. Comme on le dit du vin après qu'on l'a bu, les nez de Dietman ont une irrésistible… longueur.

Conservatoire national de musique
Commande publique : Ben, *Le Mur des mots*, 1995

« Les murs ont la parole » proclamait au lendemain de Mai 68 un ouvrage récapitulant toutes les inscriptions qui avaient fleuri au cours des événements. C'est tout d'abord à cela que fait penser l'étonnante commande publique que Ben a réalisée en façade du conservatoire de musique de Blois : une vraie logorrhée, un monumental dazibao de mots inscrits sur plaque émaillée comme l'artiste adore en user. Il faut dire qu'en la matière Ben n'a pas son pareil et qu'il y a belle lurette qu'il est passé maître ès formules abruptes. « Dieu est mort », « L'art ne vaut rien », « Signé Ben »… Ben provoque, Ben agace, Ben fait sourire, Ben fait hurler : il ne laisse jamais l'autre en repos. C'est là sa force et ce mur des mots est une complète réussite parce qu'il est non seulement un très bel objet plastique qui égaie un bâtiment sans plus d'intérêt que cela mais parce qu'il est un espace de projection mentale qui réjouit l'esprit.

Musée de l'Objet

Un vrai capharnaüm ! Entre brocante et vieux grenier de grand-mère. À cette différence près, tout de même, que tous les objets que vous voyez là, vous ne les trouverez nulle part ailleurs. C'est que, plus que jamais, il s'agit d'« objets d'art », en ce sens du moins où on l'entend depuis l'avènement du ready-made et de la fameuse *Roue de bicyclette* de Marcel Duchamp en 1913. Inscrit dans l'enceinte de l'école d'art de Blois, le musée de l'Objet doit sa naissance à la volonté d'une ville, riche d'un prestigieux patrimoine, de se créer une image artistique résolument contemporaine. Mais il la doit surtout au galeriste parisien Éric Fabre, passionné par tout ce que l'art moderne et contemporain peut compter d'œuvres mettant en jeu des objets et qui a accepté le prin-

◆ SITUATION
Musée de l'Objet
6, rue Franciade
41000 Blois
Tél. : 02 54 78 87 26
Fax : 02 54 74 59 36
Ouvert, du 1ᵉʳ juin au 31 août, du mercredi au dimanche de 13 heures 30 à 18 heures 30 ;
du 1ᵉʳ septembre au 31 mai, les samedi et dimanche de 14 à 18 heures et sur rendez-vous.

cipe d'un dépôt à long terme de sa collection dans des locaux spécialement aménagés à cet effet.

Du dadaïsme à nos jours, en passant par le surréalisme, le Nouveau Réalisme*, Fluxus*, l'art conceptuel*, le happening*, la nouvelle sculpture anglaise*, etc., le musée de l'Objet offre sur trois niveaux tout à la fois une superbe leçon d'histoire de l'art et un parcours d'œuvres étonnant. Récupéré, fabriqué, assemblé, composé, bricolé, l'objet est à la fête : Man Ray, Dalí, César, Nam June Paik, Kienholz, Filliou, Raynaud, Lavier, Bill Woodrow, etc., il y en a de toutes les formes, pour tous les âges et pour tous les goûts. Même les enfants n'ont pas été oubliés : un placard ludique et truqué a été spécialement aménagé à leur intention. Pendant que ceux-ci s'amusent, les grands pourront toujours aller fouiller dans la Bibliothèque infinitésimale et supertemporelle d'Isidore Isou. Quelle aventure !

Bobigny / Seine-Saint-Denis 93

Île-de-France

Fonds départemental d'art contemporain de Seine-Saint-Denis

♦ SITUATION
Fonds départemental d'art contemporain de Seine-Saint-Denis
Conseil général de la Seine-Saint-Denis
BP 193
93003 Bobigny
Tél. : 01 43 93 83 23
Fax : 01 43 93 87 50

À l'instar du Val-de-Marne, de la Haute-Vienne et de quelques rares autres de ses semblables, le département de la Seine-Saint-Denis a choisi le camp de l'art contemporain. Ah, si tous les autres faisaient pareil ! Multiple, son action se manifeste notamment à travers tout un réseau d'opérations qui puisent leur contenu dans le Fonds départemental d'art contemporain dont l'institution territoriale s'est dotée. Créé en 1986, le Fdac de Seine-Saint-Denis compte aujourd'hui plus de deux cent soixante œuvres d'artistes renommés et de jeunes créateurs témoignant des tendances et des mouvements de l'art contemporain des années soixante-dix à nos jours, une collection de toute première qualité que pourrait justement envier plus d'un musée.

Si, pour des raisons de commodité de gestion, peintures, photographies et dessins y sont des modes privilégiés, c'est que le Fdac ne dispose pas encore de locaux propres. L'importance et la qualité de la collection le nécessitent et le projet est à l'étude. Vivement qu'il aboutisse afin que l'on puisse *de visu* mieux apprécier l'excellence du travail accompli. Certes, le Forum culturel du Blanc-Mesnil opère en qualité de relais pour la présentation des nouvelles acquisitions et l'organisation ponctuelle de certaines manifestations mais l'espace n'y a pas été pensé de façon spécifique. Il faut enfin signaler à l'actif du Fdac de Seine-Saint-Denis l'organisation d'une manifestation biennale de sculptures en plein air intitulée « Art Grandeur Nature » (cf. p. 80), organisée dans le parc de la Courneuve et qui gagne chaque fois en réputation. Un rendez-vous à ne pas manquer.

Bordeaux / Gironde 33

Aquitaine

capcMusée d'art contemporain

Créé de toutes pièces par Jean-Louis Froment en 1973, transformé onze ans plus tard en musée d'art contemporain, le capc de Bordeaux a été pendant de très longs temps l'une des références majeures de la scène artistique nationale. L'un des rares lieux en France, sinon en région, où l'on a pu voir l'essentiel de toutes les avant-gardes des trente dernières années et ce dans le contexte d'expositions qui ont fait date. S'il le demeure, comme en ont encore tout récemment témoigné les expositions de Niele Toroni et de Tony Oursler, il est heureusement concurrencé aujourd'hui par la formidable richesse du paysage artistique français. Le travail exemplaire qu'y a accompli son créateur pendant les vingt-trois ans où il a dirigé l'institution s'est soldé non seulement par une programmation de très haut niveau mais par la mise en œuvre d'un outil incomparable qui lui a été souvent jalousé et la constitution d'une collection de premier plan.

L'un des atouts du capc est en effet d'avoir été implanté dans un lieu architectural de toute beauté que son aménagement au fil du temps a du moins révélé et dont la décoration intérieure a été confiée à Andrée Putman. Pour le bâtiment, la visite vaut à elle seule le détour. Ancien entrepôt portuaire, il compte de très nombreux et vastes espaces répartis sur deux niveaux, tout en voûtes

◆ SITUATION
capcMusée d'art contemporain
Entrepôt Laîné
7, rue Ferrère
33000 Bordeaux
Tél. : 05 56 00 81 50
Fax : 05 56 44 12 07
Ouvert tous les jours, sauf le lundi, de 11 à 18 heures, le mercredi jusqu'à 20 heures.

bordées de briques, dont une immense nef centrale qui a été l'occasion de créations des plus étonnantes, de Kounellis à Jean-Pierre Raynaud en passant par Garouste, Merz, Serra et Buren. Par ailleurs, la collection que le capc s'est constituée est l'une des plus représentatives de l'art de ces trente dernières années. Depuis 1996, celle-ci a été rendue visible de façon permanente par la nouvelle direction qui a choisi de lui consacrer l'ensemble des salles supérieures, réservant celles du rez-de-chaussée et la grande nef aux expositions temporaires. Enfin, le capc qui compte à son actif une activité pédagogique pionnière avec ses ateliers du Regard, son Artbus et sa bibliothèque, propose en permanence un programme de rencontres et de débats qui en fait un haut lieu d'échanges entre les gens du monde de l'art et le public. Un public qui a pris aussi ses habitudes de venir se restaurer au capc dans la grande salle très confortable ornée d'un splendide *wall drawing** de Richard Long. Digne des plus grandes institutions internationales.

Page ci-contre :
le capc de
Bordeaux.

Fonds régional d'art contemporain Aquitaine

Créé dès 1982, le Frac Aquitaine ne dispose pas de locaux propres. Deux raisons à cela : d'une part, il s'est toujours attaché à privilégier l'action régionale ; d'autre part, la présence du capc a longtemps été un frein à tout projet d'installation fixe à Bordeaux d'un second lieu pour l'art contemporain. Comme si une ville de cette importance ne pouvait pas se le permettre ! Cela est d'autant plus regrettable que le Frac s'est doté d'une collection tout à fait intéressante : un important fonds photographique retraçant l'évolution de ce médium au cours du XXe siècle, un fonds anglo-saxon très singulier des années soixante et soixante-dix et un ensemble judicieusement anthologique d'œuvres d'artistes des avant-gardes des années soixante-dix à nos jours. Le fait de se présenter aujourd'hui sous le nom de « Frac Collection Aquitaine » n'est sans doute pas innocent des espoirs de l'institution d'enfin pouvoir trouver les moyens d'une visibilité. En cette attente, CinéFrac, le rendez-vous cinéma-vidéo qu'elle organise à Bordeaux depuis deux ans

♦ SITUATION
Fonds régional
d'art contemporain
Aquitaine
81, cours Anatole-France
33000 Bordeaux
Tél. : 05 56 24 71 36
Fax : 05 56 24 98 15
Bureaux ouverts
de 8 à 12 heures
et de 14 à 17 heures.

avec le Molière-Scène d'Aquitaine et qui devrait ne pas tarder à se transformer en une grande nuit de la vidéo, illustre ce qu'il en est de la singularité de son action.

◆ SITUATION
Galerie Jean-François Dumont
54 bis, rue Ducau
33000 Bordeaux
Tél. : 05 56 01 26 20
Fax : 05 56 52 88 11
Ouvert le jeudi et le vendredi de 10 à 13 heures et de 14 à 19 heures et sur rendez-vous.

Galerie Jean-François Dumont

Depuis plus d'une dizaine d'années, Jean-François Dumont défend à Bordeaux l'image d'un art contemporain sans concession. Quand on sait la difficulté du marché en région, on ne peut que saluer la ténacité et l'énergie avec lesquelles quelqu'un comme lui tient la barre. D'autant qu'il ne se contente pas de faire un travail de seconde main mais bel et bien un vrai travail de promotion de jeunes artistes. Si, dès leurs débuts, il a été aux côtés d'artistes comme Hubert Duprat, Pascal Convert, Michel Aubry, Éric Poitevin, Daniel Schlier ou Richard Fauguet, contribuant ainsi à les faire connaître, Jean-François Dumont collabore aussi depuis longtemps avec des figures plus aînées, comme Olivier Mosset ou John Armleder. De passage à Bordeaux, il faut faire halte chez lui : on y trouve des pièces que l'on n'a vues nulle part ailleurs.

◆ SITUATION
Mécénart Aquitaine
8, cours du 30-Juillet
33000 Bordeaux
Tél. : 05 56 44 72 14
Fax : 05 56 51 68 61
Ouverture selon programmation, téléphoner pour tout renseignement.

Mécénart Aquitaine

Mêler les plaisirs du palais et de l'œil, tel est l'objectif de l'association Mécénart Aquitaine qui organise tous les deux ans une grande manifestation à la découverte conjuguée de l'art de la vigne et de l'art contemporain. Vignerons et artistes, même combat – il fallait oser ! Le résultat ne manque pas de surprise. Éclatée dans une vingtaine de châteaux producteurs, cette façon de biennale, singulièrement gouleyante, offre aux fins connaisseurs l'occasion d'apprécier tout en même temps les crus des uns et les crus des autres. L'accrochage des œuvres d'art à l'intérieur des chais génère le plus souvent un spectacle inattendu auquel s'ajoute la découverte de leurs architectures, toutes plus curieuses les unes que les autres. Question contenu artistique, Mécénart Aquitaine s'attache chaque fois à regrouper ce qu'il en est sinon de la dernière récolte, du moins des meilleures années ! Profession oblige.

Bourg-en-Bresse / Ain 01

Rhône-Alpes

Monastère-musée de Brou
Commande publique :
Richard Serra,
Philibert et Marguerite,
1985-1986

Chef-d'œuvre de l'art gothique flamboyant, l'ensemble monumental de Brou qui se compose d'une église et d'un monastère compte notamment un petit cloître dit du Prieuré qui accueille l'une des plus radicales sculptures de l'Américain Richard Serra. En hommage à Philibert le Beau et à son épouse Marguerite d'Autriche, le couple princier à la mémoire duquel le monastère de Brou a été construit, l'artiste minimaliste a imaginé une sculpture duelle constituée de deux parallélépipèdes d'acier forgé installés en vis-à-vis à l'angle de deux des quatre coins du déambulatoire. Leur présence close et silencieuse pèse d'un poids considérable dans cet espace ouvert, nu et rigoureux, voué à la circulation. On peut voir aussi dans un cloître voisin un autre ensemble très puissant d'Ulrich Rückriem et au sein du musée, dont la programmation art contemporain n'est que ponctuelle mais qui possède un intéressant fonds Degottex et autres peintures abstraites, une magnifique colonne de Bernard Pagès tout en matériaux bruts et en couleurs vives.

◆ SITUATION
Monastère-musée de Brou
63, boulevard de Brou
01000 Bourg-en-Bresse
Tél. : 04 74 22 83 83
Fax : 04 74 24 76 70
Ouvert tous les jours sauf les
1er janvier, 1er et 11 novembre
et 25 décembre ;
du 1er avril au 30 septembre,
de 9 à 12 heures 30
et de 14 à 18 heures 30 ;
du 1er octobre au 31 mars,
de 9 à 12 heures
et de 14 à 17 heures.

Bourges / Cher 18

Centre

La Box

Bien avant le fameux Printemps de Bourges, Jacques Cœur avait fait tant la réputation de cette ville que ses choux gras ! Fière de son patrimoine architectural médiéval, Bourges peut l'être tout autant de son école des Beaux-Arts : elle est l'une des plus pointues en matière de nouvelles technologies. Les artistes en résidence qu'elle accueille tout au long de l'année sont de vrais petits veinards. Ils y disposent de tout un matériel pour tra-

◆ SITUATION
La Box
École nationale
des Beaux Arts
9, rue Édouard-Branly
18006 Bourges
Tél. et fax : 02 48 24 78 70
Ouvert tous les jours
de 15 à 19 heures
sauf dimanche.
Entrée libre.

vailler et peuvent tout à loisir réaliser leurs projets. Créée en 1990, la galerie de l'école dont le nom, « La Box », laisserait croire qu'il s'agit d'un espace quelque peu étroit, ce qui n'est pas le cas, peut à juste titre proclamer qu'elle est « un lieu pour l'art contemporain ». Sa programmation fait la part belle aux jeunes artistes et il y a toujours quelque chose à y découvrir. On y a vu plus d'un nom qui est devenu familier par la suite, comme celui d'Isabelle Lévénez.

Bourg-Saint-Andéol / Ardèche 07
Rhône-Alpes

Église Saint-Andéol
Commande publique : Jean-Pierre Bertrand, vitraux, 1987-1989

« Un plus un égale un » : la formule renvoie au symbolisme du dogme chrétien. En fait, peu importe de le savoir. Les vitraux que Jean-Pierre Bertrand a conçus et que le maître verrier Florent Chaboissier a réalisés pour les trente et une verrières de cette petite église du XIIe siècle, sise à deux pas de Pierrelatte, se dispensent de toute analyse. Il faut en faire simplement l'expérience lumineuse. On sait que cet artiste utilise dans son travail toutes sortes de matériaux organiques. Les vibrations de ses vitraux, qui ne sont rien d'autre que de simples carreaux de verre jaune coloré, confèrent à l'édifice une lumière dorée couleur de miel qui est du plus bel effet. La pierre s'en nourrit et l'espace s'en emplit formant un tout subtil et homogène.

Brétigny-sur-Orge / Essonne 91
Île-de-France

◆ SITUATION

Espace Jules-Verne
Centre d'art contemporain
Rue Henri-Douard
91220 Brétigny-sur-Orge
Tél. : 01 60 85 20 85
Fax : 01 60 84 22 55
Ouvert du mardi au samedi de 14 à 18 heures.
Entrée libre.

Espace Jules-Verne
Centre d'art contemporain

Vous trouvez que Brétigny est trop loin de la capitale et c'est pour ça que vous n'y avez toujours pas mis les pieds ? Alors sachez que le centre d'art de Brétigny a créé un club – celui du Capitaine Pip – pour vous faciliter la tâche. Chaque premier lundi soir du mois une navette vous y emmènera et vous en ramènera. Ainsi vous ne pourrez manquer la programmation de l'un des centres d'art les plus actifs et les plus inventifs de la région parisienne. Expositions, performances, actions, débats y sont l'ordinaire d'un menu très attentif à la jeune création : Closky, Didier Trenet, Richard Fauguet y ont fait des prestations particulièrement remarquées. Il faut dire que l'espace Jules-Verne, inscrit dans un complexe culturel polyvalent quasi tout neuf, mais façon ancienne maison des Jeunes et de la culture, dispose de locaux qui obligent le plus souvent les artistes à y concevoir une intervention spécifique. Tant mieux, c'est tout bénéfice pour eux comme pour nous ! Membre du IAPIF*.

Bruère-Allichamps / Cher 18

Centre

Abbaye de Noirlac
Commande publique : Jean-Pierre Raynaud, vitraux, 1975

À Noirlac, la lumière qui filtre à travers les vitraux de Jean-Pierre Raynaud est comme une lumière du premier jour, transparente, immaculée et pleine. Voilà plus de vingt ans que l'artiste est intervenu tant dans l'église abbatiale que dans le réfectoire prenant le parti du dépouillement le plus absolu et se contentant d'un simple jeu graphique de lignes horizontales et verticales. Georges Duby, le grand médiéviste, a dit mieux qu'un autre comment Raynaud n'avait pas cherché à imposer sa personnalité d'artiste : « À Noirlac, toute distinction disparaît. En un moment de sa vie, en un point de son parcours, Jean-Pierre Raynaud s'est identifié à l'artiste inconnu, son très lointain prédécesseur. » En effet, il s'est littéralement fondu au lieu, à ce point même que son nom n'est mentionné quasiment nulle part. Qu'importe ! l'expérience est unique et n'est jamais la même. Raynaud a dit comment elle avait été pour lui « la belle aventure ». On veut le croire et c'est pour cela qu'il faut aller l'éprouver. Et du même coup faire étape dans la petite église voisine de Charenton-sur-Cher :

♦ SITUATION
Abbaye de Noirlac
18200 Bruère-Allichamps
Tél. : 02 48 62 01 01
Fax : 02 48 62 01 00
Ouvert tous les jours
sauf le 25 décembre, le
1er janvier et tous les mardis
d'octobre à janvier :
– du 1er avril au 30 juin
et du 1er au 30 septembre,
de 9 heures 45 à 12 heures
et de 13 heures 45 à
18 heures 30 ;
– du 1er juillet au 31 août, de
9 heures 4 à 18 heures 30 ;
– du 1er octobre au 31 mars,
de 9 heures 45 à 12 heures
et de 13 heures 45 à
17 heures.

Jean-Pierre Raynaud y a recouvert là une haute fenêtre de carreaux de céramique blanche, un vitrail aveugle en quelque sorte qui irradie pareillement l'espace.

Caen / Calvados 14

Basse-Normandie

◆ SITUATION
Artothèque
Hôtel d'Escoville
Place Saint-Pierre
14000 Caen
Tél. : 02 31 85 69 73
Fax : 02 31 86 53 76
Galerie d'exposition ouverte
du mardi au samedi de
14 à 18 heures et dimanche
de 15 à 18 heures 30.
Entrée libre.
Galerie de prêt ouverte
mardi, mercredi, jeudi et
samedi de 14 à 18 heures et
vendredi de 11 heures 30 à
18 heures 30.
Entrée libre.

Artothèque

Tous les bombardements dont la ville de Caen a jadis été victime n'ont malgré tout pas réussi à avoir raison du magnifique hôtel d'Escoville. C'est tant mieux puisque, depuis 1986, il abrite l'artothèque municipale et qu'il vaut ainsi à l'amateur d'art une double visite dans le temps. Versant art contemporain, celui-ci y trouve une galerie de prêt et un programme d'expositions entretenant un lien étroit avec la collection d'estampes. L'artothèque de Caen, qui compte un fonds d'environ mille deux cents œuvres, en édite elle-même quelquefois à l'occasion des manifestations qu'elle organise afin de proposer au public d'en acquérir à un prix très abordable. Pour l'essentiel monographiques, les expositions de

l'artothèque privilégient aussi les modes de l'installation* et de la photographie. À l'instar d'un artiste comme le Canadien Pierre Bruneau qui, au printemps 1997, a réalisé tout un travail de révélation mémorable du lieu en exploitant les propriétés de la peinture phosphorescente ou d'Anne Deguelle qui l'a transformé en hommage à Vermeer.

◆ SITUATION
**Fonds régional
d'art contemporain
Basse-Normandie**
9, rue Vaubenard
14000 Caen
Tél. : 02 31 93 09 00
Fax : 02 31 95 54 26
Ouvert tous les jours
de 14 à 18 heures.
Entrée libre.

Frac Basse-Normandie

Malgré une implantation quelque peu excentrée, le Frac Basse-Normandie mérite plus qu'un simple détour tant sa programmation est riche, diverse et variée. Installé dans l'un des bâtiments de l'ancienne faculté de pharmacie, à l'extrémité du parc Michel d'Ornano, il dispose d'efficaces structures d'accueil et de travail – une petite unité de librairie, une salle de documentation, une petite et une grande salle d'exposition – qui en font un lieu de convivialité et d'échange. L'ambiance n'y est pas celle d'espaces aseptisés et froids ; ici volumes humains, escalier de bois et sols carrelés confèrent au lieu sa chaleur. Aussi un public fidèle y suit tant le programme d'expositions que les rencontres organisées à propos du « profil d'une œuvre » ou les activités du café littéraire, le *Hiatus*, animé par Joël Hubaut. La collection du Frac qui est surtout composée de travaux sur papier présente un fonds très singulier de photographies et d'œuvres en relation avec des préoccupations architectes.

Cahors / Lot 46

Midi-Pyrénées

Le Printemps de la photographie

Au printemps, la photographie est à Cahors ce que la chanson est à Bourges, l'occasion d'une manifestation de pointe qui se double d'une véritable fête populaire. Créé en 1991 à l'initiative de Marie-Thérèse Perrin, le Printemps de Cahors est tout entier consacré au domaine de la photographie plasticienne* et des arts visuels. Il doit son succès tant à la qualité de son contenu qu'à l'éclatement de sa programmation dans la ville en une multitude de lieux chargés d'histoire. Expositions personnelles et de groupe, projections vidéos et installations* multimédias sont au menu d'un ensemble de manifestations qui font de Cahors chaque année un observatoire privilégié de la photographie contemporaine. Tout d'abord confiée à Régis Durand, lequel a orienté les choix et la qualité du festival les six premières années, l'actuelle direction artistique en incombe à Jérôme Sans. « La sphère de l'intime » a été le thème retenu de la huitième édition du Printemps dont un programme de « Nuits blanches » est aussi l'occasion chaque fois de spectacles parallèles. La réussite d'une telle manifestation tient pour beaucoup à l'enthousiasme qu'elle rencontre auprès des jeunes. Ils sont plus de trois cents bénévoles chaque année à postuler pour y participer.

♦ SITUATION

Le Printemps
de la photographie

Siège social : 220, boulevard de la République
92210 Saint-Cloud
Tél. : 01 41 12 80 50
Fax : 01 41 12 80 51
Sur place :
125, rue Fondue-Haute
46000 Cahors
Tél. et fax : 05 65 22 07 32.
Courant du mois de juin, téléphoner pour tout renseignement.

♦ SITUATION

**Maison des arts
Georges-Pompidou**
Route de Figeac
46160 Cajarc
Tél. : 05 65 40 78 19/63 97
Fax : 05 65 40 77 16
Ouvert le printemps et
l'automne tous les jours sauf
mardi de 14 à 18 heures,
l'été tous les jours
de 11 à 13 heures
et de 15 à 19 heures.

Maison des arts Georges-Pompidou

Des rapports du politique et de l'art contemporain, l'histoire est riche d'anecdotes en tous genres. Si le plus souvent, hélas ! l'un se sert de l'autre comme faire-valoir culturel, il se trouve des situations moins opportunistes. Président de la République de 1969 à 1974, Georges Pompidou n'en était pas moins un fin lettré et un véritable humaniste. Auteur d'une *Anthologie de la poésie française*, il était aussi un amateur d'art averti. Le salon Agam à l'Élysée, l'exposition « Douze ans d'art contemporain en France » au Grand-Palais en 1972, le Centre national d'art et de culture qui porte son nom en sont autant de témoignages. Tout comme sa collection d'ailleurs. Dès lors, rien de plus naturel que la petite ville de Cajarc dont il était originaire ait voulu honorer sa mémoire en instituant un lieu consacré à l'art vivant. Si la programmation s'inquiète plus particulièrement d'un art initié dans les années cinquante et soixante, elle en appelle aussi à des artistes plus jeunes dont l'œuvre n'exclut pas des problématiques similaires. Depuis plus de dix ans qu'elle existe, la Maison des arts Georges-Pompidou qui a reçu le label ministériel de « centre d'art » et qui a accueilli des personnalités aussi diverses que Messagier, Soulages, Louttre B., Groborne, Kirkeby et Martial Raysse, est un petit bâtiment sans prétention, sobre et efficace, dont l'étape vaut notamment pour sa dimension humaine. Son action hors les murs, notamment à Figeac, est le signe de son rayonnement.

Galerie de l'Ancienne Poste

Rendons à César ce qui appartient à César ! C'est à Marie-Thérèse Champesme qui l'a dirigée pendant une dizaine d'années que la galerie de l'Ancienne Poste de Calais doit sa réputation. Brutalement mise sur pied en 1996, la direction artistique du lieu absorbée par la scène nationale de laquelle il dépend, on a pu craindre jusqu'à la disparition de l'institution. Si elle tente de survivre, elle est encore loin d'avoir retrouvé la qualité d'une programmation qui ne supportait aucun reproche et qui savait judicieusement conjuguer tous les aspects d'une création vive et prospective. Wait and see.

◆ SITUATION
Galerie de l'Ancienne Poste
Le Channel
Scène nationale
13, boulevard Gambetta
62102 Calais
Tél. : 03 21 46 77 10
Fax : 03 21 46 77 42
Ouvert du mardi au
dimanche de 14 à 18 heures.
Entrée libre.

Musée des Beaux-Arts et de la Dentelle

C'est à Patrick Le Nouëne que le musée de Calais doit d'être venu au cours des quinze dernières années à l'art contemporain. Alors conservateur du musée des Beaux-Arts et de la Dentelle, il y a développé tout un programme d'expositions autour de la sculpture en dardant notamment du côté des voisins britanniques. Son successeur ne demeure pas en reste et s'applique à poursuivre dans cette voie tout en l'élargissant – Carmen Perrin en a été l'hôte l'été 1997. Le projet d'un nouveau musée, qu'a accompagné un état des lieux photographique de la collection dressé par Valérie Belin, Olivier Mériel et Nancy Wilson-Pajic, est à l'ordre du jour. Celui-ci doit occuper les locaux d'une ancienne usine désaffectée. Le concours d'architecte est lancé… affaire à suivre.

◆ SITUATION
Musée des Beaux-Arts et de la Dentelle
25, rue Richelieu 62100 Calais
Tél. : 03 21 46 48 40
Fax : 03 21 46 48 47
Ouvert tous les jours sauf mardi et jours fériés, en semaine de 10 à 12 heures et de 14 à 17 heures 30, le samedi de 10 à 12 heures et de 14 à 18 heures 30, le dimanche de 14 à 18 heures 30.

Cannes / Alpes-Maritimes 06

Provence-Alpes-Côte d'Azur

Fort royal de l'Île-Sainte-Marguerite
Commande publique : Jean Le Gac, *Le Peintre prisonnier,* 1992

Qui était-il au juste ? Nul ne l'a jamais su vraiment. Prisonnier d'État, interné successivement au donjon de Pignerol, puis au fort de Sainte-Marguerite, enfin à la Bastille où il mourut en 1703, le Masque de Fer n'a jamais été identifié.

◆ SITUATION
Fort royal de l'Île-Sainte-Marguerite
06400 Cannes
Tél. : 04 93 38 55 26
Fax : 04 93 38 81 50
http://www.cannes-on-line
Ouvert tous les jours, sauf mardi et jours fériés, d'octobre à mars de 10 heures 30 à 12 heures 15 et de 14 heures 15 à 16 heures 30, d'avril à juin jusqu'à 17 heures 30, de juillet à septembre jusqu'à 18 heures 30.

Comment voulez-vous qu'on fît ? Il avait le visage entièrement dissimulé sous un masque muni, selon la tradition, d'une fermeture en acier. Invité à réaliser une œuvre dans le cadre même des geôles du fort de Sainte-Marguerite construit au XVIIᵉ siècle, situé sur l'une des îles de Lérins et qui abrite aujourd'hui le musée de la Mer, Jean Le Gac s'est mis en position de peintre prisonnier. Une situation dans laquelle il n'avait pas encore eu l'occasion de se trouver, lui qui n'a de cesse de se raconter sur le mode quasi mythologique dans le contexte de son activité créatrice. À la différence du Masque de Fer, ou de la Smala d'Abd el Kader qui fut elle aussi « hébergée » au fort, c'est en prisonnier volontaire qu'il s'y est livré. L'ensemble des peintures murales qu'il a réalisées dans les quatre cellules du fort mêle sur un mode fictionnel toutes sortes d'images diverses qui ne représentent pas telle ou « telle scène appartenant à l'histoire des lieux mais bien l'acte de dessiner et de peindre ». D'ailleurs un dispositif vidéo accompagne les peintures qui le mettent en scène racontant son histoire de peintre – parce que le vrai sujet c'est toujours l'histoire du peintre, non ? – et des vitrines conservent les traces matérielles du travail effectué. Une œuvre forte dans un cadre qui ne l'est pas moins.

Cases-de-Pène / Pyrénées-Orientales 66

Languedoc-Roussillon

♦ SITUATION
Château de Jau
66600 Cases-de-Pène
Tél. : 04 68 38 91 38
Fax : 04 68 38 91 33
Ouvert tous les jours du
15 juin au 30 septembre
de 11 à 19 heures.
Entrée libre.

Château de Jau

Amateurs d'art qui êtes en quête de bonnes bouteilles, ce lieu est fait pour vous ! D'autant plus si vous appréciez la nature. Implanté au milieu des vignes, dans l'arrière-pays perpignanais, à deux pas de Rivesaltes, l'une des capitales viticoles du Roussillon, le château de Jau offre à voir un cadre de toute beauté. Producteurs d'une cuvée en renom et collectionneurs avertis, ses propriétaires y organisent chaque été depuis 1977 une exposition d'art contemporain. Non seulement les œuvres bénéficient de beaux et vastes espaces, une ancienne magnanerie, qui en assurent une parfaite mise en valeur mais – ce qui ne gâte rien ! – les visiteurs y trouvent aussi une table fort appréciable. Debré, Tapiès, Gasiorowski,

Combas, César, Arman et Klapheck, qui ont été parmi d'autres les hôtes de Jau, en ont apprécié tant l'accueil que le séjour. Ne vous en privez pas.

Centre d'art contemporain

Un portail XVIIᵉ, une petite cour pavée, la façade d'un charmant petit hôtel particulier, quelques marches pour atteindre le perron… rien ne laisse supposer qu'elles puissent mener à un Centre d'art contemporain. C'est pourtant bien là que celui de Castres est établi depuis une douzaine d'années et qu'on peut y aller à la découverte des propositions artistiques les plus avancées qui soient. Tout s'y fait dans le cadre d'un ancien appartement qui a conservé pour l'essentiel boiseries, parquets, glaces et cheminées et qui donne sur un charmant petit jardin privatif. Éclectique, la programmation qui a souvent été consacrée à la peinture est volontiers ouverte à d'autres disciplines comme l'architecture ou le design, soucieuse de faire voir ce qu'il en est des états les plus divers de la création contemporaine. Garouste, Messager, Cognée, Deguelle, Gerdes, Diller + Scofidio comptent parmi les artistes qui y ont exposé et qui en ont fait la réputation. L'étape à Castres est d'autant plus obligée qu'en matière d'un art contemporain pérenne, le musée Goya qui ne refuse pas de collaborer parfois avec le centre d'art, comme pour l'exposition de Philippe Lepeut l'hiver 1998, abrite l'œuvre la plus grande que le peintre ait jamais exécutée : *L'Assemblée de la junte des Philippines*, un tableau minimaliste avant la lettre daté de 1815 et qui mesure 3,27 x 4,15 m, rien de moins !

◆ SITUATION

Centre d'art contemporain
35, rue Chambre-de-l'Édit
81100 Castres
Tél. : 05 63 59 30 20
Fax : 05 63 72 50 94
Ouverture selon programmation, téléphoner pour tout renseignement.
Ouvert en temps d'exposition du mardi au vendredi de 10 à 12 heures et de 14 à 18 heures, du samedi au lundi de 15 à 18 heures.
Entrée libre

Musée d'Art moderne

♦ SITUATION
Musée d'Art moderne
8, boulevard du
Maréchal-Joffre
66400 Céret
Tél. : 04 68 87 27 76
Fax : 04 68 87 31 92
Ouvert tous les jours de juin
à septembre de 10 à
19 heures, tous les jours sauf
mardi d'octobre à mai
de 10 à 18 heures.

Question : considérée par le célèbre marchand de tableaux Daniel Henry Kahnweiler comme la véritable Mecque du cubisme, la petite commune de Céret en a enfanté l'une des techniques de prédilection. Laquelle ? *(Réponse : les papiers collés).* Bon, vous ne le saviez pas. Seconde question : de quel mouvement d'avant-garde des années soixante-dix Céret peut-elle se vanter d'avoir accueilli les toutes premières manifestations ? *(Réponse : le groupe Supports-Surfaces).* Bon, vous l'ignoriez. Il faut donc absolument que vous alliez à Céret ! Depuis son entrée dans l'histoire de l'art par la grâce de Picasso, de Braque, de Gris et de tant d'autres qui y séjournèrent au début du siècle, Céret n'a pas démenti sa réputation.

Son histoire, chargée aussi d'échanges avec les artistes de la Catalogne espagnole, de Miró à Barcelo, a connu un nouvel épisode au début des années quatre-vingt-dix avec la complète restructuration et l'agrandissement de son musée. Une architecture simple et fonctionnelle, de beaux et grands espaces lumineux, une collection singulière qui fait la part belle à la création méditerranéenne occidentale de Picasso à Viallat, une superbe salle Tapiès et un ensemble monumental de sculptures de Toni Grand… le musée de Céret profite encore du dépôt de collections privées, comme celles du galeriste marseillais Jean-Pierre Alis ou du critique d'art Yves Michaud. Expositions permanentes et temporaires y sont une leçon conjuguée d'art moderne et contemporain, dans le cadre d'une culture euro-régionale franco-espagnole. À tous points de vue, une vraie réussite.

Chagny / Saône-et-Loire 71

Bourgogne

Galerie Pietro Sparta

« Chagny – 5 926 h. Cette ville industrielle et commerçante est très animée. » La formule du *Guide Michelin* de la fin des années soixante-dix est pour le moins laconique et, malgré le « très animée », bien peu avenante. C'est pourtant à Chagny que Pietro Sparta a ouvert sa galerie en 1982. Il fallait le faire ! Non seulement le faire mais y croire ! Que voulez-vous ? quand la passion de l'art vous tient, rien ne lui résiste. Usant judicieusement de ses origines italiennes, le galeriste bourguignon a même réussi une opération totalement insensée de faire venir dans cette région des Monts-de-Sène certains des plus grands noms de l'arte povera*, Mario Merz en tête. Bien sûr, la « culture » régionale est attirante, mais il

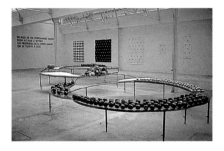

n'y a pas que cela ! Pietro Sparta a surtout su y développer très vite une véritable activité de marchand et sa galerie installée dans les locaux d'une ancienne usine textile s'est rapidement imposée sur la scène internationale. Chagny lui est par ailleurs redevable d'y avoir aussi attiré Richard Serra ; l'Américain y a réalisé pas moins de deux commandes publiques. Toroni pour les aînés, Éric Poitevin pour les plus jeunes, font partie de la joyeuse bande à Sparta. « Très animée », on vous a dit.

♦ SITUATION

Galerie Pietro Sparta
6, rue de Beaune
71150 Chagny
Tél. : 03 85 87 27 82
Fax : 03 85 87 10 48
Ouvert du lundi au samedi
de 14 à 19 heures
et sur rendez-vous.

Chalon-sur-Saône / Saône-et-Loire 71

Bourgogne

Espace des Arts

Comme son nom l'indique, l'espace des Arts est ouvert à toutes les formes d'expression artistique, abordant le phénomène de création sans considération de style ou de pratique. Les arts plastiques y disposent de deux salles, la première plus spécifiquement consacrée à la photographie (Nicéphore Niepce oblige !), la seconde à la peinture et à la sculpture. Mais la programmation de ce lieu en

♦ SITUATION

Espace des Arts
5 bis, avenue Nicéphore-Niepce
71100 Chalon-sur-Saône
Tél. : 03 85 42 52 00
Fax : 03 85 42 52 22
Ouvert tous les jours sauf
samedi et dimanche
de 9 à 12 heures et de 14 à
18 heures. Entrée libre.

appelle aussi parfois à des registres aussi divers que le design ou la mode. Chaque année depuis 1991, l'opération « Janviers en Bourgogne », véritable fête à la création tous azimuts, fait de l'espace des Arts de Chalon un rendez-vous régional privilégié.

Musée Nicéphore-Niepce

♦ SITUATION
Musée Nicéphore-Niepce
Quai Messageries
71100 Chalon-sur-Saône
Tél. : 03 85 48 41 98
Fax : 03 85 48 63 20
Ouvert tous les jours
sauf mardi de 9 heures 30
à 11 heures 30 et de
14 heures 30 à 17 heures 30 ;
en juillet-août,
de 10 à 18 heures.

Imaginez un instant que l'on sache qui a inventé la peinture. Quel musée il faudrait lui consacrer ! Chalon, qui a vu naître Nicéphore Niepce, n'a pas manqué à la tâche. Mais si le musée au nom de l'inventeur de la photographie est réputé pour ses collections anciennes, installé qu'il est depuis 1972 dans l'ancien hôtel des Messageries royales en bordure de la Saône, il n'en est pas moins sensible à la création contemporaine. L'histoire de la photographie est encore toute jeune et il convenait à une institution comme celle-ci de participer non seulement à la rappeler mais à l'écrire. De même que le musée s'est attaché à se constituer au fil du temps une collection qui mette bien en valeur la richesse des techniques photographiques, de même il est attentif aujourd'hui à faire valoir ce qu'il en est des développements de ce que l'on appelle la photographie plasticienne*. Le passé et le présent sont ici intimement liés pour mieux appréhender l'avenir.

Charleville-Mézières / Ardennes 08

Champagne-Ardenne

Musée Arthur-Rimbaud

♦ SITUATION
Musée Arthur-Rimbaud
Quai Arthur-Rimbaud
08000 Charleville-Mézières
Tél. : 03 24 32 44 65
Fax : 03 24 32 44 69
Ouvert tous les jours sauf
lundi de 10 à 12 heures
et de 14 à 18 heures.

Si l'art contemporain n'est pas l'ordinaire de ce musée, il ne s'en prive toutefois pas en invitant de temps à autre un artiste à l'investir et en lui offrant dès lors les moyens d'une réalisation spécifique. Un jeune artiste, de préférence, eu égard à la mémoire du poète qui affirmait que l'« on n'est pas sérieux quand on a dix-sept ans ». En 1995, invitée conjointement par le musée Arthur-Rimbaud et le musée de l'Ardenne, Valérie Favre qui joue des mots aussi bien que des formes et des couleurs ne s'en est pas privée. Si vous passez par là, allez-y. Dans tous les cas, vous y retrouverez l'auteur du *Bateau ivre* : son verbe reste pleinement contemporain.

Château-Chinon / Nièvre 58

Bourgogne

Place François-Mitterrand
Commande publique :
Jean Tinguely
et Niki de Saint Phalle,
fontaine, 1986-1988

Sœur cadette de celle qui est installée à Paris, au pied du centre Pompidou, la fontaine que Niki de Saint Phalle et Tinguely ont imaginée pour la ville de Château-Chinon fait pareillement le bonheur des petits et des grands. Les mêmes figures drolatiques, les mêmes jeux mécaniques et les mêmes jets d'eau y composent une œuvre ludique, impertinente, voire irrévérencieuse, qui fait les mêmes pirouettes et les mêmes pieds de nez. Si vous vous interrogez sur le pourquoi d'une telle sculpture, ici, au cœur profond de la Bourgogne, rappelez-vous qu'en 1981 c'est de cette petite ville qu'un certain François Mitterrand prit la route en direction d'un autre château. La fidélité d'une ville et d'un département à l'égard d'un si prestigieux élu valait bien une récompense. De Beaubourg à Château-Chinon, d'un président à l'autre en quelque sorte !

Châteaugiron / Ille-et-Vilaine 35

Bretagne

Fonds régional d'art contemporain Bretagne

Quoique créé dès la fin des années soixante-dix, avant même la mise en place systématique des Frac en région, celui de Bretagne ne dispose pas d'un espace d'expositions propre. Installé à Châteaugiron, il n'a cependant jamais cessé de développer son action sur le terrain en favorisant dès 1983 une politique de sensibilisation et de formation auprès des acteurs de la scène artistique régionale. Le Frac Bretagne s'exprime ainsi à travers tout un réseau de structures parmi lesquelles

♦ SITUATION
Fonds régional
d'art contemporain Bretagne
3, rue de Noyal
35140 Châteaugiron
Tél. : 02 99 37 37 93
Fax : 02 99 37 62 26.
Service de documentation
ouvert de 14 à 17 heures
du lundi au vendredi.

le centre d'art de la Criée à Rennes* constitue, depuis qu'il est sans direction spécifique, l'un de ses pôles d'action majeurs.

Versant collection, deux grandes orientations déterminent le fonds breton : la peinture abstraite des années cinquante à nos jours, considérée dans toute la diversité de ses états, et la relation entre art et nature, tant dans ses expressions picturales qu'à travers la sculpture, la photographie ou l'installation*. Les expositions que le Frac Bretagne organise ici et là en appellent tant à la mise en valeur d'un thème qu'à la confrontation d'œuvres avec d'autres Frac, tant à une réflexion sur l'histoire de l'art en collaboration avec l'université Rennes-II qu'à la première exposition personnelle de jeunes artistes de la région.

À signaler qu'en matière de documentation de l'histoire de l'art contemporain le Frac Bretagne joue un rôle pilote. Il accueille depuis 1989 les archives de la Critique d'art, une institution créée de toutes pièces par Jean-Marc Poinsot il y a une quinzaine d'années et qui constitue avec celui du Nouveau musée (Institut d'Art contemporain de Villeurbanne, cf. p. 191) l'un des deux centres les plus importants dans l'Hexagone en ce domaine.

Châtellerault / Vienne 86
Poitou-Charentes

Galerie de l'Ancien Collège

♦ SITUATION
Galerie de l'Ancien Collège
École municipale
d'arts plastiques
8, rue de la Taupanne
86100 Châtellerault
Tél. et fax : 05 49 93 03 12
Ouvert du lundi au vendredi
matin de 9 à 12 heures et de
14 à 18 heures, le vendredi
après-midi de 14 à 16 heures.
Entrée libre.

Si elle est la galerie d'une petite école municipale, celle de l'Ancien Collège de Châtellerault n'en est pas moins un lieu où il se passe régulièrement des choses. Installée au rez-de-chaussée d'un bâtiment XVIIᵉ, elle a vu défiler depuis plusieurs années un nombre considérable d'artistes, français et étrangers. D'aucuns, sans doute inspirés par les lieux, s'y sont investis complètement, comme David Tremlett qui y a réalisé en 1993 un remarquable ensemble de *wall drawing** ; il en reste encore un dans la petite chapelle (demander à le voir). Un lieu pour les « amateurs », au sens le plus fort du terme, mais aussi pour les bibliophiles, l'école éditant deux collections choisies de textes et d'images : *Cardinaux*, déjà une cinquantaine de titres, et *Les Cahiers du Multi*, une toute nouvelle série conçue en relation avec l'atelier de gravure de l'école.

Site de la manufacture
Commande publique :
Jean-Luc Vilmouth,
Comme deux tours,
1994

Rien que pour le site lui-même, la visite vaut le détour. Construits au siècle dernier, les bâtiments de l'ancienne manufacture de Châtellerault composent un magnifique ensemble architectural et les deux tours qui sont en leur centre en orchestrent parfaitement l'espace. Ce sont elles – lesquelles menaçaient de tomber en ruines – que Jean-Luc Vilmouth, invité à intervenir sur place, a choisi d'investir. Fidèle à son « principe d'augmentation », il s'en est servi pour les transformer en de véritables belvédères imaginant un dispositif de passerelles qui permettent de monter au tiers de leur hauteur afin de mieux appréhender le site dans sa totalité. Une intervention très minimale qui rend le site à sa propre histoire tout en le propulsant dans une vision d'avenir. Où le mariage de l'art contemporain et du patrimoine industriel s'avère une totale réussite.

Châteauroux / Indre 36

Centre

Galerie
du collège Marcel-Duchamp

Ce collège n'est en réalité rien d'autre que l'école municipale des Beaux-Arts, une école qui s'est donné les moyens d'une galerie d'expositions et qui, pour bien signaler son engagement à l'art contemporain, a choisi de se présenter sous le couvert duchampien. Il n'y a pas de tutelle plus recommandable en la matière et force est de reconnaître qu'il n'y a pas usurpation. Au rythme de quelque sept expositions par an et dans un souci tant d'ancrage historique que de prospection, la galerie de Châteauroux y développe une activité fort dynamique. S'y arrêter vaut ordinairement la peine.

◆ SITUATION
Galerie
du collège Marcel-Duchamp
12, place Sainte-Hélène
36000 Châteauroux
Tél. : 02 54 34 68 79
Fax : 02 54 08 69 15
Ouvert le lundi de 14 à 17 heures et du mardi au vendredi de 9 à 12 heures et de 14 à 17 heures.
Entrée libre.

Chatou / Yvelines 78

Île-de-France

♦ SITUATION
Maison Levanneur
Centre national de l'estampe
et de l'art imprimé
Île des Impressionnistes
78400 Chatou
Tél. : 01 39 52 45 35
Fax : 01 39 52 43 78
Ouvert du mercredi au
dimanche de 12 à 18 heures.
Entrée libre uniquement
pour les Catoviens.

Maison Levanneur
Centre national de l'estampe et de l'art imprimé

C'était au début du siècle, dans l'effervescence d'une époque qui allait voir surgir toute une pléiade de nouvelles tendances. À Chatou, Derain et Vlaminck habitaient la maison Levanneur, sur l'île dite des Impressionnistes, tout à côté du célèbre restaurant *Fournaise*. Les deux fortes têtes du fauvisme y partageaient le même atelier. Transformée depuis mars 1997 en un Centre national d'art contemporain tout entier dévolu aux arts imprimés, elle vise à favoriser des modes comme l'estampe, le gaufrage, la photocopie, l'image informatisée, etc. Trois salles d'expositions, une salle pédagogique, un atelier de fabrication et la possibilité d'accueillir deux artistes en résidence permettent à la maison Levanneur de contribuer à la promotion, tant auprès des artistes que du public, de pratiques trop souvent considérées comme mineures. D'autant que le site est un puissant argument d'attraction, une foire à la ferraille et aux jambons s'y tenant par ailleurs tous les ans au printemps. Membre du IAPIF*.

Choisy-le-Roi / Val-de-Marne 94

Île-de-France

♦ SITUATION
Service municipal
d'Arts plastiques
Bibliothèque Aragon
44, rue du Docteur-Roux
94600 Choisy-le-Roi
Tél. : 01 46 80 54 87
Fax : 01 46 81 96 45
Bibliothèque : ouvert, sauf
l'été, les mardi, jeudi et
vendredi de 13 heures 30 à
18 heures 30, le mercredi de
9 à 18 heures 30, le samedi
de 10 à 17 heures.
Entrée libre.

Service municipal d'Arts plastiques

Inscrits dans les locaux de la bibliothèque Aragon et dans le hall de l'hôtel de ville, les espaces d'exposition dépendant de ce service municipal ne sont pas véritablement adaptés à montrer de l'art contemporain. La programmation y est toutefois de qualité. Celle-ci alterne artistes confirmés et jeunes pépinières, mêlant les genres et les styles, la relation au livre – bibliothèque impose – étant particulièrement favorisée. Pour les artistes, y exposer c'est chaque fois un vrai challenge et c'est ce qui les intéresse ; pour le visiteur, c'est chaque fois l'occasion assurée d'y découvrir une prestation singulière. L'un des atouts de ce lieu est d'être situé en plein centre-ville, donc d'être facile d'accès et plutôt assez fréquenté. Membre du IAPIF*.

Clermont-Ferrand / Puy-de-Dôme 63
Auvergne

Fonds régional d'art contemporain Auvergne

L'espace d'exposition dont le Frac Auvergne dispose est un lieu particulier. Compris dans le vieux Montferrand, inclus dans le cadre historique d'un hôtel du XVIIIe qui abrita jadis l'évêché et la faculté des lettres, il occupe les salles voûtées des anciennes écuries. Très fortement marqué, il est suffisamment vaste cependant pour que les œuvres n'en souffrent pas et permettent un accrochage qui respire. Le choix de la peinture qu'a fait ce Frac dès sa création en 1982 lui permet de se prévaloir aujourd'hui d'une importante collection représentative des grandes tendances de la création contemporaine depuis 1945. Faite de pièces de qualité, mêlant des œuvres tant de figures individuelles que d'artistes appartenant à des mouvements d'avant-garde répertoriés, celle-ci induit une programmation d'expositions temporaires autour de l'idée très ouverte de peinture. L'ouverture récente du Frac à la photographie – et plus particulièrement à la photographie plasticienne* – en est l'une des illustrations et un vecteur directeur qui l'assure de dynamisme. Dans cette qualité-là s'inscrivent les dernières expositions de Philippe Cognée, Christian Jaccard et Pascal Kern.

♦ SITUATION
**Fonds régional
d'art contemporain Auvergne**
Espace d'exposition : Écuries de Chazerat
rue de l'Oratoire
63000 Clermont-Ferrand
Tél. : 04 73 31 85 00
Fax : 04 73 36 73 45
Ouvert tous les jours sauf dimanche et jours fériés de 13 heures 30 à 17 heures 30.
Entrée libre.

Colomiers / Haute-Garonne 31
Midi-Pyrénées

Espace des arts

Installé en plein cœur de la ville, quasi noyé au milieu du quartier commerçant, l'Espace des arts compte parmi les lieux de convivialité de cette petite agglomération de la périphérie toulousaine. Tout entier dévolu à la diffusion de la jeune création artistique contemporaine, il s'applique à en

♦ SITUATION
Espace des arts
Quartier Plein Centre
31770 Colomiers
Tél. : 05 61 78 15 41
Fax : 05 61 78 78 56
Ouvert du mardi au vendredi de 13 à 19 heures et le samedi de 11 à 19 heures. Entrée libre.

faire voir toute la diversité à travers un programme de quatre à cinq expositions monographiques par an dont une est rituellement consacrée à un étudiant diplômé de l'école régionale des Beaux-Arts de Toulouse. Une audacieuse façon de l'inviter à faire ses armes et de proposer au public de se confronter au plus frais d'un art vivant. Non pas un lieu de consécration mais de découverte.

Conques / Aveyron 12

Midi-Pyrénées

◆ SITUATION
Ouvert tous les jours
de 7 à 21 heures.

Église abbatiale
Commande publique :
Pierre Soulages, vitraux, 1994

Choisi par un ermite au VIIᵉ siècle pour se retirer du monde, le merveilleux site de la « conque » que forment les pentes escarpées des gorges de l'Ouche, dans l'Aveyron, devait devenir l'un des hauts lieux de l'Occident spirituel. Jadis étape sur le chemin de Compostelle, les pèlerins y vénéraient les reliques de Sainte-Foy. L'église qui lui est consacrée est un pur chef-d'œuvre d'architecture romane qui doit d'avoir été sauvé en 1837 grâce à Prosper Mérimée, alors inspecteur des Monuments historiques, qui organisa le chantier de sa restauration. La magistrale réfection des vitraux qu'y a entrepris Pierre Soulages entre 1986 et 1994 met un terme définitif à ce dernier.

Exclusivement préoccupé de servir l'architecture du site, le peintre s'est appliqué à en respecter tant la pureté des lignes et la rigueur des proportions que les modulations des tons de pierre et la qualité de la lumière. Pour ce faire, il a mis à nu la structure de chacune des fenêtres, il a évacué tout jeu de lignes orthogonales, privilégiant l'oblique ascendante, et utilisé d'un verre blanc totalement inédit obtenu par cristallisation des grains de silice. L'effet est saisissant. Vus de l'extérieur, les vitraux apparaissent comme des écrans impénétrables sur lesquels semble butter la lumière ; à l'intérieur, c'est la révélation. La lumière a traversé le verre et diffuse dans l'espace. L'édifice vit, Conques revit.

Corse

FraCorse
Fonds régional d'art contemporain Corse

L'implantation d'une institution exclusivement consacrée à l'art contemporain sur un territoire où jusqu'alors aucun musée ne proposait au public une collection d'art moderne ne pouvait se faire que de façon singulière. C'est ce qui se passa en Corse où il fallut attendre 1986 pour mettre en place le Frac et où, dans un premier temps, cinq périodes d'achats seulement, de 1987 à 1992, furent pour lui l'occasion de se constituer une collection. Interrompus pour privilégier des actions de diffusion, les achats reprirent en 1996.

Pensée et composée à partir d'une analyse de l'histoire de l'art des vingt dernières années, celle-ci s'est appliquée pour l'essentiel à en rendre compte sur les versants de l'art minimal*, de l'art conceptuel* et de l'arte povera*, sans négliger pour autant de diriger ses choix vers la jeune création contemporain. En raison du caractère spécifique d'une culture régionale forte, la collection du Frac Corse s'est donnée pour axe principal les rapports art-nature (la nature comme laboratoire, le paysage) tout en développant un sous-ensemble autour du travail de la lumière. C'est ainsi que l'on trouve au sein de sa collection des artistes aussi divers que Giuseppe Penone, Jacques Vieille, David Nash, Peter Fend, Jean-Laurent Albertini, IFP ou Ange Leccia. Emblématique de ces orientations, l'exposition « Géographiques », organisée en 1997, réunissait un ensemble d'œuvres remarquables qui mériteraient une médiatisation plus efficace que celle dont l'institution a bénéficié jusqu'alors.

♦ SITUATION

Fonds régional d'art contemporain Corse
Lieu-dit La Citadelle
20250 Corte
Tél. : 04 95 46 22 18
Fax : 04 95 46 03 03
Ouvert tous les jours sauf le dimanche de 14 à 18 heures. Entrée libre.

Provence - Alpes - Côte d'Azur

Crestet
Centre d'art

Littéralement noyé dans une forêt de chênes, de hêtres et de pins, le centre d'art du Crestet est à peine visible du bord de la route. Une route

◆ SITUATION
Crestet, Centre d'art
Chemin de la Verrière
84110 Crestet
Tél. : 04 90 36 34 85
Fax : 04 90 36 36 20
Ouverture selon programma-
tion, téléphoner pour tout
renseignement. En temps
d'exposition, ouvert tous
les jours de 10 à 18 heures.
Entrée libre.

escarpée, toute en lignes serpentines, qui semble davantage conduire au bout du bout du monde que nulle part ailleurs. Le site est tout à la fois exceptionnel et paradoxal : un cadre naturel qui renvoie à l'expérience d'une épreuve primordiale de la nature, façon enfant sauvage ; une bâtisse construite en béton au début des années soixante-dix, façon Bauhaus, tout entière conçue sur un plan horizontal. À l'origine propriété privée du sculpteur François Stahly, l'ensemble a été racheté par l'État au cours des années quatre-vingt pour en faire un Centre international d'art et de sculpture. Quelle heureuse idée !

Baptisé le « Crestet, Centre d'art », celui-ci n'est pas un parc de sculptures – le site, par trop tourmenté, ne s'y prête pas – mais un véritable laboratoire d'expérimentation et de recherche. Les artistes invités au Crestet le sont pour réaliser des œuvres qui ne s'inscrivent pas nécessairement dans une empreinte littérale et directe de la nature mais

s'évaluent dans un décalage dynamique et dans un contraste dialectique avec celle-ci afin de participer d'autant plus fortement à la révéler en la renvoyant à elle-même. Pour une logique de la différence et de l'altérité non de l'union ou de l'augmentation. Le plus souvent conçues pour une durée limitée et n'existant que le temps de leur présentation, les œuvres présentées en appellent volontiers au mode de l'installation*. Ainsi des travaux qu'y ont réalisés parmi d'autres Paul-Armand Gette, Erik Samakh, Michel Blazy, Marc Couturier ou Cyril Olanier.

À l'inventaire des projets en cours de développement du centre figure l'aménagement de la maison des citernes réservé tant à l'accueil du public qu'à celui des artistes et dans lequel James Turrell devrait mettre en place l'un de ces fameux *Sky Space*, sorte de chambre de méditation directement ouverte sur le ciel. Dans les années à venir, le Crestet devrait accueillir une installation définitive, *Heavy Water*, étonnante installation* que Turrell avait réalisée au Confort moderne à Poitiers (cf. p. 148) en 1991, une autre façon de bain initiatique invitant à une expérience de perception du ciel tout à fait inouïe.

Créteil / Val-de-Marne 94

Île-de-France

Fonds départemental d'art contemporain du Val-de-Marne

Créé dès 1982, le Fdac du Val-de-Marne va disposer, à l'horizon 2000, d'un vrai musée à Vitry-sur-Seine lui permettant ainsi de mettre en valeur sa collection. Représentative de l'art des années cinquante à nos jours, celle-ci a tout d'abord été constituée d'œuvres d'artistes phares pour s'intéresser par la suite à la jeune création. Si la peinture, qu'elle soit figurative (d'Édouard Pignon à Philippe Favier) ou abstraite (de Geneviève Asse à Éric Dalbis) y occupe une place de choix, la sculpture n'est pas en reste : un parcours de commandes publiques a été très tôt mis en œuvre, de la porte de Choisy, avec Caroline Knez, jusqu'à la toute récente installation d'un Dubuffet sur un rond-point à Vitry. Pour l'heure, le fonds est utilisé dans le contexte d'expositions organisées au sein même du département. Catalogues à disposition.

♦ SITUATION
Fonds départemental d'art contemporain du Val-de-Marne
Hôtel du Département
Avenue du Général-de-Gaulle
94011 Créteil
Tél. : 01 43 99 73 65
Fax : 01 43 99 73 02

Deauville / Calvados 14

Basse-Normandie

Courant d'art

Vous hésitez entre l'achat d'une œuvre d'art et celui d'un pur-sang : Courant d'art est fait pour vous ! Créée en 1993, cette manifestation annuelle se tient le week-end de l'Ascension dans le cadre des célèbres ventes de yearling qui ont lieu à Deauville. Une cinquantaine de jeunes artistes y sont sélectionnés chaque année, invités à présenter leurs œuvres dans un espace ouvert sur cour et dans des box libérés pour l'occasion. Les paris sont ouverts.

♦ SITUATION
Courant d'art
Établissement
Élie-de-Brignac
32, avenue Hocquart-de-Turtot
14800 Deauville
Tél. : 02 31 81 81 00
Fax : 02 31 81 81 01

Delme / Moselle 57

♦ SITUATION
Synagogue de Delme
Espace d'art contemporain
Rue Poincaré
57590 Delme
Tél. : 03 87 01 35 61
Fax : 03 87 01 42 91
Ouverture selon
programmation, téléphoner
pour tout renseignement ;
fermé en hiver.
Entrée libre.

Synagogue de Delme
Espace d'art contemporain

Attention à ne pas traverser la petite ville de Delme trop rapidement, vous risqueriez de manquer sa synagogue. Non seulement elle est un petit bijou d'architecture fin XIXᵉ siècle mais elle recèle un espace d'art contemporain qui vient d'être inscrit à l'inventaire des centres d'art par le ministère. La programmation qu'y développe l'association qui la gère est d'une rigueur exemplaire : de Michel Paysant – son premier hôte – à Bustamante – le dernier en date – en passant par Honegger, Carbonnet, Morellet, Saulnier, Ernest T., Balzac, Buren, etc. Il faut dire que le lieu exige de la part des artistes invités qu'ils s'y investissent réellement. Bâtie sur deux niveaux, avec une coursive supérieure correspondant à l'ancien étage des femmes, la synagogue de Delme oblige les artistes à jouer de l'espace. Ils sont donc toujours amenés à y développer un projet spécifiquement conçu pour le lieu, c'est dire la chance de ceux qui ont la curiosité de s'y arrêter. Équidistante de Metz et de Nancy, à une trentaine de kilomètres du côté du levant, Delme compte parmi les étapes obligées mariant patrimoine et création vivante. On y revient d'ailleurs toujours très volontiers. Au programme du nouveau centre d'art : quatre expositions par an et l'ouverture prochaine d'une résidence d'artiste.

Digne / Alpes-de-Haute-Provence 04

Cathédrale Notre-Dame-du-Bourg
Commande publique : David Rabinowitch, vitraux, tapisserie et aménagement liturgique, 1998

La réussite d'une commande publique tient à un faisceau de raisons qui ne sont pas toujours faciles à rassembler. Elles le sont à la cathédrale Notre-Dame-du-Bourg de Digne dont la restauration a été accompagnée de la réfection des vitraux et de la création d'une tapisserie et du mobilier liturgique. Elles le sont parce que l'ensemble de ces commandes a été confié à un seul et même artiste, David Rabinowitch. La passion de ce dernier pour l'art roman a trouvé là une situation qui lui a permis de s'exprimer en toute plénitude. À l'immatérialité de la lumière diffusée par les vitraux s'oppose la densité du mobilier. Un exemple de rigueur et de construction que porte une géométrie subtile et sensible.

Dijon / Côte-d'Or 21

Bourgogne

Le Consortium
Centre d'art contemporain
et l'Usine

N'y allons pas par quatre chemins : le Consortium et l'Usine sont l'exemple même de la réussite en région du phénomène associatif tel qu'il s'est développé dès la fin des années soixante-dix sur le terrain de l'art contemporain en France. À l'origine de celui-ci, tout reposait sur la volonté de quelques-uns – artistes, universitaires ou simples amateurs d'art – de participer à la diffusion et à la promotion d'une création résolument contemporaine en montant à la force du poignet de petites structures d'expositions, de rencontres, d'éditions, etc. Ainsi du Consortium à Dijon, au sein d'une association nommée « Le Coin du miroir », et qui compte aujourd'hui parmi les centres d'art les plus prospectifs de l'Hexagone.
Il faut dire que, depuis plus de vingt ans, de Buren à Knoebel, de Morellet à Perrodin, de Toroni à Varini, en passant par Haacke, Vermeiren, Lawler, Zaugg, Dan Graham et tous les autres, le Consortium a éprouvé la quasi-totalité des propositions les plus innovantes de l'art vivant.
Installé en plein centre-ville

♦ SITUATION
Le Consortium
Centre d'art contemporain
16, rue Quentin
21000 Dijon
Tél. : 03 80 30 75 23
Fax : 03 80 30 59 74

L'Usine
37, rue de Longvic
21000 Dijon
Tél. : 03 80 66 45 55
Fax : 03 80 68 45 57
Ouverts du mardi au samedi
de 14 à 18 heures
et sur rendez-vous.
Entrée libre.

dans d'anciens locaux commerciaux se déployant sur plusieurs salles, le Consortium s'est doublé il y a quelques années d'une seconde structure plus légère, nommée « l'Usine ». Située en bordure urbaine, elle est faite d'une seule et unique grande salle dans un bâtiment style Bauhaus. À la programmation du premier, dans une tradition pure et dure des avant-gardes des années soixante à soixante-dix qui s'est quelque peu assouplie au fil du temps, réplique celle de la seconde qui, d'une part, s'appuie sur la réalisation de projets spécifiques et, d'autre part, prend davantage en compte ce qu'il en est d'une création « arts visuels » appelant performances, projections, vidéo, etc. À cet effet, l'Usine s'est d'ailleurs dotée d'une petite salle de spectacle qui lui permet une programmation *ad hoc*.

Par excellence lieu de production, le Consortium qui n'est avare ni d'énergie, ni d'activités, mais qui est surtout attentif à pouvoir répondre aux besoins de plus en plus diversifiés des jeunes artistes agit encore au travers tant d'une maison d'édition que d'une boîte de production. C'est ainsi qu'il conduit au sein des Presses du réel une ambitieuse politique éditoriale : édition de monographies d'artistes, d'un magazine vidéo *Prime Time* et de la revue *Documents sur l'art*. Sans compter que, depuis 1996, le centre d'art de Dijon a mis en place sur le modèle du Whitney Program de New York une unité appelée « Consortium Programme » consacrée à la formation de médiateurs culturels. Bref, une activité très pointue tous azimuts.

◆ SITUATION
**Fonds régional
d'art contemporain Bourgogne**
49, rue de Longvic
21000 Dijon
Tél. : 03 80 67 18 18
Fax : 03 80 66 33 29
Ouvert tous les jours
du lundi au samedi
de 14 à 18 heures.
Entrée libre.

Espace Frac Bourgogne

Pendant de trop longs temps, la lisibilité du Frac Bourgogne a été littéralement phagocytée par l'étroitesse des relations qu'il entretenait avec le Consortium. Cette époque est heureusement révolue et, depuis deux à trois ans, l'arrivée d'une nouvelle direction a permis à l'institution bourguignonne de faire valoir son identité. Installé depuis 1986 dans un bâtiment industriel réaménagé, le Frac dispose d'outils de travail qui sont très performants : non seulement des espaces d'expositions amples et lumineux qui permettent une programmation très variée mais une collection rigoureuse de très grande qualité.

Celle-ci – qui n'a pas toujours été mise en valeur à la hauteur de son intérêt – a été principalement constituée autour d'une idée abstraite géométrique à partir d'un « noyau dur » privilégiant la peinture, caractéristique des grandes tendances française, suisse, allemande, hollandaise, anglaise et américaine. Elle rassemble ainsi un ensemble unique qui va de Nemours, Honegger et Morellet à Verjux, Varini et Diao en passant par BMPT, Rutault, Charlton, etc. Mais la collection du Frac Bourgogne est largement ouverte à d'autres tendances telles que l'art conceptuel*, le Nouveau Réalisme*, l'arte povera*, les mythologies individuelles et l'art narratif, chacune avantageusement représentée par des ensembles visant à mettre l'accent sur certains de leurs aspects spécifiques.

Signe singulier d'une région fort accueillante, un nombre relativement important d'artistes – et non des moindres – ont choisi de s'y installer. Bertrand Lavier, Gloria Friedmann, Cécile Bart, Jacques Vieille, Yan Pei Ming comptent parmi ceux-ci. Très bien représentés dans la collection du Frac, ils contribuent par leur présence à dynamiser une géographie déjà riche en situations contemporaines.

Dole / Jura 39

Franche-Comté

Fonds régional d'art contemporain Franche-Comté

On a beaucoup débattu la question des rapports entre Frac et musées, s'inquiétant à juste titre de voir ceux-ci avaler ceux-là. Le cas de la Franche-Comté est exemplaire de ce que cela peut aussi se traduire par une intelligente intégration. Voilà dix ans maintenant que le Frac de la région a été géographiquement et structurellement inclus au sein du musée des Beaux-Arts de Dole et il n'en a pas pour autant perdu son âme. Mieux, il en est devenu le vecteur dynamique et prospectif, versant art contemporain, dans une région qui n'est guère favorisée en ce domaine. Disposant d'un espace propre spécialement aménagé dans les combles du musée, le Frac Franche-Comté, qui a été créé en 1984, possède une collection

♦ SITUATION
Fonds régional
d'art contemporain
Franche-Comté
Musée des Beaux-Arts
85, rue des Arènes
39100 Dole
Tél. : 03 84 79 25 85
Fax : 03 84 72 89 46
Ouvert tous jours sauf lundi
de 10 à 12 heures
et de 14 à 18 heures.
Entrée libre.

singulière, essentiellement figurative. Représentative des grands courants de l'art des trente dernières années, elle est faite d'œuvres qui se ressourcent auprès d'une culture populaire telle qu'elle a été promue tout d'abord par les artistes du pop art* et ceux du Nouveau Réalisme* puis par ceux de la Figuration narrative*, versant critique, enfin par toute une génération de jeunes artistes.

« L'image et la question de la représentation » constitue le noyau conceptuel d'une réflexion qui, depuis 1993, articule tant les grandes orientations du Frac – toutes formes d'expression confondues : peinture, dessin, photographie, vidéo, sculpture, installation* – que ses activités. Attentif à la jeune création, notamment aux artistes de la région, comme il l'a été à l'égard de Gilles Touyard, de Hugues Reip ou de Didier Marcel, le Frac Franche-Comté s'applique à développer en région un réseau de lieux-relais : musées, centres culturels, hôpitaux, lieux patrimoniaux ou alternatifs, lycées, collèges, etc., qui assurent l'art contemporain d'une présence vive.

Domart-en-Ponthieu / Somme 80
Picardie

Maison du livre d'artiste contemporain

◆ **SITUATION**

Maison du livre d'artiste contemporain
Angle des rues du Château et de l'Église
80620 Domart-en-Ponthieu
Siège social :
5, rue des Crignons
80000 Amiens
Tél. : 03 22 97 91 00
Fax : 03 22 92 09 07
Ouverture selon programmation
et sur rendez-vous, téléphoner pour tout renseignement. En temps d'exposition, ouvert du mercredi au dimanche de 10 à 19 heures.
Entrée libre.

Si vous faites partie de ceux qui vouent au livre d'artiste un culte de bibliophile, alors il vous faut passer un jour à Domart-en-Ponthieu. Fondée sur l'idée d'un croisement des champs plastiques et littéraires, l'activité de la maison du LAC, installée dans un petit bourg picard depuis 1992, ne manquera pas de retenir votre attention. Le livre y est abordé comme un espace de création à part entière, support occasionnel de recherches plastiques et typographiques dans le droit-fil des avant-gardes du début de ce siècle. Si les actions qu'elle y mène ne sont pas toujours d'une visibilité éclatante, elles n'en sont pas moins intéressantes : organisation d'expositions, sur place ou à l'extérieur ; constitution d'un fonds de livres d'artistes, grâce aux dépôts des éditeurs ; mise en place d'ateliers avec des plasticiens et des écrivains, etc.

Douchy-les-Mines / Nord 59

Nord-Pas-de-Calais

Centre régional de la photographie Nord-Pas-de-Calais

Si la mine est ce qui fonde historiquement la raison d'être d'une petite commune comme celle de Douchy, depuis plus de quinze ans la photographie en est l'un des vecteurs culturels les plus forts. Créé en 1981, le centre d'art régional qui lui est consacré figure à l'itinéraire obligé de tout amateur d'art photographique digne de ce nom. Mais Douchy, ce n'est pas simplement une galerie d'exposition, c'est tout un faisceau d'activités et de services. Le centre assure en effet toutes sortes de fonctions : il initie des projets, il organise des expositions, il multiplie les publications, il édite un gratuit, il prête, il forme, il tire, il conserve, il expertise, etc. En charge de la Mission photographique transmanche, et dans le cadre de l'aménagement européen, il a notamment invité des artistes à enregistrer les transformations de l'espace régional et à les faire s'interroger sur les profondes répercussions qu'occasionnent les grands chantiers. C'est ainsi que Jean-Louis Garnell a travaillé sur celui de percement du tunnel sous la Manche, que Bernard Plossu et Michel Butor ont suivi l'évolution du trajet Paris-Londres-Paris et que Max Lerouge a installé ses quartiers au pied des grues à Euralille. Chaque fois, il s'en est suivi toute une production d'images cumulant qualités documentaires et qualités esthétiques. Une intelligente façon d'écrire l'histoire.

◆ SITUATION
**Centre régional
de la photographie
Nord-Pas-de-Calais**
Place des Nations
59282 Douchy-les-Mines
Tél. : 03 27 43 56 50
Fax : 03 27 31 31 93
Ouvert du lundi au vendredi
de 14 à 18 heures,
les samedi et dimanche
de 15 à 19 heures.
Entrée libre.

Dunkerque / Nord 59

Nord-Pas-de-Calais

Fonds régional d'art contemporain Nord-Pas-de-Calais

Construit au siècle dernier, fait de bâtiments de pierre et de brique, véritable ville dans la ville, l'ancien hôpital municipal ne répondait plus aux exigences d'une médicalisation moderne. Désaffecté, il a été peu à peu réaménagé,

◆ SITUATION
**Fonds régional
d'art contemporain
Nord-Pas-de-Calais**
930, avenue de Rosendael
59240 Dunkerque
Tél. : 03 28 63 63 13
Fax : 03 28 63 63 39
Ouvert du mardi au
vendredi de 10 à 18 heures
et samedi de 13 à 19 heures.

occupé pour partie par l'école des Beaux-Arts de Dunkerque et par le Frac Nord-Pas-de-Calais. À l'avantage de leurs utilisateurs réciproques, les deux institutions se font vis-à-vis, c'est dire si leur implantation est complémentaire. Installé sur quelque 1 300 m², le Frac dispose de locaux très avantageux avec des bureaux et des réserves parfaitement équipés, un centre de documentation très fourni et deux belles salles d'exposition quoique un peu trop ouvertes à la lumière.

Le Frac Nord-Pas-de-Calais possède une collection de très haut niveau. L'essentiel des avant-gardes internationales des trente dernières années y est représenté, parfois avec des pièces qui ont d'ores et déjà valeur de repères historiques, l'attention ayant toujours été portée sur des œuvres radicales. Dès le début de sa création en 1982, l'institution régionale a su jouer de sa situation de carrefour européen, entre l'Hexagone et les pays du Nord, pour développer un programme d'expositions ouvert à toutes les circulations et se placer d'emblée sur la scène internationale. Sa confortable installation dans les locaux de l'ancien hôpital devrait lui permettre de conforter ainsi son rôle régional de phare de l'art contemporain.

Enghien-les-Bains / Val-d'Oise 95
Île-de-France

◆ SITUATION
Eaux de Là
Biennale d'art contemporain
Association in situ
22, rue de la Libération
95880 Enghien-les-Bains
Tél. : 01 34 12 10 24
Fax : 01 34 12 01 80
De la mi-juin à la fin septembre. Entrée libre.

Eaux de Là
Biennale d'art contemporain

Célèbre pour son lac et pour son casino, Enghien-les-Bains ne l'est pas encore pour sa biennale. Cela ne saurait tarder parce qu'après les deux premiers numéros de 1996 et de 1998, le bilan est plus que satisfaisant. Conçue sur le principe de l'installation d'œuvres spécialement réalisées *in situ* par une dizaine d'artistes à travers la ville – la rue, les jardins, le lac – « Eaux de Là » vise à en susciter un nouveau regard. Denis Pondruel, Seton Smith, Barbarit et Bruni, Erik Samakh, Beat Streuli ont déjà été parmi d'autres les hôtes d'Enghien. Une manifestation de qualité, un site fort plaisant, promenade à vélo conseillée.

Eymoutiers / Haute-Vienne 87
Limousin

Espace Paul-Rebeyrolle
Centre d'art

Figure majeure d'un art contemporain engagé, Paul Rebeyrolle reste un artiste fort mal connu. Voilà près de quarante ans pourtant qu'il ne cesse de dénoncer les travers d'une société que gouvernent par trop l'appétit du gain et la soif du pouvoir. Parce qu'il y est né en 1926, la petite ville d'Eymoutiers a tenu à le célébrer en lui consacrant un lieu exclusivement dévolu à la présentation de son œuvre. Conçu par l'architecte Olivier Chaslin, l'espace Paul-Rebeyrolle se présente sous la forme d'un carré très compact qui joue du contraste entre un extérieur apparemment opaque et un intérieur vaste et lumineux. D'une très grande sobriété, fait pour l'essentiel en bois, il offre un parcours rétrospectif de l'œuvre du peintre en une quarantaine de tableaux d'une rare puissance d'expression. Inquiétantes, torturées, les figures de Rebeyrolle décrivent une humanité marquée par le malheur, parentes tout à la fois de Goya et de Bacon. Ne serait ce que pour son *Cyclope, hommage à Georges Guingouin* (1987), célébrité résistante locale, dont le format monumental est suspendu au mur par l'un des angles, l'étape d'Eymoutiers est obligée.

♦ SITUATION
Espace Paul-Rebeyrolle
Centre d'art
Route de Nedde
87120 Eymoutiers
Tél. : 05 55 69 58 88
Fax : 05 55 69 58 93
Ouvert tous les jours du 15 mai au 1er octobre de 10 à 18 heures ; du 16 mai au 30 septembre, du mercredi au vendredi de 14 à 18 heures, les samedi et dimanche de 10 à 18 heures.

Fécamp / Seine-Maritime 76
Haute-Normandie

Palais Bénédictine

Toute saveur gardée, la bénédictine est à Fécamp ce que la moutarde est à Dijon ; un nectar liquoreux fabriqué depuis des siècles selon les mêmes recettes par les mêmes et joyeux moines. Jalon incontournable de la côte normande, le palais Bénédictine est une vraie manne touristique. Si sa visite s'impose aux palais sucrés, il vaut aussi parfois pour les expositions d'art moderne et contemporain que l'on peut y voir. La programmation n'est pas d'une folle audace mais elle aborde souvent des sujets thématiques qui sont l'occasion de réunions d'œuvres de grande qualité. Deux raisons au moins de marquer le pas.

♦ SITUATION
Palais Bénédictine
110, rue Alexandre-le-Grand
76400 Fécamp
Tél. : 02 35 10 26 10
Fax : 02 35 28 50 81
Ouvert tous les jours de 10 heures 30 à 18 heures 30, sauf les 25 décembre et 1er janvier.
Entrée libre.

Place des Écritures
Commande publique : Joseph Kosuth, *Ex-Libris, J.-F. Champollion (Figeac), une installation permanente,* 1989-1990

Pourquoi donc parmi toutes les choses apprises à l'école primaire, le nom de Champollion reste-t-il aussi puissamment gravé dans nos mémoires ? Et ce mot tout à la fois savant et exotique de « hiéroglyphe », comment se fait-il que nous l'enregistrions si vite ? Le fait est que la « pierre de Rosette » est certainement l'un des souvenirs les

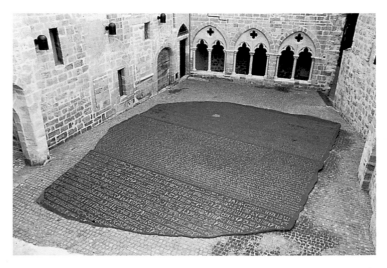

plus forts que nous ayons gardés de la petite école et la sorte de légende qu'accompagne la découverte de sa lecture par Champollion en 1822 n'a fait qu'y participer. Bien peu savent en revanche que celui-ci est né à Figeac en 1790. Ceux qui ont la curiosité aujourd'hui de s'y arrêter ne pourront plus manquer de l'apprendre : en plus du musée à la gloire du savant, une commande publique le célèbre et pas n'importe laquelle, peut-être même l'une des plus réussies de ces vingt dernières années. Passée très judicieusement au père de l'art conceptuel*, Joseph Kosuth, à l'occasion du bicentenaire de Champollion, celle-ci qui occupe le cœur du vieux Figeac se présente sous la forme d'une immense dalle en granit noir du Zimbabwe au format agrandi de la « pierre de Rosette ». Les trois niveaux d'écritures, hiéroglyphique, démotique et grecque, épousent la légère dénivellation du terrain et composent une plate-forme de 96 m² que le piéton est invité à traverser, le faisant ainsi passer d'une langue à l'autre. Deux petits jardins en terrasse aux senteurs les plus diverses et la mise en place dans un espace mitoyen d'une gravure au sable sur verre de la traduction la plus récente du texte si longtemps énigmatique complètent l'aménagement remarquable de cette petite place qui porte si bien son nom. Incontournable.

Flaine / Haute-Savoie 73

Rhône-Alpes

Flaine culture et commandes publiques

Ouvert dès 1969, le centre d'art de Flaine est le seul qui soit implanté dans le cadre d'une station de ski. L'histoire de cette petite commune, construite de toutes pièces par l'architecte « bauhausien » Marcel Breuer au cœur même du massif d'Arve-Giffre, est inséparable du nom de ses fondateurs, le merveilleux couple mécène Éric et Sylvie Boissonnas. C'est à leur passion pour l'art contemporain que Flaine doit d'être doté non seulement d'une galerie d'expositions dont l'activité connaît depuis peu un nouvel essor mais d'un ensemble d'œuvres d'art souvent de premier ordre, telles *Le Boqueteau* de Jean Dubuffet et une *Tête de femme* de Picasso, toutes deux installées au bas même des pistes respectivement en 1988 et 1991. Si Ghislaine Vappereau, Emmanuel Saulnier, Erik Samakh, Bernard Piffaretti et Bruno Rousselot ont été parmi les hôtes de ce centre d'art ces dernières années, Topor, Bury, Arman, Vasarely, Adzak comptent parmi les artistes dont on croise ici et là des œuvres, sans oublier celles de Buraglio, d'Hantaï et de quelques autres que l'on peut voir dans la chapelle œcuménique.

♦ SITUATION

Flaine culture et commandes publiques 74300 Flaine Tél. : 04 50 90 41 73 Fax : 04 50 90 86 26 Ouverture selon programmation, téléphoner pour tout renseignement. En temps d'exposition, ouvert tous les jours, sauf samedi, de 16 à 20 heures. Entrée libre.

Château de Fraïssé

◆ SITUATION
Château de Fraïssé
11360 Fraïssé-des-Corbières
Tél. et fax : 04 68 45 94 80
Ouvert uniquement l'été,
les vendredi, samedi
et dimanche après-midi et
sur rendez-vous. Entrée libre.

« La foudre pilote l'Univers » dit Héraclite. L'Univers, peut-être ; Patrick des Gachons, c'est sûr. Artiste, installé à Menton, c'est un véritable coup de foudre qu'il a eu il y a vingt-deux ans pour le château de Fraïssé, un petit village enfoui dans les Corbières. Quoique la bâtisse menaçait de tomber en ruines, des Gachons n'a pas pu résister : il l'a achetée. Parallèlement à sa restauration, il n'a cessé chaque été depuis 1989 d'y inviter des artistes à exposer. Des artistes avec lesquels il se sentait le plus d'affinités, c'est-à-dire façon art minimal* et géométrique. Mosset, Honegger, Perrodin, Verjux, Cécile Bart comptent parmi ceux qui sont devenus ses amis et qui ont contribué à faire du château de Fraïssé un lieu de connivence, dans la chaleur de l'accueil et du pays.

Maison d'art contemporain Chaillioux

◆ SITUATION
**Maison d'art contemporain
Chaillioux**
5, rue Chaillioux
94260 Fresnes
Tél. : 01 46 68 58 31
Fax : 01 46 68 45 28
Ouvert du mardi au
vendredi de 14 à 19 heures,
le samedi de 10 à 13 heures
et de 14 à 18 heures, le
dimanche de 10 à 13 heures.
Entrée libre.

Si l'on a pu craindre à un certain moment la fermeture de ce lieu singulier, il semble bien que l'orage soit passé et qu'il n'a pas eu raison de son existence. C'est tant mieux parce que, depuis sa création en 1990, cette maison Chaillioux a parfaitement rempli l'objectif qu'elle s'est assigné : « offrir au public un outil culturel qui lui permette une sensibilisation à l'art d'aujourd'hui ». Les expositions, animations, conférences et autres rencontres qui composent le menu de sa programmation en ont fait un rendez-vous de qualité. Plus d'une quarantaine d'artistes sont passés par Chaillioux, parmi lesquels des artistes tels Bernard

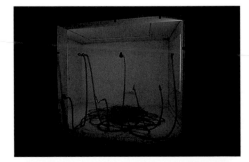

Lallemand, Damien Cabanes ou Vladimir Skoda. Le cadre de maison particulière confère à ce lieu une dimension humaine qui permet une approche de l'art parfaitement conviviale sans pour autant interdire d'y présenter des œuvres en complet décalage. Vrai lieu d'échanges, la maison Chaillioux s'applique à les multiplier à tous les niveaux : coproductions, édition d'un petit journal, travail vidéo, etc. Ça bouge à Fresnes parce qu'on n'aime pas y être enfermé.

Gennevilliers / Hauts-de-Seine 92

Île-de-France

Galerie municipale Édouard-Manet

Il serait intéressant de dresser la liste exhaustive des artistes qui ont exposé à Gennevilliers depuis bientôt trente ans que la galerie municipale Édouard-Manet existe. Pour sûr, il n'y aurait pas meilleure façon de prendre la mesure du travail accompli. Créée par celui-là même qui la dirige encore aujourd'hui, Bernard Point, et auquel elle s'identifie, elle a été conçue tout d'abord comme un outil de travail de l'école municipale des Beaux-Arts. Mais, très vite, elle a gagné ses lettres de noblesse pour s'imposer sur la scène artistique comme un lieu d'expérimentation et de recherches, soucieux de présenter des œuvres toujours inédites, voire spécialement réalisées sinon pour le lieu du moins à l'occasion d'une exposition.

Le programme qu'y développe Bernard Point, avec une acuité et une rigueur exemplaires, témoigne d'une ouverture d'esprit attentive à tout instant à la situation de l'art en train de se faire, aussi le public tant local que capital qu'il a réussi à fidéliser n'a jamais cessé de se régénérer. Constituée pour l'essentiel d'expositions monographiques (Cueco, Degottex, Dominique Gauthier, Osman, Jean-Pierre Pincemin, Valérie Belin, Jean-Charles Pigeau, Anne Deguelle, etc.), la programmation qui mêle tant les genres que les générations et qu'un thème générique annuel peut articuler (le dessin, par exemple) est confortée par l'organisation de conférences en rapport direct avec elles. Un rendez-vous obligé. Membre du IAPIF*.

♦ SITUATION
Galerie municipale
Édouard-Manet
3, place Jean-Grandel
92230 Gennevilliers
Tél. : 01 47 94 10 86
Fax : 01 47 99 33 30
Ouvert du mardi au samedi
de 14 à 19 heures.
Entrée libre.

♦ SITUATION
**Musée du Dessin
et de l'Estampe originale**
Arsenal
Place Charles-Valentin
59280 Gravelines
Tél. : 03 28 65 50 60
Fax : 03 28 23 15 89
Ouvert tous les jours sauf
mardi de 14 à 17 heures,
le matin sur rendez-vous,
les samedi et dimanche
de 15 à 18 heures.
De mai à septembre,
ouvert le dimanche
de 10 à 12 heures.

Musée du Dessin et de l'Estampe originale

C'est bien connu, le papier ne supporte pas la lumière. À Gravelines, jadis place forte ceinturée de remparts, on a trouvé la solution : rien de mieux que l'Arsenal – qui plus est, le bâtiment de la poudrière – pour abriter les trésors de dessins, d'estampes et de livres illustrés du musée. Créé de toutes pièces en 1982, celui-ci abrite une collection d'environ cinq mille pièces faite tant de petits lots que d'ensembles complets d'artistes très divers. La bâtisse avec sa façade au fronton triangulaire et son sol en pavés du Nord vaut autant que la collection qui conjugue fort heureusement art moderne et art contemporain. Tout l'œuvre gravé d'Arman y est ainsi déposé. Les expositions temporaires sont parfois l'occasion de la publication de catalogue raisonné, comme ce fut le cas pour Philippe Favier, ou de l'édition spécifique d'estampes. Une présentation permanente des techniques, illustrée d'œuvres originales, permet enfin de faire la différence entre une aquatinte, une eau-forte, une pointe sèche, une lithographie, une manière noire, une xylographie, etc., et de mieux comprendre les mécanismes de leur fabrication. C'est-à-dire d'apprendre à apprécier cet art si riche de l'estampe.

♦ SITUATION
Magasin
Site Bouchayer-Viallet
155, cours Berriat
38000 Grenoble
Tél. : 04 76 21 95 84
Fax : 04 76 21 24 22
http://www.magasin-cnac.org
Ouvert tous les jours, sauf
lundi, de 12 à 19 heures.

Magasin
Centre national d'art contemporain

Vu de l'extérieur déjà, le Magasin en impose par sa monumentalité architecturale mais sitôt que vous en avez franchi le seuil vous êtes littéralement envahi par l'espace : un immense parapluie vitré, une superficie au sol d'environ 3 000 m², une espèce de grande rue intérieure et toutes sortes de salles destinées à l'accueil, aux expositions, à la librairie, à la cafétéria, aux bureaux, etc.

Construit en 1900 par les ateliers de Gustave
Eiffel, le site Bouchayer-Viallet dans lequel est
inscrite la halle qui abrite ce centre national d'art
contemporain constitue un étonnant complexe.
Créé de toutes pièces en 1986 à l'initiative de
Jacques Guillot, aujourd'hui disparu, le Magasin
a été aménagé à cet effet par Patrick Bouchain qui
a su parfaitement en préserver tant l'intégrité
architecturale que l'esprit.

Conçu dès l'origine comme un lieu dynamique,
chargé non seulement de produire des expositions
mais aussi d'assurer une formation professionnelle
aux métiers de l'art contemporain autour de l'idée
d'exposition, le Magasin s'est très vite imposé sur
l'échiquier international. L'originalité de son
espace en a fait un lieu prisé des artistes en
recherche de situation exceptionnelle : de Buren à
Claude Lévêque, en passant par Jean-Pierre
Bertrand, Jacques Villeglé, Richard Prince,
Alighiero Boetti, Jean-Philippe Vassal, Mario
Milizia, etc., le Magasin multiplie les propositions
d'artistes de tendances les plus diverses.
Yves Aupetitallot qui le dirige depuis janvier 1996
en a notamment développé l'action au regard de
la question des rapports entre « art et ville », dans
un contexte d'intégration du site « hors les
murs ». Si les « galeries » sont ordinairement
consacrées chaque trimestre aux expositions
monographiques ou thématiques, la « Rue » est
confiée chaque semestre à un architecte ou un
artiste. Une petite salle dite « des projets » est,
quant à elle, réservée à la présentation de premières expositions de très jeunes artistes. On
l'aura compris, le Magasin grouille d'activités
d'autant que conférences, performances ou pro-

jections vidéos ont lieu tous les mardis à 19 heures à l'auditorium. En douze ans d'existence, démonstration a été faite de la justification et de la pertinence d'un tel lieu qui a su fidéliser un public tant local que régional, national ou international. Le Magasin compte au nombre des grandes institutions européennes. C'est un lieu incontournable.

♦ SITUATION
Musée de Grenoble
5, place de Lavalette
38010 Grenoble Cedex 01
Tél. : 04 76 63 44 44
Fax : 04 76 63 44 10
Ouvert tous les jours sauf mardi de 11 à 19 heures, nocturne le mercredi jusqu'à 22 heures.
Fermé les 1er janvier, 1er mai et 25 décembre.

Musée de Grenoble

« Le musée de Grenoble, c'est une collection prestigieuse d'art ancien et d'art du XXe siècle qui continue de s'accroître, ce sont des espaces unanimement appréciés pour leur qualité architecturale et fonctionnelle, ainsi qu'un jardin de sculptures, l'un des plus beaux d'Europe » aime à marteler son directeur, Serge Lemoine. C'est qu'en poste à Grenoble depuis près de douze ans, il en a été la cheville ouvrière depuis sa conception jusqu'à son aménagement. Inauguré en 1995, le musée de Grenoble est un bâtiment superbe tout en rigueur construite. Versant contemporain, on peut dire qu'il est le temple de l'art construit. L'art concret, l'art géométrique abstrait, c'est la passion de Lemoine – presque une raison d'être –, aussi rien d'étonnant que tant les collections que la programmation lui soient quasi exclusivement dédiées.

On peut voir par exemple à Grenoble l'un des plus étonnants Sol LeWitt qui soient, une œuvre proprement monumentale qui se développe tout en longueur et qui occupe à lui seul une des salles du musée. Outre des expositions thématiques qui mêlent volontiers art ancien et art contemporain, comme récemment celle qui décryptait « le sentiment de la montagne », le souci de l'institution grenobloise est de présenter des monographies qui permettent de mesurer ce qu'il en est des démarches d'artistes comme Aurélie Nemours, Leon Polk Smith, Imi Knoebel et tant d'autres. Une chose est sûre du moins quand on se rend au musée de Grenoble, c'est d'y trouver ce que l'on ne voit pas ailleurs.

Le jardin de sculptures qui reste très classique dans son concept compte un ensemble d'œuvres fort intéressantes qui composent comme une petite anthologie de la sculpture construite de la seconde moitié de ce siècle : Calder y dialogue avec Mark Di Suvero, Honegger avec Chillida, Venet avec Caro, Richard Nonas avec Georges Rickey, etc. Construire, vous avez dit construit ?

Nouvelle galerie

Nouvelle, cette galerie l'est au premier sens du mot puisqu'elle a été ouverte au printemps 1997 ; nouvelle, elle le restera si elle persévère sur sa lancée de ne montrer que de jeunes artistes comme elle l'a quasi systématiquement fait depuis lors, attentive qu'elle est à toutes les sortes d'expression artistique. On y a déjà vu entre autres Isabelle Lévénez, Claude Cortinovis et Delphine Coindet, autant dire une certaine ouverture d'esprit. La seule galerie privée aussi pointue à Grenoble.

◆ SITUATION
Nouvelle galerie
Anne et Marion Duchemin
5, rue Génissieu
38000 Grenoble
Tél. et fax : 04 76 46 01 24
Ouvert du mercredi
au samedi de 14 heures 30
à 19 heures 30
et sur rendez-vous.

Hérimoncourt / Doubs 25

Franche-Comté

CICV
Centre international de création vidéo Pierre-Schaeffer Montbéliard Belfort

Vous êtes passionné de multimédia, vous passez votre temps à surfer sur Internet, vous êtes le roi des logiciels, vous vivez en permanence dans une réalité virtuelle ? Inutile d'en rajouter : le CICV est fait pour vous. Créé en 1990, il s'est très vite imposé comme le lieu de référence de la création multimédia ; il a réussi à fidéliser un public qui suit avec passion les recherches effectuées par les artistes toujours plus nombreux à vouloir venir travailler à Hérimoncourt, soit pour expérimenter, soit pour produire.
Depuis 1996, le CICV a choisi d'organiser ses activités autour du triptyque l'artiste/le citoyen/l'entrepreneur afin de creuser les relations potentielles entre création, vie sociale et monde du travail. Le programme est ambitieux, il en appelle tant à une politique de soutien à la création contemporaine qu'à la mise en œuvre d'une réflexion sur le rôle des nouvelles techno-

◆ SITUATION
CICV Pierre-Schaeffer
Montbéliard Belfort
25310 Hérimoncourt
Tél. : 03 81 30 90 30
Fax : 03 81 30 95 25
http://www.cicv.fr
Ouvert du lundi au vendredi
de 9 à 12 heures 30
et de 13 à 18 heures.
Entrée libre.

logies ainsi qu'à une véritable formation des publics. Un lieu dynamique et prospectif.

Hérouville-Saint-Clair / Calvados 14

Basse-Normandie

♦ SITUATION
Centre d'art contemporain de Basse-Normandie
7, passage de la Poste
14203 Hérouville-Saint-Clair
Tél. : 02 31 95 50 87
Fax : 02 31 95 37 60
Ouvert du mardi au samedi de 14 à 18 heures 30 et le dimanche de 15 à 18 heures. Entrée libre.

Centre d'art contemporain de Basse-Normandie

Pour les aficionados de la vidéo, Hérouville c'est la ville des « Rencontres ». Ils s'y retrouvent chaque année à l'automne depuis plus de dix ans – comme on va chaque été à Arles pour la photographie. Le programme, d'une très grande densité, mêle projections et installations* de créateurs venus de tous horizons. Le succès des Rencontres vidéos d'Hérouville ne doit cependant pas faire oublier que le nom de cette commune périphérique de Caen est aussi associé à celui d'un centre d'art. D'ailleurs, Gilles Forest, le dynamique directeur de celui-ci, est l'organisateur de celles-là. Créé

au milieu des années quatre-vingt, inscrit dans le contexte architectural du théâtre municipal, le centre d'art de Basse-Normandie marque surtout son intérêt pour des travaux polymorphes qui mêlent les genres et les pratiques. Le statut de l'œuvre d'art, le rôle de l'artiste, le fait de l'exposition y sont le plus souvent l'objet d'un questionnement eu égard tant à l'esthétique qu'au politique ou au social. Particulièrement attentive à la jeune création contemporaine, la programmation du centre d'art relève le plus souvent de la production d'œuvres spécialement réalisées pour le lieu, quel que soit le genre de démarche de l'artiste invité. En leur temps, et chacun à sa manière, on y a vu tout aussi bien Valérie Favre ranger sa chambre,

Christophe Robe multiplier les jeux de peinture, Jean-Luc André faire défiler ses troupes, Laeni Maestro dresser une mer de voiles, etc.

Si, du fait de leur intégration au théâtre, les locaux dont dispose le centre d'art sont éminemment trop restreints et présentent certaines contraintes, ils obligent en revanche les artistes à fournir une réponse forte au lieu. Pour ce faire, leur chance est de pouvoir disposer de tout l'arsenal de moyens techniques qui est sur place, ce qui oriente aussi volontiers la programmation vers l'installation*. Il faut toutefois espérer que le projet de déménagement du centre sur l'ancien site portuaire de Caen et son installation dans l'un des bâtiments désaffectés qui s'y trouvent aboutissent à l'horizon du siècle prochain. Afin qu'après avoir imposé son image de marque le centre d'art d'Hérouville trouve enfin son identité architecturale.

Ibos / Hautes-Pyrénées 65
Midi-Pyrénées

Le Parvis
Centre d'art contemporain

Ça fait une demi-heure que vous tournez en rond autour du centre Leclerc et vous n'avez toujours pas trouvé où était le Parvis. Un centre d'art contemporain au-dessus d'un centre commercial, qui l'eût cru ? Voilà bien une situation que l'on aurait eu du mal à imaginer il y a vingt ans. Voilà pourtant une bonne dizaine d'années que cela est une réalité. Et non des moindres, s'il vous plaît ! puisque le Parvis ne se contente pas seulement d'être installé à Ibos mais qu'il se double d'une structure jumelle à Pau (cf. p. 148). En matière d'insertion dans le tissu social, le pari est gagné. Grandement ouvert à tous les publics, les salles d'Ibos comme celles de Pau n'ont eu de cesse de voir leur fréquentation croître au fil des ans. Aussi le label de centre d'art contemporain que leur a octroyé en 1996 le ministère de la Culture est plus que justifié. Attentifs aux initiatives et aux expériences les plus inventives, les deux Parvis qui se sont toujours attachés tant à la diffusion qu'à la production d'œuvres peuvent se vanter d'un conséquent catalogue d'expositions : Ange Leccia, Nils-Udo, Patrick Tosani, Carlos Kusnir, Joachim

♦ SITUATION
Le Parvis
Centre d'art contemporain
Scène nationale
Tarbes-Pyrénées
Centre Méridien
Route de Pau
BP 20
65420 Ibos
Tél. : 05 62 90 60 32
Fax : 05 62 90 60 20
Ouvert du lundi
au vendredi de 9 heures 30
à 12 heures 30
et de 14 à 18 heures.
Entrée libre.

Mogarra, Rob Scholte et Jacqueline Dauriac figurent entre autres parmi leurs hôtes. Quoique partagés entre deux lieux, eux-mêmes situés dans deux régions différentes, les deux Parvis se conjuguent sur un mode singulier. Leur inscription dans une zone géographique qui n'est pas très riche en lieu d'art contemporain en fait un passage obligé. Si leur activité bénéficie de l'infrastructure administrative et technique de la Scène nationale Tarbes-Pyrénées au sein de laquelle le Parvis d'Ibos est inclus, ils profitent d'un public d'autant plus nombreux que Pau et Tarbes, voisine d'Ibos, ne sont guère éloignées l'une de l'autre. Ne quittez pas Ibos sans avoir demandé à voir le rideau du théâtre réalisé par Bernard Quesniaux.

Issoire / Puy-de-Dôme 63

Auvergne

Centre Nicolas-Pomel
Salle Jean-Hélion

♦ SITUATION
Centre Nicolas-Pomel
Salle Jean-Hélion
Issoire Art contemporain
8, place Saint-Paul
63500 Issoire
Tél. et fax : 04 73 55 12 00
Ouvert durant l'exposition
d'été de 11 à 13 heures
et de 14 à 18 heures 30.

Célèbre pour le magnifique chevet roman de son église Saint-Austremoine, la petite ville d'Issoire tente chaque été depuis quelques années de vivre à l'heure de l'art contemporain. La programmation des salles que Jean Hélion avait inaugurées en 1986 est tournée depuis 1993 vers une création plus contemporaine : Erro, Aillaud, Bouillon, Ming, Frize et Jonathan Lasker en ont été les heureux invités. Constitué d'une longue enfilade de salles du XVIIe siècle et du XVIIIe siècle dont certaines sont fortement marquées par une lourde décoration de moulures et de stucs, le centre Nicolas-Pomel n'est pas un lieu facile et l'accrochage y est toujours un peu risqué.

Issoudun / Indre 36

Centre

Place des Droits-de-l'Homme
Commande publique :
Marin Kasimir,
La Place des miroirs, 1994

Entre le souvenir du palais des Glaces et celui de ces portes vitrées à tourniquet dans lesquelles les enfants aiment faire plus d'un tour, Marin Kasimir a réalisé là une œuvre toute en transparence et en fluidité. Le verre et l'eau s'y conjuguent pour créer un site propice à toutes les sortes de communication. Peu importe l'origine des silhouettes qu'il a fait sabler sur les panneaux vitrés de son architecture et qui visent à animer la rigueur minimaliste de l'ensemble, ce qui compte est davantage le contrepoint qu'il a cherché à établir au regard des bâtiments rutilants neufs mais visuellement très massifs de l'hôtel de ville. Cette commande publique reste toutefois plus intéressante dans son concept que dans son efficacité urbanistique du fait de son emplacement à flanc de pente ce qui

entraîne qu'on la contourne davantage qu'on ne la traverse. Toutefois, si vous passez par Issoudun, allez vous perdre dans ses reflets.

Issy-les-Moulineaux / Hauts-de-Seine 92

Île-de-France

Parc départemental de l'Île-Saint-Germain
Commande publique : Jean Dubuffet, *La Tour aux figures*, 1983-1988

♦ SITUATION
Parc départemental
de l'Île-Saint-Germain
92130 Issy-les-Moulineaux
Tél. : 01 40 95 65 43
Fax : 01 40 95 67 33
Ouvert dans la limite des places disponibles les mercredi et dimanche après-midi et sur rendez-vous. Téléphoner au préalable.

De la sculpture à l'architecture, il n'y a souvent qu'un pas et nombreux sont les artistes qui le franchissent. C'est le cas de Dubuffet dont *La Tour aux figures* constitue indiscutablement le plus complet des huit « édifices » dont il avait conçu l'ensemble dès 1967-1968. Figure monumentale du monde utopique de l'Hourloupe, elle invite le visiteur à une sorte de voyage intérieur dans les méandres d'un gigantesque *Gastrovolve*, sorte d'habitat grimpant de 24 m de haut qui se dresse comme un phare en plein cœur de l'île Saint-Germain. Entre escapade et escalade.

◆ SITUATION
Galerie Fernand-Léger
Crédac
Centre de recherche,
d'échange et de diffusion
pour l'art contemporain
93, avenue Georges-Gosnat
94200 Ivry-sur-Seine
Tél. : 01 49 60 25 06
Fax : 01 49 60 25 07
Ouvert du mardi au samedi
de 14 à 19 heures et le
dimanche de 11 à 18 heures.
Entrée libre.

Galerie Fernand-Léger Crédac
Centre de recherche, d'échange et de diffusion pour l'art contemporain

Duelle, cette institution recouvre en fait deux entités bien distinctes : une galerie municipale et un centre d'art. Si celle-ci a été créée en 1983, l'autre a été ouvert en 1987. Depuis quinze ans,

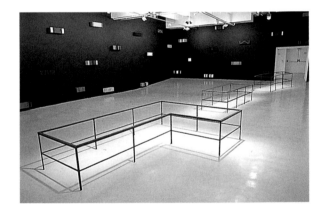

les Ivriens ont donc la chance de disposer d'une structure bicéphale qui s'est avérée être au fil du temps tout à fait performante. Implantées dans les locaux de ce qui aurait dû être un cinéma, les trois salles d'exposition qui présentent chacune une curieuse déclivité offrent aux artistes un cadre de travail particulièrement singulier. Le programme d'expositions qui y est développé en fait l'un des foyers les plus actifs de la région parisienne ; thématiques ou personnelles, celles-ci montrent les œuvres d'artistes tout aussi bien connus qu'à découvrir, toutes générations et toutes tendances confondues. Peinture, sculpture, dessin, photo, vidéo, installation* y sont tour à tour les vecteurs de prestations qui sont le plus souvent des productions inédites, ce qui fait d'Ivry un observatoire à la pointe de la création artistique contemporaine. La liste des artistes qui y sont passés est considérable ; ceux qui ont eu la chance d'obtenir la bourse d'art monumental qui y est décernée tous les deux ans y ont même laissé une trace – et non des moindres ! – puisque l'objectif de cette bourse est de nantir la ville d'un réseau de commandes publiques. Jean Clareboudt, Bernard Pagès, Sylvie Blocher, Bernard Calet ont été parmi les heureux élus ; une de leurs œuvres a pris ou prendra ainsi place au sein de la cité, contribuant tant à mettre en place un parcours d'œuvres dans la ville qu'à exciter la curiosité du public à l'endroit de l'art contemporain. Membre du IAPIF*.

IAPIF
Information arts plastiques Île-de-France

Née de la volonté d'un certain nombre de responsables arts plastiques de structures installées en périphérie de la capitale, l'association IAPIF, Information arts plastiques Île-de-France, a été créée en 1982. Son but était tant de mieux faire connaître leurs activités et de les promouvoir auprès du plus large public possible que d'échanger leur pratique avec leurs semblables et d'envisager la production de manifestations communes. Quinze ans plus tard, le résultat est plus que positif. C'est un véritable circuit que ces centres d'art ont réussi à instituer. Plus d'une dizaine d'expositions, thématiques ou monographiques, ont été réalisées en commun : Errò, Kermarrec, Degottex, Effets de miroir, Pincemin, Rousse, Traits révélateurs, etc. Chacune des initiatives du IAPIF est aujourd'hui attendue avec curiosité et suivie avec fidélité.

♦ SITUATION
IAPIF, Information arts plastiques Île-de-France
Siège social : 93, avenue Georges-Gosnat
94200 Ivry-sur-Seine
Tél. : 01 49 60 25 06
Fax : 01 49 60 25 07

La manufacture des Œillets

Pluriculturel, ce lieu qui occupe les magnifiques locaux d'une ancienne manufacture de porteplumes, de plumes et d'œillets métalliques créée en 1894 est privé. Il est doté d'une grande galerie d'exposition façon loft dont la programmation est assez inégale tant dans son contenu que dans son rythme et à laquelle s'ajoutent deux autres petits espaces, le hall et le café. Productrice de manifestations spécifiques, la manufacture des Œillets est attentive aux relations interactives entre les divers

♦ SITUATION
La manufacture des Œillets
25-29, rue Raspail
94200 Ivry-sur-Seine
Tél. : 01 46 71 71 10
Fax : 01 46 71 74 29
http://www.la.manufacture.
des.oeillets.itbs.fr
Ouvert du mercredi au dimanche de 14 à 19 heures.
Entrée libre.

registres de la création artistique. Aki Kuroda y a ainsi conçu un « spectacle-performance » associant arts plastiques, danse, musique, mode et vidéo. Mais la gestion d'un tel lieu est si lourde que son avenir est très improbable.

Jarnac / Charentes 16

Poitou-Charentes

♦ SITUATION
Fondation Danae
6, quai de l'Orangerie
16200 Jarnac
Tél. : 05 45 35 20 33
Fax : 05 45 35 23 21
Ouverture selon programmation, téléphoner pour tout renseignement. En temps d'exposition, ouvert tous les jours de 14 à 19 heures.

Fondation Danae
Diffusion Actions Nouvelles Arts Actuels Europe

Expositions, interventions *in situ*, performances, installations*, débats, la fondation Danae, créée dans les années soixante-dix en Normandie, récemment installée à Jarnac, multiplie ses actions. Lieu de rencontres et de synergie de créateurs de tous horizons et de toutes disciplines, elle se présente comme un espace ouvert destiné à faire valoir la création comme processus de transformation. Les projets qu'elle développe le sont autour de thèmes fédérateurs, comme « L'espace, le temps », « Translation » ou « Fluctuations créatives », dans le contexte d'opérations qui en appellent à toutes les formes d'expressions artistiques : arts plastiques, musique, danse, théâtre, cinéma, vidéo… curieuses d'expérimentation, d'interactivité et de transdisciplinarité. Un lieu où ça bouge.

Joigny / Yonne 89

Bourgogne

♦ SITUATION
Atelier Cantoisel
32, rue Montant-au-Palais
89300 Joigny
Tél. : 03 86 62 08 65
Fax : 03 86 62 46 38
http://perso.infonie.fr/cantoisel
Ouvert du mardi au samedi de 10 à 12 heures et de 14 à 19 heures, les dimanche matin et lundi sur rendez-vous ; fermé en février. Entrée libre.

Atelier Cantoisel

Perché sur les hauteurs du vieux Joigny, à deux pas de l'église Saint-Jean, l'atelier Cantoisel est un lieu peu banal. Fors un discret calicot qui le signale, le petit hôtel particulier du XVIIIᵉ siècle qui l'abrite ne laisse pas supposer un instant qu'il y a là un espace voué à l'art contemporain. C'est pourtant bel et bien le cas depuis 1986 et l'association qui le gère y multiplie les expositions – parfois en collaboration avec le musée de Sens, son voisin. La liste des artistes qui y sont passés est considérable. Vincent Barré, Bruno Rousselot et Daniel Brandely comptent parmi ses derniers hôtes. Atmosphère chaleureuse et familiale.

Espace d'art contemporain Camille-Lambert

Créé en 1987, l'Espace d'art de Juvisy est d'abord et avant tout l'un des éléments dynamiques de la politique pédagogique de l'école d'art municipale. Si son objectif n'est pas d'être un centre d'art mais bel et bien un lieu, un espace d'initiation et de sensibilisation à l'art contemporain sur un territoire géographique quelque peu éloigné de la capitale, la qualité de l'action entreprise depuis dix ans en a fait un endroit prisé du circuit extra-muros. Contraint et forcé par l'exiguïté de ses locaux à une programmation quasi exclusivement monographique, l'Espace d'art de Juvisy se consacre pour l'essentiel à un travail de défrichement de jeunes artistes. Un petit lieu, certes, mais très dynamique. Densité, rigueur et précision y sont les maîtres mots. À son actif, signalons qu'en 1991 il a heureusement favorisé la réalisation d'une commande publique d'Alain Fleischer, *Les Voyages parallèles*, dans le souterrain de correspondance de la gare de Juvisy. Ne la manquez pas si vous venez en train. Membre du IAPIF*.

♦ SITUATION
Espace d'art contemporain Camille-Lambert
35, avenue de la Terrasse
91260 Juvisy-sur-Orge
Tél. : 01 69 21 32 89
Fax : 01 69 12 14 10
Ouvert du mercredi au samedi de 14 à 18 heures.
Entrée libre.

Galerie de Bionnay

Situé à une vingtaine de minutes au sud de Lyon, le château de Bionnay a décidé d'ouvrir chaque été ses portes à l'art contemporain. Le succès qu'a rencontré l'exposition inaugurale de l'été 1997 laisse supposer qu'il ne sera pas sans lendemain. Il faut bien dire que la rencontre entre le patrimoine et la création actuelle ne manque jamais de faire événement. À Bionnay, les artistes sont ainsi invités à intervenir non seulement dans les différentes pièces du château, la salle à manger, le grand salon, la chapelle, la salle de billard, mais aussi dans le parc. Pierre Joseph, Philippe Perrin, Noël Dolla, Shugi Ariyoshi, Philippe Ramette, Mario Merz et Gilberto Zorio furent parmi d'autres les hôtes de l'été 1997 – c'est tout dire des intentions dynamiques et éclectiques de ce dernier-né des lieux de l'échiquier rhône-alpin !

♦ SITUATION
Galerie de Bionnay
Château de Bionnay
69640 Lacenas
Tél. : 04 74 67 35 72
Fax : 04 74 67 39 12.
Ouvert de juin à octobre de 14 à 20 heures.
Entrée libre.

♦ SITUATION

Galerie Évelyne Canus
60, rue Yves-Klein
06480 La Colle-sur-loup
Tél. : 04 93 32 63 28
Fax : 04 93 32 55 00
Ouvert du mardi au samedi
de 15 à 19 heures
et sur rendez-vous.

Galerie Évelyne Canus

Si d'aucuns vitupèrent contre l'architecture du musée d'Art moderne et d'Art contemporain de Nice (cf. p. 115) signée Yves Bayard, ils n'ont qu'à monter jusqu'à La Colle-sur-Loup : pour sûr, la galerie Évelyne Canus, créée en 1990, tempérera leur mécontentement. C'est aussi ce dernier qui l'a aménagée, transformant un vieux garage en un bâtiment d'une extrême rigueur à l'écho du parti pris de radicalité esthétique qui y est défendu. Art abstrait et art minimal postannées soixante sont en effet les mots d'ordre d'une programmation exigeante qui ne se prive pas de lorgner parfois sur la vidéo. Cécile Bart, Noël Dolla, Figarella, Bernard Frize, Honegger, Adrian Schiess, Pascal Pinaud, Cédric Teisseire font partie de l'équipe d'une galerie qui dispose de deux beaux espaces, l'un plus grand pour la programmation courante, l'autre plus petit qui fait office de *guest home* pour de jeunes artistes. Sur la route de Vence.

♦ SITUATION

Pour tout renseignement, téléphoner au Fonds départemental d'art contemporain de Seine-Saint-Denis à Bobigny (cf. p. 26).

Art Grandeur Nature

À une trentaine de minutes en RER du centre de Paris, La Courneuve offre aux amateurs de jogging, de pique-nique, de promenades à vélo, de siestes, de football, etc., un parc départemental de plusieurs dizaines d'hectares. Réputé pour être le rendez-vous annuel de la fête de l'Humanité, il est aussi le cadre d'une manifestation artistique biennale, intitulée Art Grandeur Nature, organisée par le Fdac de Seine-Saint-Denis (cf. p. 30). Exposition de sculptures en plein air à l'échelle monumentale, celle-ci réunit chaque fois une petite dizaine d'artistes dont la démarche s'inscrit dans un rapprochement entre art, nature, environnement et publics. L'été 1998 a connu la quatrième édition de cette manifestation très prisée des artistes parce qu'elle leur offre la possibilité d'un challenge peu banal. Par le passé, Christine O'Loughlin y a établi un champ de pots de terre, Jacques Vieille y a transformé les troncs d'une futaie en colonnade, Hélène

Mugot y a proclamé les sages paroles d'un chef indien, Seton Smith en a confronté le paysage à celui d'Étretat. Il faut dire que le site du parc de la Courneuve est étonnant : non seulement il est immense mais cela ne cesse de monter et de descendre dans tous les sens autour d'un immense lac. Un conseil : louer un vélo ou apporter le vôtre.

La Garde-Adhémar / Drôme 26
Rhône-Alpes

Éric Linard Éditions

Installé depuis deux ans dans ce petit village perché de la Drôme, au milieu des chênes et des vergers, au creux du val des Nymphes, Éric Linard qui a bâti sa réputation d'éditeur en fondant l'Atelier 2A à Strasbourg en 1970 y poursuit l'activité de galeriste qu'il menait parallèlement là-bas depuis 1983. Aux côtés de l'imposante bâtisse – une ancienne filature – qui occupe le domaine qu'il a acquis, il a fait construire un bâtiment de style contemporain tout en longueur dans lequel il a installé ses ateliers de lithographie, de sérigraphie et de gravure et en contrebas duquel il a rénové une petite maison en pierre de taille pour servir de galerie. Le tout est aujourd'hui noyé dans une végétation florissante qui est un vrai bonheur. Depuis bientôt trente ans, Éric Linard a travaillé avec de très nombreux artistes, essaimant leurs œuvres à travers les collections publiques et privées, françaises et étrangères, les plus fameuses comme les plus discrètes : Venet, Arman, Dietman, Alberola, Quesniaux, Rousselot,

◆ SITUATION
Éric Linard Éditions
Route Val-des-Nymphes
26700 La Garde-Adhémar
Tél. : 04 75 04 44 68
Fax : 04 75 04 45 03
Ouvert tous les jours sauf lundi de 15 à 19 heures.

Titus-Carmel comptent parmi les quelque soixante-dix artistes de son catalogue. Non seulement un lieu à découvrir mais aussi tout un savoir-faire. De plus, convivialité assurée.

La Guéroulde / Eure 27
Haute-Normandie

♦ SITUATION
La Source
1, rue de la Poultière
27160 La Guéroulde
Tél. : 02 32 35 91 41
Fax : 02 32 35 35 78
Ouverture selon programmation, téléphoner pour tout renseignement.
Entrée libre.

La Source

À la croisée du social et de l'art contemporain, la Source se présente comme un lieu d'exception sur la scène artistique hexagonale. Créée en 1993, elle est une association dont le but est d'aider les jeunes en situation d'échec en les faisant participer à des ateliers de création animés par des artistes reconnus. L'idée qui en revient à Gérard Garouste est de réveiller en eux leur potentiel imaginatif afin de leur éviter de céder à toutes formes d'abandon. Les artistes sensibles à l'aventure ont toute latitude pour proposer le mode d'intervention qui leur convient, la Source disposant d'une grande maison à la campagne où se trouvent les ateliers. D'ores et déjà, des créateurs aussi divers que Philippe Starck, Daniel Buren, César, Hervé Di Rosa ont répondu à l'appel, les travaux réalisés ayant fait l'objet d'une exposition soit sur place, soit dans un autre lieu, notamment à Paris à la fondation Coprim*. Une expérience non seulement généreuse mais dont les résultats sont le plus souvent surprenants.

La Seyne-sur-Mer / Var 83
Provence-Alpes-Côte d'Azur

♦ SITUATION
Villa Tamaris-Pacha
Avenue de la Grande-Maison
83500 La Seyne-sur-Mer
Tél. : 04 94 06 84 00
Fax : 04 94 30 71 89
Ouvert tous les jours sauf lundi de 14 à 18 heures 30.
Entrée libre.

Villa Tamaris-Pacha

Tout y est rassemblé pour forcer l'exotisme : la mer, le décor de rocailles, le nom de la villa, Tamaris-Pacha, un officier de la marine marchande, grand bâtisseur des phares de l'Empire ottoman ! Acquise par la ville, dressant son architecture de villégiature aux styles mêlés, celle-ci a été transformée en 1996 en espace d'art contemporain. Proprement spécialisée, sa programmation fait les choux gras d'une figuration tant narrative* que libre* : des valeurs sûres comme Rancillac, Klasen, Monory, Combas et Erro y ont d'ores et déjà bénéficié d'expositions rétrospectives de qualité.

La Tête d'obsidienne

Inscrite dans le cadre même du fort Napoléon, cette autre galerie municipale est réservée quant à elle à la présentation de jeunes artistes dont le talent est à découvrir. Sa programmation est moins ambitieuse et, pour tout dire, moins aventureuse.

◆ SITUATION

La Tête d'obsidienne
Fort Napoléon
83500 La Seyne-sur-Mer
Tél. : 04 94 87 25 18
Fax : 04 94 30 63 65
Ouvert du mardi au samedi de 14 à 18 heures, fermé les jours fériés. Entrée libre.

Le Blanc-Mesnil / Seine-Saint-Denis 93
Île-de-France

Forum culturel

Dans l'esprit des anciennes maisons des Jeunes et de la culture, le Forum culturel du Blanc-Mesnil est un espace complexe, polyvalent, ouvert à toutes les formes d'expression artistique. S'il ne dispose pas d'une véritable galerie, spécialement conçue à cet usage, il offre du moins aux arts plastiques des cimaises relativement importantes. Quoique inscrites dans le parcours même du bâtiment, celles-ci permettent des accrochages tout à fait efficaces. Sa programmation, établie en collaboration avec le Fonds départemental d'art contemporain de Seine-Saint-Denis (cf. p. 30), en fait une sorte de point-relais de cette institution pour les arts plastiques, la photographie et la vidéo. Les expositions du Blanc-Mesnil sont le plus souvent l'occasion d'organiser toutes sortes de rencontres entre les artistes et les publics afin d'aller au-delà du seul regard sur les œuvres. Un « forum », n'est-il pas ?

◆ SITUATION

Forum culturel
1-5, place de la Libération
93150 Le Blanc-Mesnil
Tél. : 01 48 14 22 00
Fax : 01 48 14 22 29
Ouvert du mardi au vendredi de 9 à 19 heures, le samedi de 9 à 18 heures. Entrée libre.

Lectoure / Gers 32
Midi-Pyrénées

Centre de photographie de Lectoure

Si le succès du film d'Étienne Chatilliez, *Le bonheur est dans le pré,* a fait découvrir au public la qualité de vie dans le Gers, il y a belle lurette que les fidèles du Centre de photographie de Lectoure l'ont éprouvée. Non seulement l'Été photographique que celui-ci organise chaque année depuis 1987 s'est imposé comme une manifestation de référence, mais la programmation permanente que l'on peut y voir draine un public de plus en plus important. Si la manifestation estivale est

◆ SITUATION

Centre de photographie de Lectoure
Association « Arrêt sur image » 5, rue Sainte-Claire
32700 Lectoure
Tél. : 05 62 68 83 72
Fax : 05 62 68 91 57
Ouvert tous les jours de 9 à 12 heures et de 14 à 18 heures, fermé le vendredi à 17 heures. Horaires spécifiques pour « l'Été photographique », téléphoner pour tout renseignement.

davantage consacrée tant à la présentation de repères qu'à des mises en perspective historiques, les expositions de l'année courante ont pour finalité la sensibilisation de la population locale. Commandes passées à des artistes invités en résidence, cimaises offertes à de jeunes créateurs, invitation d'artistes étrangers sont l'ordinaire d'un lieu étonnant par son implantation en milieu rural.

Le Havre / Seine-Maritime 76

Haute-Normandie

♦ SITUATION
Le Spot
Studio d'art contemporain
Bâtiment CGM
Avenue Lucien-Corbeaux
76600 Le Havre
Tél. : 02 35 53 03 04
Fax : 02 35 88 02 48
Ouvert du mercredi au samedi de 15 à 19 heures et sur rendez-vous.
Entrée libre.

Le Spot
Studio d'art contemporain

Dernier-né des lieux d'art contemporain de la région normande, le Spot doit son existence à la volonté d'anciens étudiants de l'école des Beaux-Arts qui ont souhaité répliquer à la cruelle absence de toute structure de ce genre dans leur environnement. Avec l'appui de nombreux partenaires institutionnels, il s'est installé dans un des anciens bâtiments de la Compagnie générale maritime du port autonome ouvrant là ce qu'il a appelé un « studio d'art contemporain », comme pour mieux faire valoir sa dynamique productrice. Philippe Ramette en a été l'hôte au printemps 1998, ceci pour dire la hauteur et la qualité auxquelles le Spot a choisi de placer la barre. À découvrir et suivre.

Le Puy / Haute-Loire 43

Auvergne

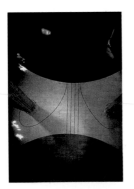

Église Saint-Laurent
Commande publique : Daniel Dezeuze, pavement, 1988

En matière de décoration au sol, seules l'Antiquité et la Renaissance nous ont légué de véritables chefs-d'œuvre, ainsi des nombreuses mosaïques romaines ou du magnifique pavement de la cathédrale de Sienne. Depuis lors, sans doute considéré comme un territoire ingrat, le sol n'a guère été investi par les artistes. C'est donc tout à l'honneur de Daniel Dezeuze, figure majeure du groupe Supports-Surfaces, d'avoir accepté l'enjeu de la commande qui lui a été faite d'un pavement destiné à l'église « ponote » de Saint-Laurent. Se saisissant du prétexte formel de la grille, symbole du martyre de ce dernier, Dezeuze en a déployé les lignes au ras du sol depuis l'entrée de l'église jusqu'au transept en un réseau de subtiles et discrètes volutes qui enlacent la base des piliers de l'édifice. Le résultat, minimal à souhait, est d'une très grande tenue, le béton coloré du sol orchestrant une harmonieuse partition de l'espace et le tout invitant à une procession silencieuse et recueillie vers la lumière. Pari gagné.

Les Arques / Lot 46

Midi-Pyrénées

Les ateliers des Arques

Bien sûr, il faut vouloir y aller et le petit village des Arques, niché au fin fond du Lot, n'est pas vraiment à portée de main mais le pays est tellement beau ! Zadkine qui s'y est arrêté un beau jour de 1934 l'a d'ailleurs immédiatement adopté. Avec Valentine Prax, son épouse, il aimait à y séjourner et il a réalisé là une bonne partie de son œuvre. La création en 1988 d'un atelier-musée à son nom s'est accompagnée de celle des ateliers des Arques. Fondés sur le principe d'accueil en résidence de jeunes créateurs, toutes disciplines confondues, ces ateliers qui ont été l'occasion de rencontres et de manifestations diverses font actuellement l'objet d'une réflexion sur la redéfinition de leur fonctionnement. Art moderne et art contemporain : deux raisons qui justifient le détour.

♦ SITUATION

Les ateliers des Arques
Presbytère
46250 Les Arques
Tél. : 05 65 22 81 70
Fax : 05 65 21 60 17
Ouverture selon programmation, téléphoner pour tout renseignement.

Les Mesnuls / Yvelines 78

Île-de-France

Fondation d'art contemporain Daniel et Florence Guerlain

Passion, convivialité et éclectisme sont les trois mots clés de la réussite de cette fondation qui soufflera ses deux bougies à l'automne 1998. Installés dans le charmant petit village des

♦ SITUATION

Fondation d'art contemporain Daniel et Florence Guerlain
29, rue Neuve
78490 Les Mesnuls
Tél. : 01 34 86 19 19
Fax : 01 34 86 90 73
Ouverture tous les jours de 11 à 18 heures sauf mardi et mercredi.

Mesnuls, en plein cœur de la forêt de Rambouillet, à trois quarts d'heure de Paris par l'autoroute de l'Ouest, Daniel et Florence Guerlain ont réussi leur pari : faire partager leur amour de l'art contemporain en créant un lieu qui réunisse des activités d'expositions, d'ateliers, de stages et de conférences. Le cadre champêtre, la chaleur de l'accueil, la dimension humaine, tout est ici rassemblé pour passer un excellent moment. Thématique, la programmation toujours de qualité est l'occasion de confrontations singulières qu'on ne voit nulle part ailleurs : ainsi de l'exposition « Noir et blanc » faisant se côtoyer parmi d'autres Soulages et Jean Schouman, Tallagrand et Léo Delarue, Loïc Le Groumellec et Joyce Pensato. Très vite, les Mesnuls se sont imposés comme un lieu de délectation et de travail ; des artistes comme Carole Benzaken, Valérie Favre et Christian Lapie y ont d'ores et déjà trouvé l'occasion de s'affronter aux techniques de la gravure. Pour une promenade dominicale, notamment.

Lille / Nord 59

Nord-Pas-de-Calais

♦ SITUATION
Art Connexion
10-12, rue du Priez
59800 Lille
Tél. : 03 20 21 10 51
Fax : 03 20 06 90 24
http://www.icono.org/art/connex.htm
Ouvert du mercredi au dimanche de 17 à 19 heures et sur rendez-vous.
Entrée libre.

Art Connexion

Créée en 1994, cette association qui ne se contente pas seulement d'agir au sein de sa base en y organisant des expositions participe à mettre en place des actions artistiques hors des circuits banalisés de l'art contemporain. Dans le contexte d'un réseau tant régional qu'international, elle développe son action avec toutes sortes de partenaires à partir de projets d'artistes dont la forme varie chaque fois. Fonctionnant somme toute comme un agent d'art, elle leur facilite la possibilité d'expositions, d'interventions, de résidences et de rencontres sur les sites les plus divers.

♦ SITUATION
Espace Croisé
Centre d'art et d'architecture
Allée de Liège 59777 Lille
Tél. : 03 20 06 98 19
Fax : 03 20 06 67 42
http://www.espacecroisé.fr
Ouvert du mardi au samedi de 13 à 19 heures. Entrée libre.

Espace Croisé
Centre d'art et d'architecture

Le projet d'Euralille est ambitieux. S'il n'est pas certain qu'il connaisse encore le succès escompté, il est assurément l'un des plus saisissants paysages urbains de l'Europe moderne. Les architectes y

ont rivalisé d'invention et d'audace et le résultat a
une allure quelque peu futuriste. Soucieux d'articuler deux formes d'expression des plus dynamiques en matière de création contemporaine, l'architecture et la vidéo, l'espace Croisé, créé en
juin 1995, y trouve tout naturellement sa place installé qu'il est dans le complexe commercial et ter-
tiaire réalisé par Jean Nouvel. La ville et ses problématiques, l'image et les arts visuels y sont au menu
d'un programme qui alterne expositions (Aldo
Rossi), débats, projections de vidéo et de cinéma
expérimental (Pierrick Sorin, Éric Duyckaerts, Joël
Bartoloméo…). Un vrai laboratoire.

Limoges / Haute-Vienne 87

Limousin

Fonds régional d'art contemporain Limousin

Ne serait-ce que pour l'architecture du lieu, la
visite du Frac Limousin vaut le détour. Les
anciens entrepôts qui l'abritent et dont le nom
« Les Coopérateurs » en rappelle la fonction originelle, sont un bâtiment fort singulier qui se développe tout en longueur. Les dix travées voûtées
d'arc en plein cintre qui rythment ses 45 m de
perspective et lui confèrent les allures d'une

◆ SITUATION
Fonds régional d'art contemporain Limousin
« Les Coopérateurs »
Impasse des Charentes
87100 Limoges
Tél. : 05 55 77 08 98
Fax : 05 55 77 90 70
Ouvert du mardi au
vendredi de 12 à 19 heures,
le samedi de 14 à 19 heures.
Fermé les dimanche et lundi.

ancienne cave à vin ont été sobrement réaménagées en espace d'expositions. À l'image de celui qui le dirige depuis presque dix ans, Frédéric Paul, le Frac Limousin offre à voir une identité très spécifique qui procède de la rigueur d'un regard dont le souci est d'éviter les redoublements avec les autres collections publiques françaises et qui, pour ce faire, a veillé à mettre l'accent sur des personnalités plus rares, constituant autour d'eux des ensembles assez complets. Photographie conceptuelle des années soixante à soixante-dix, œuvres historiques de Supports-Surfaces et jeune sculpture européenne constituent les grands axes de la collection. Ce soin monographique règle également la programmation des expositions temporaires tant à l'égard d'artistes aînés tels que William Wegman, Vito Acconci ou Douglas Huebler qu'à celui de plus jeunes comme Paul Pouvreau, François Righi ou Martine Aballéa. À signaler, une activité éditoriale quasi exemplaire, conduite notamment en partenariat avec des éditeurs étrangers, excellent vecteur de diffusion et de bibliographie de l'art contemporain. Un exemple.

Lorient / Morbihan 56

Bretagne

♦ SITUATION
Rencontres photographiques/
galerie Le Lieu
56100 Lorient
Tél. : 02 97 21 18 02
Fax : 02 97 84 03 78
Ouvert du mardi au
vendredi de 11 à 18 heures
et le dimanche
de 15 à 18 heures.
Entrée libre.

Rencontres photographiques/ galerie Le Lieu

Le formidable essor de la photographie, notamment plasticienne*, au cours des années quatre-vingt a entraîné la création de nombreuses manifestations propres à ce mode. Ainsi de ces Rencontres photographiques du Pays de Lorient. Fondées en 1986, celles-ci qui n'ont pas tardé à s'imposer comme un rendez-vous obligé ont assis leur image de marque tant sur une sélection rigoureuse mais ouverte que sur une approche tout à la fois thématique et historique afin d'ancrer le regard à l'aune d'une connaissance. Ordinairement, chaque cru est articulé entre le point de vue de quelques artistes sur un thème donné, l'exposition d'une séquence particulière de l'œuvre d'un créateur du passé et un propos fédérateur qui est l'occasion de réunir les travaux de jeunes artistes.

Canal-déversoir de la Barse
Commande publique : Klaus Rinke, *L'Eau*, 1984-1986

Transformer le contexte d'une station d'oxygénation en œuvre d'art, seul Klaus Rinke était capable de le faire. Normal, l'eau est son matériau de prédilection. Inscrite à l'ordre d'un programme de commandes publiques, célébrant les quatre éléments et passées pour fêter le centenaire de la naissance de Bachelard originaire de la région, l'œuvre réalisée par Rinke est d'une puissante simplicité. Fort de connotation érotique, le dispositif pendulaire qu'il a imaginé juste au-dessus des eaux tourmentées du canal de la Barse se précipitant dans un déversoir décrit un arc de cercle dont le reflet forme une sorte de nucleus matriciel. Quelque chose d'une extrême sensualité est ici mis en exergue dans l'affleurement de l'aiguille suspendue à ras du « clitoris d'écume » que forme la retombée des eaux. À l'attention des inconditionnels du philosophe de l'élémentaire, il faut savoir que la terre a été célébrée par Bernard Pagès au milieu des vignes à Mailly-en-Champagne (Marne), l'air par Eugène van Lamsweerde sur les remparts de Langres (Haute-Marne) et le feu par Paul Rebeyrolle à Chooz (Ardennes). Idée de parcours.

Biennale de Lyon
Art contemporain

La biennale de Paris n'est plus, vive la biennale de Lyon ! Ainsi s'est-on exclamé lors de la création en 1991 de la manifestation lyonnaise, et l'on a bien fait. Non seulement les quatre numéros qu'elle compte à son actif sont encore tout frais en mémoire, mais chacun d'eux fait d'ores et déjà référence. Il faut dire que le tandem du musée d'Art contemporain de Lyon qui la dirige, Thierry Raspail et Thierry Prat – les deux Thierry comme on les appelle familièrement –, sait parfaitement mener son affaire.

◆ SITUATION
Biennale de Lyon
Art contemporain
Maison de Lyon
Place Bellecour
69002 Lyon
Tél. : 04 72 40 26 26
Fax : 04 78 38 28 92

Conçue autour d'un thème, confiée à un commissaire général invité, la biennale de Lyon s'est surtout appliquée à faire valoir les effets de pertinence des différentes avant-gardes du siècle au regard de la création contemporaine en s'attachant à en exposer les meilleurs et les plus singuliers représentants à travers des œuvres le plus souvent inédites. Après « L'amour de l'art », « Et tous ils changent le monde », « L'image mobile », c'est le thème de « L'autre » qu'avait retenu Harald Szeemann, commissaire de la dernière en date en 1997. Si rien n'est encore dévoilé pour la prochaine, rendez-vous est tout de même pris car la biennale de Lyon qui s'est très rapidement inscrite à l'inventaire des grandes manifestations internationales, telles la Documenta de Kassel et la biennale de Venise, est devenue un passage obligé. À signaler que la halle Tony-Garnier qui l'accueille et dont elle est devenue le symbole est un pur chef-d'œuvre d'architecture des années vingt. Prochain rendez-vous : juillet-octobre 2000.

Place des Terreaux
Commande publique : Daniel Buren

Il n'y a pas, Daniel Buren a un talent fou ! Particulièrement dès qu'il est invité à réfléchir sur les relations de l'art et de la ville. Il suffit d'aller voir l'intervention qu'il a réalisée pour le compte de Lyon Parc Auto (cf. p. 93) pour le mesurer. Il suffit surtout de redire encore une fois la réussite de la cour du Palais-Royal à Paris, les fameuses « colonnes de Buren ». Si le projet de la place des Terreaux n'est pas aussi spectaculaire, il n'en est pas moins juste et réussi. L'espèce de discrétion et de retrait avec lesquels il est intervenu en imaginant tout un dispositif de jets d'eau et de marquages au sol est à la mesure d'une situation autre, différente tant par son cadre architectural que par son implication directe dans le tissu urbain.

Conservatoire national supérieur de musique
Commande publique : Giuseppe Penone, *Sofio di foggiore interno/esterno*, 1987-1988

♦ SITUATION
Conservatoire national supérieur de musique
3, quai Chauveau
69009 Lyon
Tél. : 04 72 19 26 26
Fax : 04 72 19 26 00
Ouvert tous les jours de 9 à 18 heures.

On sait l'importance en musique des notions de rythme, de respiration et, pour tout dire, de souffle. C'est de tels mouvements essentiels que cet art tire sa force vitale. C'est sans aucun doute pour cette raison que l'artiste italien Giuseppe Penone, figure cadette mais majeure de l'arte povera*, a été sollicité pour réaliser une œuvre dans le cadre de l'application de la fameuse loi du 1 % lors de la construction du conservatoire national supérieur de musique de Lyon. Félicitations donc à ceux qui ont eu cette heureuse initiative parce que l'artiste a conçu là une œuvre en bronze d'une très grande puissance poétique qu'il ne faut pas manquer d'aller voir si vous êtes dans le coin. Reliant le dehors au dedans, celle-ci est constituée à l'extérieur d'un jeu d'éléments végétaux en forme de réceptacle que prolonge un conduit qui circule jusqu'à rejoindre l'intérieur de l'édifice, laissant supposer les échanges potentiels qui s'opèrent. Il est question de flux nécessaire, d'énergie vitale, c'est-à-dire de rythme, de respiration et, pour tout dire, de souffle.

♦ SITUATION
Galerie Domi Nostrae
39, cours Liberté
69003 Lyon
Tél. et fax : 04 78 95 48 67
Ouvert les jeudi, vendredi
et samedi de 15 à 19 heures
et sur rendez-vous.

Galerie Domi Nostrae

L'art contemporain comme chez vous ! Depuis bientôt dix ans, Christine et Fabrice Treppoz ont transformé leur appartement en galerie et ils y accueillent régulièrement de jeunes artistes. Certains, comme Yan Pei Ming, y ont fait leurs premiers pas dans le milieu de l'art. Dans un contexte convivial et chaleureux, on peut y voir des travaux aussi différents que ceux d'Ernst Kapatz, de Joachim Mogarra, de Joyce Pensato ou de Françoise Quardon. Créé en 1989, Domi Nostrae vient d'ouvrir un nouvel espace juste contigu au premier. Vous prendrez bien une tasse de thé ?

♦ SITUATION
Galerie Le Réverbère 2
38, rue Burdeau
69001 Lyon
Tél. et fax : 04 72 00 06 72
Ouvert du mercredi au
samedi de 14 à 19 heures
et sur rendez-vous.

Galerie Le Réverbère 2

Malgré toutes les difficultés du marché, la galerie de photos que Catherine Dérioz et Jacques Damez ont créée il y a plus d'une quinzaine d'années continue d'être l'un des observatoires les plus vifs du milieu de l'art versant photographique. L'excellent travail qu'ils y font leur permet d'occuper en ce domaine l'une des toutes premières places dans l'Hexagone. S'ils présentent quatre ou cinq expositions personnelles par an dans leurs 300 m², ils conçoivent aussi une trentaine d'expositions « hors les murs » grâce à toutes sortes de collaborations et de coproductions extérieures. La galerie représente une vingtaine d'artistes parmi lesquels Denis Roche, William Klein, Arièle Bozon, Bernard Descamps, etc. Un lieu de qualité.

♦ SITUATION
Hôtel des Beaux-Arts
75, rue du Président-Herriot
69000 Lyon
Tél. : 04 78 38 09 50
Fax : 04 78 42 19 19

Hôtel des Beaux-Arts

Si, après votre visite à tout ce que Lyon et sa région comptent d'art contemporain, vous aspirez encore y loger à la même enseigne, alors vous pouvez faire halte ici. Cet hôtel au style Art déco soigneusement entretenu compte en effet quatre chambres d'artistes. Les trois premières datent de 1987, à l'époque du périodique Octobre des Arts qui mettait les Lyonnais chaque année au parfum de l'art contemporain ; respectivement réalisées par Zagari, Marc Chopy et Jean-François Gavoty, elles rivalisent d'invention et vous conduiront tout droit au pays des songes. De même de la quatrième, signée des artistes suisses Isabelle Graf-

Ruby et France Wesy-Florio, fondée sur le thème du rêve et qui date de 1997.

Hôtel-restaurant
La Tour rose

Accrochée au flanc de la colline de Fourvière, avec son restaurant hautement toqué, sa terrasse où les lucioles font la ronde avec les étoiles et les poissons, ses chambres qui retracent l'histoire du textile lyonnais du XVIIIe à nos jours, ses expositions d'art contemporain, la maison que dirige Philippe Chavent fait partie de ces adresses recommandées. Pour y boire un verre, y manger, y dormir ou tout cela dans la foulée, peu importe. Il faut s'y arrêter.

♦ SITUATION
La Tour rose
22, rue du Bœuf
69005 Lyon
Tél. : 05 78 37 25 90
Fax : 05 78 42 26 02

LPA, Lyon Parc Auto

♦ SITUATION
Parcs Berthelot, Célestins, Croix-Rousse, Part-Dieu, République, Terreaux

Il ne vous viendrait certainement pas à l'idée d'aller visiter un parking. Eh bien, à Lyon, cela se fait ! Cela se fait depuis que la société LPA – Lyon Parc Auto – a entrepris tout un programme de ce genre d'espace underground en prenant le pari d'en élaborer un concept nouveau, sinon différent. Un pari lancé, animé et relevé pour le compte de LPA par Georges Verney-Carron, le dynamique directeur de la galerie de Villeurbanne (cf. p. 191). La recette est simple : vous réunissez architectes, designers, graphistes, artistes et vous les invitez à se mettre au travail. Vous organisez un jury pour choisir les meilleures propositions et le tour est joué. C'est ainsi que les Lyonnais doivent à Pierre Vurpas, Yan D. Pennor's, Jean Michel Wilmotte, Morellet, Buren, Verjux, Matt Mullican, de bénéficier de parkings qui sont de vraies œuvres d'art. C'en est fini des

sous-sols glauques, malodorants et peu rassurants. Mise en espace, aménagement intérieur et signalisation, interventions des artistes, tout concourt à créer l'événement. Les néons de l'un, la tour sans fin de l'autre, les projections de celui-ci, les inscriptions de celui-là font de ces parkings de vrais lieux de « stationnement ». On a envie d'y rester !

♦ SITUATION
Musée d'Art contemporain
81, quai Charles-de-Gaulle
69006 Lyon
Tél. : 04 72 69 17 17
Fax : 04 72 69 17 00.
Ouvert du mercredi au
dimanche de 12 à 19 heures.

Musée d'Art contemporain

Jadis installé dans des locaux du palais Saint-Pierre mitoyens du musée des Beaux-Arts, le musée d'Art contemporain de Lyon occupait une place centrale en plein cœur de la vieille cité romaine. Créé au début des années quatre-vingt, il s'est très vite imposé comme l'une des pièces essentielles de la décentralisation artistique en développant un programme d'expositions internationales de très haut niveau, en se constituant une collection unique en son genre et en créant une manifestation annuelle, Octobre des Arts, dont le flambeau a été repris depuis quatre ans par l'actuelle Biennale de Lyon (cf. p. 89).

Si Thierry Raspail et son complice Thierry Prat sont à l'origine d'une telle aventure, ils sont également ceux grâce auxquels le musée dispose depuis deux ans de ses propres murs dans un ancien bâtiment magnifiquement réaménagé en bordure du quai du Rhône, à deux pas du parc de la Tête d'or. Établi sur trois étages, le musée bénéficie là d'espaces vastes et lumineux qui lui permettent tant de mettre en valeur ses collections que de pouvoir y développer un programme d'expositions temporaires alternant prestations historiques d'envergure et unités de recherche.

Les collections lyonnaises sont essentiellement faites d'œuvres qui se présentent chacune comme un « monde en soi » dans l'intelligence de ce que l'on appelle volontiers une « œuvre d'art total ».

Le plus souvent réalisées tout spécialement dans le contexte des manifestations organisées par le musée, ce ne sont pas des images au sens convenu du terme mais des dispositifs souvent fort complexes qui procèdent du montage et de l'arrangement d'éléments variés. Parce qu'elles appartiennent à cette catégorie de travaux qui va de l'environnement à l'installation*, elles réclament un conditionnement spécifique, souvent laborieux, exigeant pour la plupart une présentation individuelle dans une salle particulière. De Fontana à Richard Baquié, en passant par Bruce Naumann, Ilya Kabakov, Ange Leccia, Françoise Quardon, Jean-Luc Parant, James Turrell, etc., la ville de Lyon peut se flatter de posséder une collection singulière de très haut niveau qui pose très clairement la question du statut et de la nature de l'œuvre d'art contemporaine dans son rapport au musée. À Lyon, il ne s'agit plus simplement d'accrocher des œuvres sur une cimaise mais de s'interroger sur les relations entre l'œuvre, le lieu où elle se développe et le spectateur. Visite indispensable.

Marseille / Bouches-du-Rhône 13
Provence-Alpes-Côte d'Azur

Ateliers d'artistes de Marseille

Il y a à Marseille une population artistique très importante. Depuis le début des années quatre-vingt, celle-ci s'est regroupée en associations dynamiques de toutes sortes. À leur suite, la ville s'est appliquée à en tenir compte en mettant en œuvre au début des années quatre-vingt-dix une politique de restructuration d'un certain nombre de lieux en vue de créer non seulement des ateliers à loyers préférentiels mais aussi tout un complexe de diffusion et de médiation de l'art contemporain. Les Ateliers d'artistes de Marseille constituent l'une de ces structures ; ils regroupent ateliers permanents, ateliers-résidences, ateliers de production, salles d'exposition, documentation, microédition et banque de matériaux. Un vrai pool expérimental – notamment dans le domaine des multimédias – qui invite des artistes de tous horizons à y exposer ou à y séjourner pour travailler sur place. Découverte.

♦ SITUATION
Ateliers d'artistes de Marseille
11-19, boulevard Boisson
13004 Marseille
Tél. : 04 91 85 42 78
Fax : 04 91 85 13 47
Ouverture selon programmation, téléphoner pour tout renseignement ; en temps d'exposition, ouvert du mardi au samedi de 14 à 19 heures Bureaux ouverts du lundi au vendredi de 10 à 19 heures.
Entrée libre.

◆ SITUATION
Le Cargo
53-55, rue Grignan
13006 Marseille
Tél. : 04 91 54 84 84
Fax : 04 91 55 69 55
http://www.cogito.fr
Ouvert du lundi au vendredi
de 11 à 19 heures et le
samedi de 14 à 19 heures.
Entrée libre.

◆ SITUATION
CIRVA
**Centre international
de recherche sur le verre
et les arts plastiques**
62, rue de la Joliette
13002 Marseille
Tél. : 04 91 56 11 50
Fax : 04 91 91 11 04

Le Cargo

Associatif, le Cargo qui se veut un « Centre international d'arts visuels » est l'un de ces lieux à Marseille où ça bouge. On pourrait même dire que ça tangue tant le programme de manifestations qui y est développé et qui concerne toutes les formes d'expression plastique est dense et bouillonnant d'idées. Quelque chose d'un laboratoire.

CIRVA
Centre international de recherche sur le verre et les arts plastiques

Inventé par les Phéniciens, chéri des Romains, le verre – qu'il soit soufflé ou moulé – est un matériau d'une très grande richesse plastique. Il n'a pourtant pas si souvent attiré les artistes et rares sont ceux qui ont cherché à en exploiter les qualités pour nourrir leur œuvre d'un supplément d'aventure. Longtemps considéré comme un matériau secondaire, réservé à des pratiques artisanales, le verre connaît depuis quelques années auprès des artistes contemporains un regain de faveur. La création à Marseille, en 1986, d'un centre spécialement dévolu à la recherche sur le verre et ses applications dans les arts plastiques en témoigne. Depuis douze ans, celui-ci a vu passer un nombre considérable de créateurs, français ou étrangers, confirmés ou en début de carrière, plasticiens, peintres, sculpteurs, designers ou architectes, aspirant introduire ce matériau dans leur démarche créatrice. On ne compte plus aujourd'hui ceux qui, comme Giuseppe Penone, Sylvain Dubuisson ou Richard Fauguet, pour n'en citer qu'une pincée, y ont bénéficié tant du savoir-faire et de l'assistance des techniciens du CIRVA que du matériel hyperperformant qu'on y trouve.

Si les occasions n'ont pas manqué de découvrir le fruit de leur travail, dans le cadre d'expositions soit spécifiques, comme au musée du Luxembourg à Paris il y a quelques années, soit monographiques, comme celle d'Erik Dietman à Venise en 1997 puis à Paris, au musée des Arts décoratifs, on ne peut que regretter que le CIRVA ne dispose pas d'un espace d'exposition propre. Tout un chacun y gagnerait et, au premier chef, le public qui pourrait y mesurer ce qu'il en est de l'histoire contemporaine d'un matériau fort mal connu. Pétition.

Fonds régional d'art contemporain Provence-Alpes-Côte d'Azur

Si Marseille s'est considérablement transformée au cours des vingt dernières années, le Panier reste assurément l'un de ses quartiers les plus populaires. C'est dans celui-ci, à deux pas de la Vieille Charité, que le Frac Provence-Alpes-Côte d'Azur s'est installé au début des années 1990, tout autour de la cour intérieure d'un petit bâtiment tout en façades vitrées. Figuration narrative*, Supports-Surfaces*, figuration libre*, photographie plasticienne*, installations*..., sa collection qui compte aujourd'hui près de cinq cents pièces est faite de sous-ensembles forts et cohérents représentatifs des grandes tendances des trente dernières années. Côté programmation, l'institution marseillaise est surtout soucieuse d'expérimentation et l'accent est mis davantage sur la recherche artistique que sur les affirmations historiques, le Frac étant très attaché à la production d'œuvres. Depuis 1993, il a d'ailleurs engagé une vraie politique de commande aux artistes, au rythme d'une ou deux par an, qui est aussi l'occasion pour lui de nourrir sa collection. C'est ainsi que Stéphane Magnin a pu réaliser son projet de cabinet de dessins et Basserode celui de son bateau *Hécatée*. Vogue le navire !

Galerie Athanor

Quand un musée aussi important que celui de Céret (cf. p. 44) vous consacre une exposition personnelle, que vous n'êtes pas artiste mais marchand, c'est que vous êtes vraiment méritant. Que vous avez porté haut les couleurs et les vertus de l'art, que vous avez su y voir clair, parfois même avant bien d'autres, bref que vous êtes ce que l'on appelle communément dans le milieu « un regard ». Tel est le cas de Jean-Pierre Alis, figure marseillaise bien connue des artistes et des ama-

◆ SITUATION

**Fonds régional
d'art contemporain
Provence-Alpes-Côte d'Azur**
1, place Francis-Chirat
13002 Marseille
Tél. : 04 91 91 27 55
Fax : 04 91 90 28 50
Ouvert du mardi au samedi
de 10 à 12 heures 30
et de 14 à 18 heures ;
fermé les jours fériés.
Entrée libre.

◆ SITUATION

Galerie Athanor
84-86, rue Grignan
13001 Marseille
Tél. : 04 91 33 83 46
Ouvert du mardi au samedi
de 14 heures 30 à 19 heures
et sur rendez-vous.

teurs d'art de PACA (Provence - Alpes - Côte d'Azur) et d'ailleurs. Il faut dire que voilà plus de vingt-cinq ans qu'Alis a ouvert sa galerie. C'était en décembre 1972, un vrai cadeau de Noël pour une scène artistique désertique à l'époque. Depuis lors, et malgré toutes les difficultés rencontrées, Jean-Pierre Alis n'a jamais démordu, occupant successivement quatre espaces différents et ne cessant d'être attentif à toutes les nouvelles propositions qui surgissaient. Dès 1975, il présentait les figures majeures de Supports-Surfaces, Claude Viallat, Toni Grand, Daniel Dezeuze, Vincent Bioulès, etc., et, à l'aube des années quatre-vingt, il défendait les causes d'Autard, de Traquandi, de Mezzapelle, de Fabre, etc. Tous les artistes qui travaillent avec lui vous le diront, l'une des qualités de Jean-Pierre Alis c'est la fidélité. L'exposition de Céret en témoignait tout comme elle reflétait la passion d'une vie passée dans l'art au service des artistes.

♦ SITUATION
Galerie Roger Pailhas
20, quai de Rive-Neuve
13007 Marseille
Tél. : 04 91 54 02 22
Fax : 04 91 55 66 88
Ouvert du mardi au samedi de 11 à 13 heures, de 14 à 18 heures et sur rendez-vous.

Galerie Roger Pailhas

Collectionneur, chef d'entreprise, directeur de galerie, Roger Pailhas n'est pas un marchand comme les autres. Début 1980, il invite des artistes à intervenir dans ses ateliers de menuiserie ; en 1982, il crée l'ARCA (Association régionale de création artistique) et y développe un programme d'expositions branché (on y a vu une mémorable prestation de Baquié) ; en 1986, il ouvre une galerie à son nom et constitue une équipe de choc avec des artistes comme Buren ou Joep van Lieshout ; début 1990, il se dédouble en ouvrant une galerie à Paris, inaugurant le principe d'une décentralisation inversée, et il y montre des artistes aussi différents que Sylvie Blocher et Pierre Huyghe ; en 1996, il installe ses quartiers marseillais sur le vieux port dans les locaux désaffectés d'une ancienne fabrique de blue-jeans de 1 000 m² !

Là, il invente une manifestation marchande, Art Dealer, invitant un certain nombre de ses confrères français et étrangers à présenter un one-man-show quelques jours début juillet à Marseille ; il y organise de très grosses expositions monographiques, comme celle qu'il a récemment présentée de Julien Blaine ; il y ressuscite l'ARCA pour y mener des opérations culturellement élargies, comme celle qu'il a montée pendant la coupe du monde de football sur l'architecture des grands stades. On l'aura compris, Roger Pailhas est un battant.

MAC
Galeries contemporaines des musées de Marseille

Un ancien parking transformé en musée d'Art contemporain : si l'idée n'était pas follement originale, elle a eu le mérite d'avoir été portée à son terme. Imaginé par Bernard Blistène, alors directeur des musées de Marseille, comme la pièce indispensable en matière d'art contemporain de l'échiquier muséal marseillais, le MAC – qui a été ouvert en 1995 – s'est très vite fait repérer grâce à la qualité et à l'originalité de sa programmation. Philippe Vergne, à qui avait été confiée sa mise en route, y a fait alterner des expositions de rang international (dont l'ambitieuse « L'art au corps ») et de vives réunions de jeunes artistes, tant régionaux que nationaux.

Depuis le départ de ce dernier, appelé outre-Atlantique à d'autres responsabilités, rien n'est plus comme avant. Un peu comme si la voiture avait calé. Mais ne désespérons pas ; elle est en bon état de marche et il suffit de vouloir la relancer pour qu'elle redémarre au quart de tour. La dernière exposition en date – celle de Richard Baquié, un excellent fils de la ville, trop tôt disparu – est peut-être le signe de la reprise. Question de volonté politique, somme toute. La ville a décidé de se priver du musée César, elle ne va tout de même pas se priver aussi du MAC !

Signalons par ailleurs pour les fans d'archives en tous genres que, dès sa création, le MAC s'est doté d'un centre de documentation qui compte parmi les plus importants chez nous pour l'étude de l'art du XXᵉ siècle. Les quelque vingt-cinq mille volumes qui la constituent proviennent de trois sources distinctes : le fonds Ernst-Goldschmidt, un ensemble de catalogues d'expositions de 1928 à 1988 légué à la ville de Marseille ; le fonds d'archives de l'institut des Hautes Études, créé à Paris par Pontus Hulten en 1988 ; enfin, un fonds propre au MAC, créé à son ouverture. Pour le moins, de quoi se documenter !

♦ SITUATION
MAC
Galeries contemporaines
des musées de Marseille
25, avenue d'Haïfa
13008 Marseille
Tél. : 04 91 25 01 07
Fax : 04 91 72 17 27
Ouvert tous les jours,
sauf lundi et jours fériés,
du 1ᵉʳ juin au 30 septembre
de 11 à 18 heures,
du 1ᵉʳ octobre au 31 mai
de 10 à 17 heures.

♦ SITUATION
Musée de la Mode
11, La Canebière
13001 Marseille
Tél. : 04 91 56 59 57
Fax : 04 91 90 76 33
Ouvert tous les jours
sauf lundi de 12 à 19 heures.

Musée de la Mode

À deux pas du vieux port, le musée de la Mode qui a été créé en 1989 dans un ancien immeuble de style haussmannien sur La Canebière s'est donné pour objectif de constituer un patrimoine significatif de l'évolution des formes vestimentaires de 1945 à nos jours. Un programme d'expositions tant monographiques que photographiques ou thématiques et un riche centre de documentation en font un lieu dynamique et fréquenté. La mode y est dans tous ses états, notamment ceux qu'elle entretient avec l'art contemporain. Ses collections qui en dressent un panorama très complet tiennent compte tant du phénomène de mode de la rue que de celui, plus spécifiquement méditerranéen, de la mode balnéaire. Azzedine Alaïa compte parmi ses généreux donateurs. Un espace et un monde à découvrir.

♦ SITUATION
Rencontres Place publique
4, rue Puits-Saint-Antoine
13002 Marseille
Tél. : 04 91 90 08 55
Fax : 04 91 91 90 41
http://webnt.vif.fr/placepublique
Manifestation périodique qui se tient ordinairement à l'automne, téléphoner pour tout renseignement.

Rencontres Place publique

Véritable festival de rendez-vous et de débats entre intellectuels de tous horizons, ces Rencontres qui en sont à leur quatrième édition offrent au public qui les suit l'occasion d'une vraie réflexion sur des questions d'actualité. En 1996 y a été inauguré le premier Salon-forum européen de l'essai sur l'art, réunissant écrivains, historiens, critiques et éditeurs des pays les plus divers. Quand on vous dit que ça bouge à Marseille !

Metz / Moselle 57

Lorraine

♦ SITUATION
Faux Mouvement
4, rue du Change
57041 Metz
Tél. : 03 87 37 38 29
Fax : 03 87 36 18 22
Ouverture selon programmation, téléphoner pour tout renseignement.
Entrée libre.

Faux Mouvement

Ne vous fiez pas aux apparences et ne vous laissez pas duper par la vitrine riquiqui qu'offre à voir de l'extérieur Faux Mouvement. Ce ne sont pas moins de 300 m^2 qui se cachent derrière ! Nouvellement installée dans les anciens studios de FR3 Lorraine dont le dédale des quatorze pièces a fait place à un bel espace lumineux, cette association compte parmi les plus actives de la région. Toutes les raisons sont donc bonnes de marquer ici le pas et découvrir l'excellent travail tant de défriche-ment qu'elle fait auprès des jeunes artistes (Didier Trenet en a bénéficié en son temps) que de diffusion qu'elle assure dans le contexte local en montrant des artistes plus chevronnés. De tous les feux de ses lumières colorées, Sarkis en a inauguré les nouveaux espaces : c'est tout dire !

Fonds régional d'art contemporain Lorraine

Faute de disposer de lieux d'exposition qui lui soient propres, le Frac Lorraine bénéficie d'une situation unique en France, celle d'être la seule région à avoir trois frontières avec des pays voisins : le Luxembourg, la Belgique et l'Allemagne. De cette spécificité découle son identité et le fait qu'il mène en partenariat la plupart de ses actions.

Souffrant pendant longtemps du manque d'une véritable direction et d'une politique des acquisitions partagée entre deux personnes, l'une s'occupant de photos, l'autre de peinture et de sculpture, la collection du Frac Lorraine est très hybride. Depuis la nomination d'un directeur à part entière en 1993, une orientation nouvelle a été définie portant plus particulièrement sur l'art vidéo et l'art engagé. Il s'applique notamment à favoriser l'aide à la production d'œuvres en invitant des artistes à intervenir soit sur des sites patrimoniaux dans un contexte thématique précis, soit directement dans les espaces publics de la ville.

Gare
Commande publique : Patrick Tosani, *15 heures 46*, 1987-1988

Vous êtes tranquillement installé au bar du buffet de la gare de Metz et vous sirotez votre bière. Vous avez tout le temps, votre train est à 16 heures 10 et vous venez de lever les yeux vers la pendule qui est au-dessus du bar : il est 15 heures 46. Vous vous plongez profondément

♦ SITUATION

Fonds régional d'art contemporain Lorraine
11, place de la Cathédrale
57000 Metz
Tél. : 03 87 74 20 02
Fax : 03 87 74 20 56
Service de documentation
ouvert du lundi au vendredi
de 10 à 13 heures
et de 14 à 19 heures.
Entrée libre.

dans la lecture de votre journal. Un peu plus tard, vos yeux se portent à nouveau sur la pendule : « Quoi ? 15 heures 46 ! Mais qu'est-ce que c'est que ça ? » Panique. Vous écarquillez grand les yeux et réalisez que c'est une fausse horloge. D'ailleurs, ce n'en est même pas une mais sa représentation photographique ; de plus elle est complètement immergée sous un rideau de pluie. Votre train est déjà parti depuis longtemps. Que voulez-vous ? le temps de l'art est autre et, rythmé par celui de Tosani, on ne peut que se laisser prendre au piège. Quelle réussite !

Meymac / Corrèze 19

Limousin

◆ SITUATION
Abbaye Saint-André
Centre d'art contemporain
Place du Bûcher
19250 Meymac
Tél. : 05 55 95 23 30
Fax : 05 55 95 69 95
Ouvert l'été tous les jours sauf mardi de 10 à 13 heures et de 14 à 19 heures ; ouvert l'hiver tous les jours sauf mardi de 14 à 18 heures.

Abbaye Saint-André
Centre d'art contemporain

Tout un lot de grandes salles blanches, différentes petites salles voûtées, un grenier réaménagé, le Centre d'art de Meymac qui se développe sur quatre niveaux – rien de moins ! – est un véritable dédale. Inscrit dans les bâtiments plusieurs fois remaniés de l'abbaye Saint-André, en contrebas de la vieille ville, il en impose par son gigantisme. Si l'opportunité d'un tel déploiement peut être discutée, force est de reconnaître que cela permet de présenter des expositions très denses, voire d'inviter plusieurs artistes en même temps. Thématiques, celles-ci sont le plus souvent l'occasion de réflexion

critique sur les grandes tendances de l'art au présent ; monographiques, soit elles ont un caractère rétrospectif qui verse volontiers dans l'anthologique, comme ce fut le cas de celles de Markus Lüpertz ou de Soto, soit elles sont consacrées à de jeunes artistes et font le point sur l'actualité ou un segment de leur travail, ainsi pour Sylvie Blocher, Didier Marcel ou Bernard Quesniaux. Dans tous les cas, au fin fond de la Corrèze, Meymac est l'illustration – certains diront par excès – du bien-fondé de la décentralisation.

Milhaud / Gard 30

Languedoc-Roussillon

Galerie association Esca

Derrière l'Esca se cache l'« Espace du soutien à la circulation artistique », une appellation quelque peu désuète pour une galerie associative créée en 1985 qui ne manque pourtant pas d'ouverture d'esprit. Si celle-ci s'est tout d'abord déterminée par rapport à la scène italienne, voire napolitaine, pour se tourner ensuite vers les Hollandais et les Belges, puis les Catalans, elle a toujours porté une très grande attention aux artistes de la région. En cela, elle occupe une place singulière sur l'échiquier local et participe à l'animer. Coproduction d'expositions, accueil d'artistes en résidence, organisation de conférences et de débats sont en permanence au menu de l'Esca qui s'est aussi inventé d'éditer une minirevue délicate, intitulée *Papiers libres*.

◆ SITUATION

Galerie association Esca
76, route de Nîmes
30540 Milhaud
Tél. et fax : 04 66 74 23 27
Ouvert tous les jours sauf
le lundi de 17 à 19 heures
Entrée libre.

Milly-la-Forêt / Essonne 91

Île-de-France

Jean Tinguely, *Le Cyclope*, 1994

Tous les mythographes vous le diront : il existe trois types de cyclopes. Il y a les cyclopes ouraniens, fils d'Ouranos et de Gaïa (le Ciel et la Terre) ; il y a les cyclopes siciliens, compagnons de Polyphème, qui interviennent dans l'*Odyssée* ; enfin, il y a les cyclopes bâtisseurs. Auquel de ces trois types appartient celui que Tinguely a dressé en plein cœur de la forêt de Milly ? Bien difficile

◆ SITUATION

Le Cyclope
91490 Milly-la-Forêt
Tél. : 01 64 98 83 17
Ouvert de mai à fin octobre,
le vendredi sur rendez-vous,
le samedi de 11 à 13 heures
et de 14 à 17 heures, le
dimanche de 11 à 13 heures
et de 14 à 17 heures 45.
Les enfants de moins de
10 ans ne sont pas autorisés
à monter dans *Le Cyclope*.

à dire d'autant que, s'il a beau se présenter comme tous les autres sous les traits d'un « géant monstrueux n'ayant qu'un œil au milieu du front », il est une immense construction tout à la fois utopique et ludique. Non pas l'œuvre d'un seul mais une œuvre collective dont Tinguely a géré la maîtrise d'ouvrage une vingtaine d'années durant, tous ses copains ayant été convoqués à participer à l'aventure : Niki de Saint Phalle, Eva Aeppli, Spoerri, Larry Rivers, Soto, Philippe Bouveret, Jean-Pierre Raynaud, etc. Entre totem et génie du lieu.

Monflanquin / Lot-et-Garonne 47
Aquitaine

Artistes en résidence

◆ SITUATION
Artistes en résidence
Association Pollen
Mairie
47150 Monflanquin
Tél. : 05 53 36 54 37
Fax : 05 53 36 42 91
Ouverture selon programmation, téléphoner pour tout renseignement.

On peut ne pas être artiste et marquer tout de même le pas à Monflanquin. Les résidences qui y ont été créées en 1991 en vue de favoriser la promotion et la diffusion de la jeune création contemporaine sont l'occasion de rencontres qui se font sur un mode très convivial. Dans une rustre bastide médiévale, caractéristique de l'architecture du Haut-Agenais, six artistes y sont accueillis au cours de l'année pour des séjours de trois mois. Soit ils y réalisent un projet spécifique, soit ils y développent leur recherche. Proche de Villeneuve-sur-Lot, le cadre de Monflanquin est particulièrement propice tant à la réflexion et à l'échange qu'à la création.

Mons-en-Barœul / Nord 59
Nord-Pas-de-Calais

Heure exquise !

◆ SITUATION
Heure exquise !
Le Fort cour sud
Avenue de Normandie
59370 Mons-en-Barœul
Tél. : 03 20 43 24 32
Fax : 03 20 43 24 33
Ouvert du lundi au vendredi
de 9 heures 30
à 12 heures 30
et de 14 heures 30
à 18 heures 30.

À l'heure des nouvelles technologies, la vidéo occupe une place de plus en plus importante et sa pénétration dans le champ des arts plastiques a considérablement transformé nos habitudes perceptives. Devenue un vecteur à part entière de la création contemporaine, elle a généré des structures exclusivement chargées de sa promotion. C'est le cas de l'association Heure exquise ! créée il y a déjà plus de vingt ans et qui s'occupe tant de distribution et de diffusion que de documentation et de formation. Au contact du public le plus large, elle lui propose toutes sortes de services et d'activités : fonds audiovisuel, station vidéo, ateliers d'initiation, séminaires, débats dossiers, base de données, etc. Tout pour la vidéo.

Montbéliard / Doubs 25
Franche-Comté

Le 19
Centre régional
d'art contemporain

Quoique riche d'une forte tradition patrimoniale – le musée des Beaux-Arts de Besançon (dont on ne sait pas toujours qu'il est la première institution du genre en France), les célèbres salines d'Arc-et-Senans de Nicolas Ledoux, la présence à Ornans d'un artiste de la taille de Courbet –, la Franche-Comté n'est guère riche en lieux et œuvres d'art contemporains. L'ouverture, en 1996, du 19 a donc été la bienvenue. La programmation qu'il développe signale une orientation générale qui vise à faire cas de toutes les formes d'expression. Peinture, sculpture, photographie, vidéo et nouveaux médias y ont été ou y seront sous peu à l'ordre d'un programme ouvertement éclectique. Sa singularité est sans aucun doute de ne pas chercher absolument à montrer des noms déjà repérés mais bien plutôt de voir ce qu'il en est de l'actualité de la création au travers de la production d'artistes qui sont en dehors des effets de mode. La liste de ses premiers hôtes en témoigne : Alain Clément, Christian Jaccard, Anne Rochette, Mara Goldberg, etc. En collaboration avec les collectivités locales et régionales, le 19 organise l'accueil et l'échange d'artistes nationaux et internationaux, impulsant ainsi toutes sortes de manifestations et d'expositions aussi bien dans son espace que dans d'autres lieux. À suivre.

♦ SITUATION
Le 19
Centre régional
d'art contemporain
19, avenue des Alliés
25200 Montbéliard
Tél. : 03 81 94 43 58
Fax : 03 81 94 61 51
Ouvert du mardi au samedi
de 14 à 19 heures,
le dimanche de
15 à 19 heures.
Entrée libre.

Montpellier / Hérault 34
Languedoc-Roussillon

Frac Languedoc-Roussillon

Ouverte depuis décembre 1997, la galerie du Frac Languedoc-Roussillon occupe les locaux réaménagés d'un vieux garage des années vingt. Après plusieurs années passées dans ceux de l'hôtel de région, le voici enfin avec un espace à lui. S'il y gagne en place, il y gagne surtout en lisibilité et en identité,

♦ SITUATION
Frac Languedoc-Roussillon
4, rue Rambaud
34000 Montpellier
Tél. : 04 67 22 94 04
Fax : 04 67 58 49 80
http://www.fraclr.org
Ouvert tous les jours de 11
à 19 heures. Entrée libre.

ce qui n'est pas le moindre pour une institution dont la reconnaissance est loin d'être évidente. Le fait de cette installation n'est pas seulement le signe d'une volonté politique appréciable, elle est surtout le fruit du travail de conviction que la nouvelle direction a réalisé à la tête de cet établissement depuis 1993. S'il a fallu quasi dix ans au Frac Languedoc-Roussillon avant de vraiment démarrer, il a su rattraper le temps perdu. Les trois grandes orientations qui régissent tant sa collection que sa programmation en appellent à l'idée d'une culture méditerranéenne (Susana Solano, Pepe Agut), à l'acquisition ou à la présentation d'œuvres de fortes personnalités (Chris Burden, Paul Mac Carthy, Angela Bulloch), enfin au soutien de la jeune création des années quatre-vingt-dix (Claude Closky, Michel Blazy, Matthieu Laurette). L'absence à Montpellier de toute autre structure spécifique à l'art contemporain met la galerie d'Éole face au challenge de mener une politique très proche d'un centre d'art, aussi l'aspect production y est-il particulièrement privilégié. Tant mieux.

Montreuil / Seine-Saint-Denis 93
Île-de-France

Espace Mira Phalaina

♦ SITUATION
Espace Mira Phalaina
Maison populaire
9 bis, rue Dombasle
93100 Montreuil
Tél. : 01 42 87 08 68
Fax : 01 42 87 64 66
Ouvert du lundi au vendredi
de 14 à 20 heures.
Entrée libre.

C'est vrai, l'espace Mira Phalaina est un peu perdu au fin fond de la banlieue et l'on risque de mettre un certain temps à le trouver mais il y a un bus direct de la porte de Montreuil. Bon, c'est vrai, le hall d'accueil de la maison populaire de Montreuil ne constitue pas en soi le lieu idéal pour montrer des œuvres, mais qu'est-ce qui compte : le contenant ou le contenu ? De ce point de vue-là, rien à redire. La qualité y est, l'invention aussi. De cet espace au nom mystérieux, Mira Phalaina, Gérard Garouste et Daniel Dezeuze ont déjà été les hôtes. Ce n'est pas si mal, non ?

Musée de l'Histoire vivante

Fondé par Jacques Duclos au lendemain de la seconde guerre mondiale dans les locaux de la propriété privée de Théophile Sueur, un gros industriel du XIXe siècle, le musée de l'Histoire vivante est essentiellement consacré à la documentation mémorable des grandes causes révolutionnaires : la Révolution de 48, la Commune, Jaurès, le Front populaire, la Résistance, etc. Depuis 1995, l'APLAC (Association pour l'art contemporain) collabore à la programmation du musée afin de la rendre toujours plus vivante. On a pu ainsi y voir des œuvres de Keith Haring, Di Rosa et Ben entre autres dans une exposition sur le thème du jouet ; Lavier, Le Gac et d'autres encore dans une autre autour du cinéma. En 1996, dans le cadre de Art Grandeur Nature, Joël Ducorroy y a bénéficié d'une exposition personnelle. Non seulement un musée singulier mais un immense parc.

◆ SITUATION
Musée de l'Histoire vivante
Parc Montreau
31, boulevard Théophile-
Sueur
93100 Montreuil
Tél. : 01 48 70 61 62
Fax : 01 48 55 16 34
Ouvert du mercredi au vendredi de 14 à 17 heures, les samedi et dimanche de 14 à 18 heures.
Entrée libre.

Montrouge / Hauts-de Seine 92

Île-de-France

Salon de Montrouge

Il en est des salons à l'inverse du vin : ils vieillissent ordinairement très mal. Quoiqu'il ne soit plus tout jeune, le Salon de Montrouge qui a fêté en 1998 son quarante-troisième anniversaire peut se vanter malgré tout de rester un tremplin pour de jeunes artistes. Avec celui de la « Jeune Peinture », il est en effet l'un des rares rescapés fréquentables de sa génération. Sa recette tient en quelques idées systématiquement appliquées chaque année : une rétrospective, singulière ou plurielle, d'artistes européens d'un pays mis à l'honneur, une sélection rigoureuse de quelque cent cinquante artistes choisis sur plus de mille cinq cents dossiers, une distribution de six prix distincts, la publication d'un catalogue enfin. Depuis plus de vingt ans, Nicole Ginoux préside aux destinées de ce salon que les années quatre-vingt avaient transformé en une grande messe mais qui n'a perdu la faveur ni des artistes qui le considèrent comme un « salon-CV », ni des amateurs qui tentent d'y repérer les futures vedettes de demain, ni du public qui y découvre la richesse d'invention de l'art contemporain. Une institution !

◆ SITUATION
Salon de Montrouge
2, place Émile-Cresp
92120 Montrouge
Tél. : 01 46 12 75 70
Ordinairement le salon se tient en avril-mai, téléphoner pour tout renseignement.
Entrée libre.

♦ SITUATION
Espace de l'art concret
Château de Mouans-Sartoux
06370 Mouans-Sartoux
Tél. : 04 93 75 71 50
Fax : 04 93 75 88 88
Ouvert tous les jours sauf
mardi du 1ᵉʳ juin
au 30 septembre
de 11 à 19 heures,
du 1ᵉʳ octobre au 31 mai
de 11 à 18 heures.

Espace de l'art concret

« L'art concret n'est pas un dogme, pas un isme, il connaît une pluralité vivante… L'art concret a une tendance vers l'élémentaire, la transparence… L'art concret n'est pas une interprétation. L'œuvre est l'objet réel, concret… L'art concret veut mobiliser notre conscience, notre créativité, notre engagement social… » Ces quelques lignes, signées Gottfried Honegger, sont extraites d'un petit manifeste daté de 1995 visant à l'actualisation d'un mouvement créé en 1930. Aucune nostalgie là-dedans, bien au contraire, mais une passion et une générosité qui fondent l'aventure même de ce lieu unique en son genre. Issu de la volonté d'un collectionneur, Sybil Albers-Barrier, de rendre publique sa collection et de l'engagement d'un artiste à l'égard d'une esthétique, l'Espace de l'art concret a ouvert ses portes en 1990. Le petit château XIXᵉ de style Renaissance qui l'abrite est un vrai bonheur et lui sied à merveille : ni ostentation, ni emphase, mais une dimension humaine et conviviale avec un petit parc tout en douceur mouvementée. Bref, tout pour plaire et, de fait, terriblement plaisant.

Le concept d'art concret recouvre donc toute une production artistique faisant le plus souvent appel aux structures géométriques et aux couleurs primaires, depuis Josef Albers et Max Bill, ses fondateurs, jusqu'à Morellet, Buren, Verjux et tant d'autres. Dans le cadre du château de Mouans-Sartoux, l'Espace de l'art concret développe une programmation d'expositions exclusivement temporaires qui s'applique à présenter les œuvres de la collection Albers-Barrier au sein d'unités parfois monographiques (Herman de Vries, Günter Umberg, Bernard Aubertin…) mais surtout thématiques (« Voir et s'asseoir », « Art et vêtement », « Le Carré libéré », « Comparer pour voir »…) et, dans tous les cas, en confrontation avec d'autres œuvres de nature différente.

La qualité, l'originalité et la rigueur de chacune des expositions de Mouans-Sartoux ont très vite fait la légende de ce lieu, tout comme l'extraordinaire travail pédagogique accompli en direction des enfants. Cela s'est d'ailleurs traduit par la

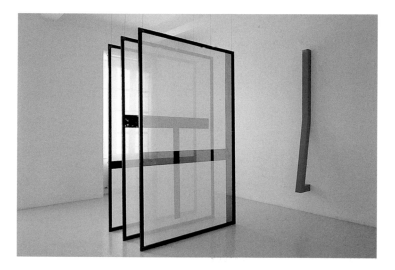

récente ouverture d'un « Espace Art Recherche Imagination », un petit bâtiment installé en contrebas dans le parc, conçu par Honegger, réalisé par l'architecte Marc Barani, petit trésor d'esthétique fonctionnelle tout entier dévolu à cette action éducative. Bienvenue au château !

Nancy / Meurthe-et-Moselle 54
Lorraine

Biennale internationale de l'Image

Tout d'abord consacrée à une pratique classique de la photographie, la BII s'est ouverte depuis quelques années aux formes les plus contemporaines de son utilisation pour être l'occasion d'une véritable réflexion sur l'image. Soucieuse de favoriser la création, elle a choisi de réserver une part considérable de son budget à la production d'œuvres originales, notamment dans le cadre de résidences d'artistes invités à travailler *in situ*. Internationale, cette manifestation l'est non seulement par une sélection qui réunit des artistes venus d'horizons très divers – le cru 1997 comptait de nombreux Belges, Anglais, Japonais et Canadiens – mais par un programme décentralisé d'une partie des expositions en Allemagne et au Luxembourg voisins.
Rendez-vous à ne pas manquer.

♦ SITUATION
Biennale internationale de l'Image
4, rue du Moulin-de-Boudonville
54000 Nancy
Tél. : 03 83 98 80 08
Fax : 03 83 35 50 32

◆ SITUATION
Galerie Art Attitude Hervé Bize
19, rue Gambetta
54000 Nancy
Tél. : 03 83 30 17 31
Fax : 03 83 30 17 17
Ouvert du mardi au samedi
de 15 à 19 heures
et sur rendez-vous.

Galerie Art Attitude Hervé Bize

Parce qu'il a ouvert sa galerie à l'âge où, ordinairement, on est encore à l'école des Beaux-Arts, Hervé Bize peut se targuer d'être le plus jeune des vieux marchands installés en région. C'est dire la dose d'opiniâtreté qu'il lui a fallu mais la persévérance finit toujours par payer un jour ou l'autre. Bien sûr, ce n'est pas encore le temps des vaches grasses et la situation est terriblement instable. Le mérite d'Hervé Bize est du moins d'avoir gagné la confiance d'un certain nombre d'artistes qui n'hésitent pas à le suivre dans l'aventure et qui lui réservent parfois la primeur de certains de leurs travaux. De Morellet à Carbonnet, en passant entre autres par Jean-François Lacalmontie, Peter Rösel et Emmanuel Saulnier, il y a des jeunes et des aînés, des débutants et des confirmés, des conceptuels et des figuratifs, tous de fortes personnalités. Une double règle, passion et rigueur.

Nantes / Loire-Atlantique 44

Pays de la Loire

◆ SITUATION
**La Galerie, l'Atelier
École régionale des Beaux-Arts**
5, rue Fénelon
44000 Nantes
Tél. : 02 40 41 58 00
Fax : 02 40 41 90 58
Ouvert du lundi au samedi
de 15 à 19 heures.
Entrée libre.

La Galerie, l'Atelier
École régionale des Beaux-Arts

Toutes disciplines et procédures confondues – peinture, sculpture, installation*, photo, design, vidéo, etc. – sont au programme des deux galeries de l'école des Beaux-Arts de Nantes. Si celui de « l'Atelier » est volontiers consacré à des créateurs ayant ou ayant eu des relations privilégiées avec l'école (étudiant, intervenant, enseignant, etc.), celui de la galerie proprement dite est davantage tourné vers des propositions extérieures visant à faire état de la diversité des recherches d'artistes plus ou moins confirmés. Chacune des expositions donne lieu à l'édition d'un « Tiré à part », petit catalogue destiné à être encarté dans la revue de l'école, la fameuse *Interlope la curieuse*. Fabrice Hybert et Made In Éric en ont été les premiers bénéficiaires.

Fonds régional d'art contemporain Pays de la Loire

Ce qui fait d'abord et avant tout la singularité du Frac Pays de la Loire, ce sont les « Ateliers internationaux » qu'il organise chaque été depuis quatorze ans qu'il existe et qui sont les pourvoyeurs principaux de ses collections. Dignes d'un musée, celles-ci rassemblent la plupart de ce que l'actualité des vingt-cinq dernières années peut avoir engendré de propositions plastiques diverses ; certaines des œuvres du Frac sont d'ailleurs en dépôt temporaire au musée des Beaux-Arts de Nantes (Penone, Toni Grand, Gasiorowski, Spalletti…). Successivement installé dans les locaux royaux de l'abbaye de Fontevraud puis dans ceux, plus champêtres, du domaine de la Garenne Lemot à Clisson, le Frac Pays de la Loire a trouvé un port d'attache transitoire dans l'ancien quartier portuaire en attendant de trouver un havre définitif à Carquefou d'ici la fin du siècle. Si l'on peut s'interroger sur le bien-fondé de l'implantation d'une telle institution à 10 km au nord de Nantes dans le contexte technopolitain qui s'y trouve, on ne peut douter qu'elle y poursuive ses activités avec la même énergie et la même invention.

L'ex-usine de peinture sur métal que le Frac occupe actuellement se compose de volumes bruts, sobrement mais fonctionnellement réaménagés. Deux espaces d'exposition sont à sa disposition : l'un, immense, qui se livre d'emblée au regard, y a accueilli notamment Sherrie Levine, Kryzstof Wodiczko et Raymond Hains ; dans l'autre, clos – dit « le lieu des instantanés » – à la dimension d'un cabinet de dessins ont exposé des artistes comme Olga Boldyreff ou Jonathan Monk. En matière de collection, la politique du Frac s'articule entre deux directions : le développement du fonds photographique et l'accompagnement par l'institution de la réalisation de projets de jeunes artistes. Il ne s'agit plus pour elle d'acheter simplement une œuvre mais de s'engager aussi dans le continuum de la création en prenant en compte le déroulement du travail. Claire Roudenko-Bertin et Laurent Moriceau sont les premiers à avoir bénéficié d'une telle modalité. Faute de disposer d'espace et dans l'attente de

♦ SITUATION
**Fonds régional
d'art contemporain
Pays de la Loire**
7, rue Frédéric-Kulhmann
44100 Nantes
Tél. : 02 40 69 87 87
Fax : 02 40 69 15 57
Ouvert tous les jours sauf
lundi de 14 à 18 heures.
Entrée libre.

l'installation à Carquefou, les ateliers internationaux du Frac prennent leurs quartiers d'été à Saint-Nazaire. En 1995, une convention de cinq ans a été élaborée entre la cité portuaire et l'institution régionale aux termes de laquelle le Grand Café a été rénové pour servir d'ateliers et de salles d'exposition, des logements ayant été par ailleurs aménagés pour l'accueil des artistes en résidence.

Galerie Plessis

♦ SITUATION
Galerie Plessis
1, place Graslin
44000 Nantes
Tél. : 02 40 69 21 00
Fax : 02 40 69 75 00
http://www.odarts.com/plessis
Ouvert du mardi au samedi
de 10 à 12 heures
et de 14 à 19 heures
et sur rendez-vous.

Créée en 1986 par un couple passionné d'art contemporain, la galerie Plessis a quitté au printemps dernier les locaux commerciaux qu'elle occupait pour s'installer dans un ancien appartement. Essentiellement consacrée à la présentation d'œuvres sur papier, elle est le rendez-vous choisi des amateurs qui savent y trouver des travaux d'artistes comme Éric Fonteneau, Anne Deguelle, David Boeno et Jean-Paul Marcheschi. Entre mécénat et galerie.

Musée des Beaux-Arts

♦ SITUATION
Musée des Beaux-Arts
10, rue Georges-Clemenceau
44000 Nantes
Tél. : 02 40 41 65 65
Fax : 02 40 41 67 90
Ouvert les lundi, mercredi,
jeudi et samedi
de 10 à 18 heures,
le vendredi
de 10 à 21 heures,
le dimanche
de 11 à 18 heures,
fermé le mardi.

Voilà une quinzaine d'années Henri-Claude Cousseau, alors directeur des musées de Nantes, donnait à cette institution grise et poussiéreuse un coup de balai magique et la transformait en un havre de blancheur et de lumière. Il en dégageait notamment le patio central mettant ainsi à nu une architecture digne d'un décor à la Chirico. Depuis lors et par-delà les différents mouvements de ses responsables, le musée des Beaux-Arts n'a eu de cesse de décliner ses activités à l'heure de l'art contemporain. Outre ses trésors primitifs et ses chefs-d'œuvre d'art moderne que sont *Madame de Senones* d'Ingres, *Les Cribleuses* de Courbet ou cette subtile suite de petites peintures de Kandinsky, le musée nantais possède aujourd'hui un ensemble d'œuvres contemporaines de tout premier plan, fait tant d'acquisitions que de dépôts : Martin Barré, Jean-Pierre Raynaud, Giulio Paolini, Jean-Pierre Bertrand, Fabrice Hybert, etc., y sont avantageusement représentés. Pour sa programmation d'expositions temporaires, le musée de Nantes dispose de plusieurs espaces de nature très diverse. Au musée même, outre le patio qui oblige les artistes à des créations spécifiques toujours surprenantes comme celle qu'y a réalisée Sarkis en 1997, galeries latérales et salles d'art graphique permettent toutes sortes de prestations, thématiques ou monographiques, comme celle mémorable de Penone ; une salle dite « blanche », toute en hauteur, y est encore réservée à la présentation de petits ensemble précis d'œuvres, telles les scènes de plage de Philippe Cognée ou les photos de Seton Smith. À l'extérieur, à deux pas du musée, face à la cathédrale dont l'illumination nocturne est l'œuvre de Yann Kersalé, le musée dispose de temps à autre de la chapelle

de l'Oratoire ; son architecture baroque appelle surtout des installations* comme celles qu'y ont réalisées tant Françoise Quardon que Claudio Parmiggiani.

Nevers / Nièvre 58

Bourgogne

Cathédrale Saint-Cyr-Sainte-Julitte
Commandes publiques : Jean-Michel Alberola, Gottfried Honegger, Markus Lüpertz, François Rouan, Claude Viallat, vitraux, 1988-1991

◆ SITUATION
Cathédrale Saint-Cyr-Sainte-Julitte
Ouvert tous les jours de 9 à 19 heures.

Quel étrange édifice, en vérité, que cette cathédrale de Nevers ! Non seulement tous les styles s'y juxtaposent mais elle est constituée du tête-à-tête de deux absides opposées à chaque extrémité de la nef, l'une romane à l'ouest, l'autre gothique à l'est. Une vraie curiosité architecturale. Pour être

curieux d'ailleurs, le programme de réfection des vitraux qui y a été conduit au cours des dix dernières années ne l'est pas moins. Est-ce le fait de cette nature composite qui ont conduit les responsables à y convoquer des artistes aussi dissemblables que Alberola, Honegger, Lüpertz, Rouan et Viallat ? Le résultat est pour le moins cacophonique, aucune orchestration n'étant vraiment possible ; seul Viallat qui enflamme le chœur gothique tire son épingle du jeu. À voir, pour toutes ces… curiosités.

Nice / Alpes-Maritimes 06

Provence - Alpes - Côte d'Azur

◆ SITUATION
Art Jonction
Foire et festival d'art
contemporain
21, rue Saint-Philippe
06000 Nice
Tél. : 04 93 96 01 00
Fax : 04 93 96 01 40

Art Jonction

Créée dans l'euphorie des années quatre-vingt, « la » foire d'art contemporain de la Côte d'Azur a fêté en 1998 ses douze ans d'existence. Cahincaha, elle a donc réussi à traverser toutes les perturbations, tant internes qu'externes, qui n'ont pas manqué d'agiter son histoire et l'ont conduit un temps à déménager de Nice à Cannes. Très inégale d'une année sur l'autre, Art Jonction, qui se tient ordinairement fin mai-début juin, réunit quelque soixante-dix exposants venus d'une quinzaine de pays différents. Depuis quelques années, elle a choisi de s'ouvrir plus largement à la photographie et s'est doublé depuis deux ans d'un festival d'art contemporain consacré à de jeunes artistes sélectionnés par un jury européen et doté d'un prix. Adaptation nécessaire.

◆ SITUATION
Hôtel Windsor
11, rue Dalpozzo
06000 Nice
Tél. : 04 93 88 59 35
Fax : 04 93 88 94 57

Hôtel Windsor

Monsieur Redolfi, le propriétaire de cet établissement de soixante chambres trois étoiles, n'est pas un hôtelier comme les autres. Il y a une dizaine d'années, la découverte de l'art contemporain l'a convaincu à la nécessité de faire de ses chambres des chambres d'artistes, à la façon de ces chambres d'amis qui avaient fait en leur temps le succès de l'exposition de Jan Hoet à Gand. Joël Ducorroy et ses plaques minéralogiques, Claude Rutault et ses définitions/méthodes, Philippe Perrin, Présence Panchounette, Lawrence Weiner, etc. Ce ne sont pas moins de seize chambres qui ont été aujourd'hui investies par les artistes. Ici on ne visite pas ; on réserve et on séjourne. Étonnant.

Musée d'Art moderne et d'Art contemporain

Inauguré en juin 1990, dans un contexte politique remué, le MAMAC de Nice était attendu depuis de très longs temps. Comme en témoignait l'exposition sur la modernité organisée l'été 1997 sur la Côte d'Azur, Nice n'a cessé d'être tout au long du XXᵉ siècle l'un des foyers les plus vivants de l'Hexagone. De Matisse à Ben, en passant par Klein, César et Viallat, la ville a accueilli de très nombreux artistes et les aventures successives du Nouveau Réalisme*, de l'école de Nice* et de Supports-Surfaces* y ont trouvé ancrage. Il fallait donc à Nice un musée qui relate son histoire artistique contemporaine. Conçu comme une sorte d'arc tétrapode monumental dont les quatre piles plaquées de marbre sont reliées par une structure métallique vitrée qui danse, le musée de Nice n'est pas à proprement parler une réussite architecturale. Il en jette, il en impose, d'une façon par trop ostentatoire, et les quelques sculptures – au demeurant très intéressantes, notamment celle de Borofsky – qui composent son environnement souffrent d'un terrible écrasement. Ceci dit, un musée c'est surtout ce qu'il y a à l'intérieur qui compte ; de ce point de vue-là, le visiteur n'est pas déçu. Constitué d'un jeu de trois plateaux superposés modulables et d'une terrasse grandement ouverte sur la ville où a été installé un *Mur de feu* d'Yves Klein, le MAMAC développe un programme artistique qui « trouve son articulation essentielle dans le rapport entre le Nouveau Réalisme* européen et l'expression américaine de l'art d'assemblage et du pop art ». Si ses collections organisent un très important rassemblement d'œuvres de ces deux grandes tendances (dont une passionnante salle Klein), les deux niveaux supérieurs du musée leur étant consacrés, les expositions temporaires visent tantôt à reconsidérer cette histoire, tantôt à l'interroger au regard de l'actualité de la production artistique contemporaine. Aînés (Mark Di Suvero, Giovanni Anselmo, Robert Indiana…) et plus jeunes (Georges Rousse, Véronique Bigo, Joël Ducorroy…) sont ainsi tour à tour ou simultanément – un espace « galerie » est dévolu à ces derniers – les invités d'une programmation qui est tout à la fois singulière et pertinente. Ne pas manquer de monter sur la terrasse.

♦ SITUATION

Musée d'Art moderne et d'Art contemporain
Promenade des Arts
06300 Nice
Tél. : 04 93 62 61 62
Fax : 04 93 13 09 01
Ouvert tous les jours sauf mardi de 10 à 18 heures.

♦ **SITUATION**
La Station
26, boulevard Gambetta
06000 Nice
Tél. : 04 93 82 48 58
Fax : 04 93 82 44 43
Ouverture selon
programmation, téléphoner
pour tout renseignement.
En temps d'exposition,
ouvert du lundi au vendredi
de 14 à 20 heures.
Entrée libre.

♦ **SITUATION**
Villa Arson
Centre national
d'art contemporain
20, avenue Stephen-Liégeard
06105 Nice
Tél. : 04 92 07 73 80
Fax : 04 93 84 41 55
http://cnap-villa-arson.fr
Ouvert de juillet à septembre
tous les jours de 13 à
19 heures, d'octobre à juin,
tous les jours sauf lundi, de
13 à 18 heures. Fermeture
annuelle : dernière semaine
de décembre et première
semaine de janvier.
Entrée libre.

La Station

Installée dans les locaux d'une ancienne station-service de 400 m² que lui a prêtée le centre hospitalier universitaire, l'association Starter y a créé un lieu d'exposition. Voué à la recherche et au débat, celui-ci propose une programmation qui en fait un lieu dynamique et branché où le public peut aller à la rencontre des artistes. Il y développe aussi une inventive activité éditoriale au travers d'une collection à tirage limité, intitulée « La Pochette Collector ».

Villa Arson
Centre national
d'art contemporain

Christian Bernard, aujourd'hui directeur du MAMCO (Musée d'Art moderne et d'Art contemporain de Genève), qui l'a dirigée dix années durant, a marqué l'histoire de cette maison d'une puissante empreinte. Créée dans les années soixante, la villa Arson réunit depuis 1986 école des Beaux-Arts et Centre national d'art contemporain. Si le bâtiment en béton brut décoffré, tout en dédales et en locaux éclatés, situé sur les hauteurs ouest de Nice, avoue la génération à laquelle il appartient, l'activité qui s'y déroule témoigne de son attention la plus serrée à l'actualité.

Aujourd'hui dirigée par Michel Bourel, transfuge du capc de Bordeaux (cf. p. 31), la villa Arson qui s'étend sur 17 000 m² et dispose de 1 200 m² de salles d'expositions, de quelque 4 500 m² d'ateliers pédagogiques, de trois amphithéâtres, d'une bibliothèque, d'une salle de séminaire, d'un café-restaurant, d'une cinquantaine de chambres et studios destinés aux étudiants, artistes, boursiers, etc., se veut un lieu polyvalent et interactif.

Production d'œuvres et d'expositions, accueil d'artistes et de critiques en résidence y sont l'ordinaire d'un quotidien dont la programmation, très dense, près d'une vingtaine d'expositions par an, offre un large panorama des recherches actuelles en matière d'art contemporain. Plus qu'un laboratoire, la villa Arson qui réserve une place de choix aux jeunes artistes est un véritable bouillon de culture.

Carré d'art
Musée d'Art contemporain

♦ SITUATION
Carré d'art
Musée d'Art contemporain
Place de la Maison-Carrée
30000 Nîmes
Tél. : 04 66 76 35 70
Fax : 04 66 76 35 85
Ouvert tous les jours de
10 à 18 heures sauf le lundi.

Projetons-nous plusieurs siècles en avant et imaginons ce qu'il en sera de ce Carré d'art tout de béton, d'acier et de verre qu'a construit Norman Foster en 1993 face à la célèbre maison Carrée. Les assimilera-t-on dans une même unité de temps ? Que restera-t-il des œuvres d'art que celui-là abrite ? Est-ce que celui-ci sera toujours debout ? L'impossibilité de répondre à de telles questions est une incitation à vivre pleinement l'instant et à nous laisser jouir de cette magnifique bâtisse toute en transparence et en lumière qu'a imaginée l'architecte américain. Si c'est à Bob Calle, ancien directeur du musée des Beaux-Arts puis du musée d'Art contemporain, que Nîmes doit de disposer d'un tel outil, c'est à Guy Tosatto qu'en est revenue la direction. La mise en place d'un nouveau musée, Tosatto connaît : c'est lui qui a créé de toutes pièces celui de Rochechouart (cf. p. 155). Celui de Nîmes fait la pige à ses semblables parce qu'il dispose sur deux niveaux de volumes amples, lumineux et sobres, avec de vraies et solides cloisons,

d'immenses surfaces de cimaise, des petites cellules à l'abri de la lumière pour les œuvres fragiles et d'heureuses perspectives ouvertes sur la ville, bref tout ce qui avait été longtemps banni d'une pensée architecte muséale.

Si les difficultés économiques survenues depuis l'ouverture du musée ne permettent pas vraiment à Tosatto de donner toute la mesure de son talent directorial, sa programmation est en tous points un exemple. Fidèle à ses amours, il a d'ores et déjà invité Juan Munoz, David Tremlett, Gerhard Richter, Giuseppe Penone ou organisé des expositions thématiques de référence comme « L'ivresse du réel ». C'est dire la dimension internationale qu'il a donnée à l'institution nîmoise !

♦ SITUATION
École des Beaux-Arts
Salle des expositions
Hôtel Rivet
16, rue du Chapitre
30000 Nîmes
Tél. : 04 66 76 70 22
Fax : 04 66 76 74 06
Ouvert du lundi au vendredi
de 9 à 12 heures
et de 14 à 17 heures.

École des Beaux-Arts
Salle des expositions

Rouverte en 1995, l'école des Beaux-Arts de Nîmes dispose de belles salles d'exposition. Cela lui permet de satisfaire son souci d'assurer à l'art contemporain sous toutes ses formes une place de choix. Résidences d'artistes et cycle de conférences y confortent une programmation qui bénéficie tant aux étudiants qu'à un plus large public. Luc Deleu, Laurent Joubert, Peter Downsborough et Sam Samore ont eu l'occasion d'y présenter leurs travaux.

♦ SITUATION
Le 9, restaurant bar
9, rue de l'Étoile
30000 Nîmes
Tél. : 04 66 21 80 77
Fax : 04 66 36 07 56

Le 9
Restaurant bar

Tant pour son cadre que pour la qualité de ses mets, Le 9 compte parmi ces petites adresses où l'on a plaisir à revenir. Si le patron est à tu et à toi avec tous les artistes, c'est Jean-Michel Othoniel qu'il a sollicité pour orner ses murs. Celui-ci y a réalisé une intervention subtile et littéraire, agrémentée de temps à autre par l'accrochage d'une œuvre de Schnabel, de Barcelo, etc. Rien de moins !

♦ SITUATION
La Vigie
Art contemporain
32, rue Clérisseau
30000 Nîmes
Tél. : 04 66 21 76 37
Ouvert du mardi au
vendredi de 14 à 17 heures.
Entrée libre.

La Vigie
Art contemporain

Créée par d'anciens étudiants des Beaux-Arts en 1992, La Vigie est installée dans un vieil hôtel de poste. Son objectif est tant de donner leur chance à de jeunes artistes que d'en inviter de plus confirmés à y faire halte dans le contexte d'expositions articulées sur le principe de « rencontres ». Près d'une trentaine d'artistes d'horizons très différents en ont déjà été les hôtes. Un lieu singulier et vivant qui n'est pas un laboratoire mais un espace de découvertes, d'échanges et de discussions.

Nohant-Vic / Indre 36

Centre

Maison de George Sand
Commande publique : Françoise Vergier, *Corambé*, 1991

♦ SITUATION

Maison de George Sand
Domaine de Nohant
Le Bourg
36400 Nohant-Vic
Tél. : 02 54 31 06 04
Le domaine est ouvert tous
les jours de 9 à 11 heures 15
et de 14 à 17 heures 30.
Entrée libre.

Corambé – il n'y a que l'enfance pour inventer un tel nom. Que signifie-t-il ? « Le nom ne signifiait rien que je sache, répond l'auteur de *La Mare au diable* ; c'était un assemblage fortuit de syllabes comme il s'en forme dans les songes. Mon fantôme s'appelait Corambé et ce nom lui resta. Il devint le titre de mon roman et le dieu de ma religion. Corambé se créa tout seul dans mon cerveau. » Ce que George Sand a imaginé, Françoise Vergier l'a réalisé. Sur une large feuille de *Ginkgo biloba*, Corambé avance, le corps adolescent à la beauté androgyne, le regard stupéfait, la main droite posée sur sa poitrine, le bras gauche levé dans un mouvement de danse. « Il fallait que Corambé eût tous les attributs de la beauté physique et morale, le don de l'éloquence, le charme tout-puissant des arts, la magie de l'improvisation musicale surtout ; je voulais l'aimer comme un ami, comme une sœur, en même temps que le révérer comme un dieu » note George Sand dans son *Histoire de ma vie*. De fait, telle qu'elle l'a matérialisé, Françoise Vergier a réussi à faire de Corambé une figure aimable et vénérable.

Noirlac (Abbaye de)
V. Bruère-Allichamps (p. 37).

♦ SITUATION
La Ferme du Buisson
Centre d'art contemporain
Allée de la Ferme
77437 Noisiel Marne-la-
Vallée Cedex 2
Tél. : 01 64 62 77 00
Fax : 01 64 62 77 99
Ouvert tous les jours
de 14 à 18 heures
et jusqu'à 22 heures 30
les soirs de spectacle.
Entrée libre.

La Ferme du Buisson
Centre d'art contemporain

Tout le monde connaît le chocolat Menier. Qui sait en revanche qu'à Noisiel se trouvait jadis la ferme du célèbre chocolatier ? Depuis 1992, les fidèles du Centre d'art et de culture de Marne-la-Vallée l'ont appris et ils rendent grâce à leurs propriétaires d'en avoir déserté les locaux parce que la Ferme du Buisson est un endroit étonnant, unique en son genre. Pluridisciplinaire, il com-

prend un grand théâtre (dont le hall est décoré d'un *wall drawing** plus ou moins réussi de Sol LeWitt), deux salles de cinéma, un Centre d'art contemporain, des espaces de rencontre, des ateliers de recherche. Bref, tout un complexe qui se développe sur 2 ha et qui, malgré son éloignement de la capitale (une demi-heure en voiture par l'autoroute de l'est) est devenu l'un des rendez-vous créatifs les plus vivants de la région parisienne.

Le Centre d'art contemporain y dispose pour sa part d'un espace propre de 600 m² dévolus à la production de quatre ou cinq expositions par an. Celle-ci est essentiellement établie autour de la mise en relation des plasticiens avec les arts du spectacle, plus particulièrement la danse du fait de l'accueil en résidence chaque année par la ferme d'un chorégraphe. Jean-Michel Othoniel et Daniel Larrieu, Richard Deacon et Christophe Robbe, Pier Paolo Calzolari et Sidonie Rochon y ont travaillé ensemble. La programmation du Centre d'art est aussi soucieuse d'élaborer une réflexion liée tant à l'espace public qu'à la nature ou à l'environnement et se consacre enfin volontiers à l'accueil de cultures étrangères (Portugal, Québec, Taïwan…). Un lieu vivant et champêtre où il se passe tout plein de choses. Membre du IapIF*.

Château d'Oiron

Quoique partie intégrante du circuit des châteaux de la Loire, celui d'Oiron, situé plein sud, dans les Deux-Sèvres, aux confins nord-ouest du pays poitevin, n'est pas aussi connu que ses semblables. C'est pourtant un vrai bijou, avec un parc, des douves, une superbe bâtisse en forme de U, des galeries extérieures voûtées, un bel escalier de pierre, des boiseries et des plafonds dorés, une magnifique galerie peinte au thème des travaux d'Hercule, etc. Construit sous la Renaissance par Claude Gouffier, grand écuyer d'Henri II, Oiron est une vraie merveille. À la fin des années quatre-vingt, la Caisse des Monuments historiques et la Délégation aux Arts plastiques ont eu l'idée d'y installer des œuvres d'art contemporain : ils reprenaient à leur compte la fonction qu'avait attribuée le sieur Gouffier à sa bâtisse : abriter

◆ SITUATION
Château d'Oiron
10, rue du Château
79100 Oiron
Tél. : 05 49 96 51 25
Fax : 05 49 96 52 56
Du 15 avril au 30 septembre,
ouvert tous les jours de
10 heures 30 à 18 heures 30.
Du 1ᵉʳ octobre au 14 avril :
en semaine, de 9 heures 30 à
12 heures 30 sur rendez-vous
et de 13 heures 30 à
17 heures 30 ;
les week-end et jours fériés,
de 10 à 17 heures.
Le château est fermé le lundi
du 1ᵉʳ septembre au 30 avril,
ainsi que le 1ᵉʳ janvier, le
1ᵉʳ mai, les 1ᵉʳ et 11 novembre
et le 25 décembre.

une collection. Des siècles durant, en effet, le château d'Oiron n'a été qu'un somptueux cabinet de curiosités. C'est d'ailleurs autour de ce thème que Jean-Hubert Martin, à la tête de l'institution de 1992 à 1995, a choisi d'agir. À l'instar des princes et érudits qui rassemblaient dans leurs demeures les ouvrages de l'homme (*artificialia*) et ceux de la nature (*naturalia*), il imagina Oiron comme un grand coffret dans lequel on placerait des œuvres conçues spécifiquement dans le cadre de la commande publique. Venus des horizons les plus divers, les artistes qui sont intervenus à Oiron – parmi lesquels Baumgarten, Shannon, Spoerri, Grünfeld, Marek, Dimitrijevic et Kabakov – y ont réalisé des œuvres qui en appellent tant à la fable qu'à l'illusion, au rituel qu'au naturel, aux cinq sens qu'aux quatre éléments. Pour toutes sortes de raisons, l'aventure d'Oiron, exemplaire du possible mariage entre patrimoine et art contemporain, a été complètement ralentie, voire temporairement suspendue. Reste un lieu unique et surprenant qu'il faut impérativement visiter.

Orléans / Loiret 45

Centre

◆ SITUATION
**Fonds régional
d'art contemporain Centre**
12, rue de la Tour-Neuve
45000 Orléans
Tél. : 02 38 62 52 00
Fax : 02 38 62 21 80
Téléphoner pour
tout renseignement.

Fonds régional d'art contemporain Centre

Créé au début des années quatre-vingt, le Frac Centre n'a véritablement arrêté son orientation qu'en 1991, avec l'arrivée de Frédéric Migayrou à sa direction. L'intérêt de ce dernier pour l'architecture détermine tout à la fois la constitution de la collection et la programmation de l'institution. Le Frac regroupe ainsi toutes sortes d'œuvres qui articulent les rapports tant réels qu'utopiques de l'art et de l'architecture. Se sont ainsi constitués des ensembles très complets de travaux d'architectes comme Peter Eisemann ou Rem Koolhaas et d'artistes comme Buren, Kawamata, Ludger Gerdes ou Marin Kasimir. Du dessin formateur à la maquette, la dimension prospective d'une telle collection suscite tout un travail de réflexion sur l'espace privé et public, le rapport entre la création et les collectivités locales, le rôle de l'urbanisme. Aussi, le Frac mène-t-il dans cette direction une dynamique programmation d'expositions.

Paris / Seine 75

Île-de-France

◆ SITUATION
Bibliothèque nationale de France
Site
Tolbiac-François-Mitterrand
Quai François-Mauriac
75013 Paris
Tél. : 01 53 79 59 59
Fax : 01 53 79 43 70
http://www.bnf.fr
Ouvert du mardi au samedi
de 10 à 19 heures et le
dimanche de 15 à 18 heures.

LIEUX ASSOCIATIFS
ET INSTITUTIONNELS, MANIFESTATIONS
PÉRIODIQUES, COMMANDES PUBLIQUES

Bibliothèque nationale de France
Commandes publiques

D'abord, il y a le dehors, le bâtiment, ces quatre tours en forme de gigantesques livres ouverts, le grand œuvre de Dominique Perrault. Il faut en avoir vu les façades à toutes les heures de la journée, minérales au petit matin, miroitantes à midi, flamboyantes les grands soirs d'été. Il faut l'avoir vu passer du mordoré au glacé, de l'opalescent au transparent, du clinquant à l'éteint. Un véritable baromètre de l'espace. Ensuite, il y a le dedans, les espaces d'accueil et de travail, le confort de l'étude, le luxe inouï du savoir. Enfin, il y a ces six commandes publiques, six œuvres monumentales toutes conçues spécifiquement pour la place dans le cadre du fameux 1 % artistique – merci, Jean Zay (ministre de l'Éducation nationale en charge des Beaux-Arts de 1936 à 1939, il est à l'origine d'une loi stipulant l'obligation de consacrer un pour cent du budget de toute construction publique à une commande publique) ! Dans ce cadre donc, retenons le déploiement généreux et richement coloré de Viallat, la subtile *Partition métallique aux taches de lumière acier laqué* de Jean-Pierre Bertrand, la baroque et savante *Rosée (hommage à Cervantès)* de Garouste et le symbolique *Donne-moi une parole et je serai guéri* de Martial Raysse. Curiosités esthétiques.

Musée national d'Art moderne
Centre Georges-Pompidou

Le poids des ans pèse déjà sur les épaules du centre Pompidou. À 21 ans seulement, il est contraint et forcé de se refaire une totale santé. C'est que tout va très vite en matière d'économie culturelle – d'autres diraient d'« ingénierie » ! Véritable ville dans la ville, Beaubourg est une institution très lourde ; nécessité s'est imposée d'en envisager l'agrandissement et d'en repenser l'organisation structurelle d'autant que le bâtiment avait irrésistiblement besoin d'un lifting. Au grand dam de la foule des touristes toujours aussi nombreuse à être attirée par le phénomène, décision a donc été prise de fermer l'établissement pour travaux jusqu'à la

♦ SITUATION
**Musée national d'Art moderne
Centre Georges-Pompidou**
19, rue Beaubourg
75004 Paris
Tél. : 01 44 78 12 33
Fax : 01 44 78 13 00
Ouvert tous les jours sauf mardi de 12 à 22 heures, les samedi et dimanche de 10 à 22 heures.

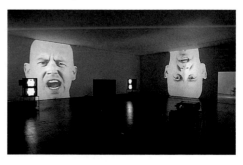

fin de 1999 (espérons que les délais seront respectés !). Une fermeture partielle, c'est vrai, puisque côté exposition la galerie Sud reste en activité : après Bruce Naumann puis Max Ernst, c'est au tour de David Hockney d'en être l'invité.

Pour pallier cette situation, le centre Pompidou a opté pour le mode décentralisé et multiplié ses actions selon un principe baptisé « hors les murs ». La programmation d'art contemporain a trouvé ainsi abri, au printemps 1998, à la galerie nationale du Jeu de Paume avec une exposition Supports-Surfaces, et à l'automne de la même années au magasin 1 de la *Samaritaine* avec installations*, défilés et interventions éphémères en tout genre se succédant au rythme d'un festival. Quant à l'espace Électra (cf. p. 129), il présente, fin 1998-début 1999, « Fictions photographiques », une manifestation visant à placer la fiction photographique dans une perspective historique.

C'est au coup par coup qu'il faut suivre pour l'instant les activités du centre (dont on ne peut voir les collections permanentes sauf en province dans le cadre d'expositions thématiques). Pour en être tenu au courant, une architecture du genre « tipi », de 25 m de diamètre, de 28 m de haut et de 600 m^2 au sol a été dressée sur la piazza ; elle est destinée à l'accueil des visiteurs en quête d'informations (multimédia, Internet, CD-Roms…) et consacrée le soir aux rencontres, débats et spectacles qui perdurent. À signaler que, dans le cadre de restructuration de la piazza, après un voyage à Berlin et à l'intérieur de la Cité interdite de Pékin, le monumental *Pot doré* de Jean-Pierre Raynaud a trouvé là un port d'attache définitif.

◆ SITUATION
Centre national
de la photographie
1, rue Berryer
75008 Paris
Tél. : 01 53 76 12 32
Fax : 01 53 76 12 33
http://www.cnp-photogra-phie.com
Ouvert tous les jours sauf mardi de 12 à 19 heures.

Centre national de la photographie

Créé par Robert Delpire au début des années quatre-vingt et dirigé par lui jusqu'en 1996, le CNP est passé depuis l'arrivée à sa tête de Régis Durand du stade de la photographie de reportage à celui de la photographie dite plasticienne*. Une heureuse évolution qui témoigne de sa vivacité et de son ouverture d'esprit le plaçant aux premiers rangs des institutions de ce genre. Soucieux de répondre pleinement à sa mission d'information et d'analyse des tendances de la création contemporaine dans le domaine de la photographie, le CNP qui ne possède pas de collection a choisi d'agir dans deux directions distinctes : organiser de grandes rétrospectives d'artistes parvenus à leur maturité mais dont l'œuvre reste mal connue et favoriser l'aide à la production de jeunes artistes en leur réservant un espace propre, nommé « l'Atelier ». En mai 1998, le CNP a par ailleurs créé une biennale de l'Image consacrée tant à la photographie qu'à la vidéo et dont le premier numéro a connu un franc succès. À suivre, nécessairement.

Commandes publiques

Il faudra bien un jour publier un guide des commandes publiques parisiennes. Elles sont légion. D'autant si l'on s'intéresse tant à l'art ancien qu'à l'art moderne ou contemporain. On observe en effet qu'historiquement parlant, l'État et la Ville n'ont jamais cessé de vouloir nantir la capitale d'un patrimoine artistique à la mesure de sa réputation. Pour illustrer un tel propos, tout en restant dans ce siècle, il suffirait de rappeler ce qu'il en a été par-delà le fait du scandale qu'elles ont provoqué tant de la commande du Balzac de Rodin que des colonnes de Buren.

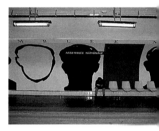

Depuis une quinzaine d'années, dans la foulée du développement de la commande publique tel qu'il a été conduit en région, les deux institutions ont multiplié leurs actions, suivies par une cohorte d'administrations diverses et variées, publiques et privées, qui n'ont pas voulu demeurer en reste. Dans l'impossibilité de citer tout ce qui le mériterait, contentons-nous de trois situations. La première serait celle relative à la commande qu'a imaginée Jean-Charles Blais en 1989 pour la station de métro Assemblée-Nationale, une intervention programmée sur dix ans qui est l'une des plus belles réussites en ce domaine (dépêchez-vous d'aller voir avant que la programmation ne soit arrivée à son terme). La deuxième serait cette ponctuation de petits médaillons en bronze réalisée par Jan Dibbets en hommage à Arago, disséminés à travers la ville, inclus dans le bitume à même le sol et qui suivent le tracé du méridien de Paris. La troisième serait enfin cette bicyclette qu'a ensevelie Claes Oldenburg, artiste du pop art américain, dans le parc de la Villette, hommage mêlé à Marcel Duchamp et Jacques Tati. Un vrai musée dans la ville !

La Défense
Commandes publiques

Créé en 1958, l'Epad (Établissement public d'aménagement de la Défense) a considéré dès le milieu des années soixante-dix comme une nécessité de mettre en œuvre tout un programme de commandes publiques monumentales sur les quelque 750 ha du quartier de la Défense. L'idée qui présidait à cette heureuse initiative était de constituer comme un musée en plein air. Au fil des années, une cinquantaine d'œuvres y ont trouvé place, de Miró et de Calder sur l'esplanade à Jean-Pierre Raynaud sur le toit de la Grande Arche. Il y en a pour tous les goûts et l'ensemble est très inégal. Certaines œuvres tiennent vraiment le coup parce qu'elles sont parfaitement intégrées au contexte qui ne fait aucun cadeau, d'autres en revanche font vraiment misérables parce qu'elles paraissent avoir été posées là comme n'importe où ailleurs. Parmi les plus réussies, signalons *La Défonce* de Morellet qui chapeaute le bâtiment du Fonds national d'art contemporain, le gigantesque *Pouce* de César, les *Doubles Lignes indéterminées* de Venet, les tiges métalliques *Utsurohi* de Aiko Miyawaki et la très graphique sculpture *Kereimeïn C 1989* de Brigitte Nahon. Un vrai parcours du combattant.

♦ SITUATION
École nationale supérieure
des Beaux-Arts
13, quai Malaquais
75006 Paris
Tél. : 01 47 03 50 00
Fax : 01 47 03 50 88
http://www.ensba.fr
Ouvert tous les jours
de 13 à 19 heures
sauf lundi.

École nationale supérieure des Beaux-Arts

Fondée il y a des lustres, l'École nationale supérieure des Beaux-Arts de Paris n'est pas qu'une vieille dame parce qu'elle a toujours su, avec plus ou moins de bonheur, s'adapter au fil de l'histoire. Si l'enseignement artistique reste sa première mission, elle s'est aussi développée sur un double terrain, celui des collections et celui des expositions. À cet égard, son actuelle direction a défini trois grands axes d'activités. Le premier est d'organiser une exposition annuelle des diplômés afin de témoigner du travail accompli ; le deuxième est d'inviter des commissaires extérieurs à développer leur réflexion autour d'une thématique précise et le troisième, enfin, de faire valoir la richesse patrimoniale de l'école au travers d'une exposition réalisée à partir de ses collections en invitant tous les ateliers à s'y investir. Cette politique a très rapidement porté ses fruits et contribué à faire de la galerie de l'École nationale supérieure des Beaux-Arts un lieu de référence parisien.

Espace Huit-Novembre

Ni galerie, ni salon, mais lieu de convergence en même temps qu'espace d'ouverture et de liberté pour la jeune création contemporaine : tel se veut ce lieu associatif, ouvert à l'automne 1996, consacré aux arts plastiques et graphiques, à la poésie et à la musique. Tel il est, à en juger par ses premiers actes. À suivre donc.

◆ SITUATION
Espace Huit-Novembre
52, boulevard Voltaire
75011 Paris
Tél. : 01 47 00 32 31
Fax : 01 53 36 01 46
Ouverture selon
programmation, téléphoner
pour tout renseignement.
Entrée libre.

FIAC
Foire internationale
d'art contemporain

Qui se souvient aujourd'hui du premier numéro de la Foire internationale d'art contemporain dans la gare désaffectée de la Bastille ? Bien peu sans doute, tout comme ils l'étaient à penser qu'une telle manifestation pouvait trouver vraiment sa place. Voilà un quart de siècle pourtant que la FIAC crée l'événement chaque automne à Paris. Rendez-vous incontournable de la rentrée artistique qui réunit plus d'une centaine de galeries françaises et étrangères, elle compte sur l'échiquier international parmi les grandes manifestations du genre, que ce soit la foire de Bâle, de Cologne ou de Chicago. Installée au Grand-Palais dès 1976, la FIAC a connu à la fin des années quatre-vingt des pics de popularité inimaginables. Après la crise du marché de l'art et son repli obligé à l'espace Eiffel-Branly suite à la fermeture du Grand-Palais, la FIAC joue aujourd'hui la carte de la nouvelle génération de galeristes et s'est adaptée aux propositions nouvelles des artistes. Ni salon, ni biennale, la FIAC est d'abord et avant tout une foire marchande ; elle est le meilleur des reflets de l'actualité, tant de la création artistique que du marché de l'art. Un regard curieux y trouvera donc toujours quelque chose qui le retiendra.

◆ SITUATION
FIAC
**Foire internationale
d'art contemporain**
Organisation : Reed OIP
11, rue du Colonel-Pierre-
Avia
Paris Cedex 15
Tél. : 01 41 90 47 80
Fax : 01 41 90 47 89
http://www.fiac.reed-oip.fr

♦ SITUATION

**Fondation Cartier
pour l'art contemporain**
261, boulevard Raspail
75014 Paris
Tél. : 01 42 18 56 50
Fax : 01 42 18 56 52
http://www.fondation.car-
tier.fr
Ouvert du mardi au
dimanche de 12 à 20 heures
et le jeudi jusqu'à 22 heures.

Fondation Cartier
pour l'art contemporain

Chez Cartier, il n'est pas de must qu'en matière de bijoux. Son action en faveur de l'art contemporain relève d'une même qualité de niveau. Qui n'a pas encore eu l'occasion de se rendre boulevard de Raspail ne peut le mesurer mais ceux qui ont suivi les activités de la fondation du temps où elle était installée à Jouy-en-Josas le savent bien.

Installée depuis 1994 en lisière du quartier Montparnasse, dans le bâtiment tout en transparence que Jean Nouvel lui a construit, la fondation Cartier y développe une programmation inventive qui mêle expositions personnelles et thématiques. Les locaux dont elle dispose – de volumineux espaces d'exposition offerts à la lumière naturelle au rez-de-chaussée et un ensemble de salles aux dimensions modulables au sous-sol – lui permettent en effet de présenter les travaux les plus divers dans les configurations les plus variées. En terme de contenu, le soin de la fondation est de mettre autant en évidence la jeune création contemporaine (Marc Couturier, Alain Séchas, Carole Benzaken…) que de conforter son intérêt pour des valeurs sûres (Andy Warhol, César, Raymond Hains…). La spécialité qu'elle s'est faite de monter des expositions à thème – « Comme un oiseau », « Amours », « Être nature » –, mêlant tous les registres de la création artistique et patrimoniale, trouve une formulation ponctuelle dans l'organisation de ce qu'elle a appelé les « Soirées nomades » au cours desquelles, chaque jeudi soir, un créateur toutes disciplines confondues est invité à réaliser une prestation particulière, entre spectacle et performance. La fondation Cartier, c'est encore la constitution d'une collection, laquelle rassemble les œuvres de quelque deux cents artistes, ainsi qu'une généreuse politique de mécénat qui se traduit par une aide à la création et le soutien à la réalisation de projets. Jean-Pierre Raynaud le sait bien qui a pu réaliser ainsi son grand *Pot doré* et le faire voyager à Berlin, puis en Chine, présenté dans l'enceinte de la Cité interdite, avant d'être placé sur la piazza du centre Pompidou, dépôt de la fondation à l'État. Un mécénat quasi princier dans la plus pure des traditions.

Fondation Coprim pour la promotion de l'art contemporain

En l'espace de cinq ans, la fondation Coprim s'est imposée parmi les institutions mécènes les plus dynamiques. Tout entière consacrée à l'art contemporain, elle a d'emblée diversifié les modalités de son action en se constituant une collection, en organisant toutes sortes de manifestations : expositions, conférences, débat, etc., et en remettant chaque année des prix de fondation. Soucieuse d'établir des synergies entre les artistes et de soutenir certains projets spécifiques, elle opère sur des terrains très divers. Ainsi de l'exposition commune réalisée par Enrico Baj et les frères Di Rosa ; ainsi de celle des travaux de l'association la Source ; ainsi de la commande publique réalisée par François Boisrond en matière de signalétique commerciale pour le petit village du Cailar, dans le Gard. Initialement implantée avenue Kléber, la fondation Coprim s'est installée tout récemment dans le Marais où elle dispose de lumineux locaux, inaugurés par une œuvre magistrale de Garouste, dans lesquels elle a notamment institué un « espace libre » destiné à la présentation ponctuelle de travaux de jeunes artistes sélectionnés sur dossier.

◆ SITUATION

Fondation Coprim
pour la promotion
de l'art contemporain
46, rue de Sévigné
75003 Paris
Tél. : 01 44 78 60 00
Fax : 01 44 78 91 91
Ouvert du lundi au vendredi
de 10 à 18 heures et le
samedi de 12 à 18 heures.
Entrée libre.

Fondation Électricité de France, Espace Électra

Après la célébration, par Dufy, de « La Fée Électricité », il était dans l'ordre des choses que EDF s'intéresse à la création artistique contemporaine. C'est ce qu'elle fait notamment au sein de la fondation qu'elle a créée et dont la nature et le patrimoine composent les deux autres axes de son action. Transformés en espace Électra, les locaux d'une

◆ SITUATION

Fondation Électricité de France
Espace Électra
6, rue Récamier
75007 Paris
Tél. : 01 40 42 30 18
Fax : 01 40 42 29 69
Ouvert tous les jours sauf
lundi et jours fériés de
11 heures 30 à 18 heures 30.

ancienne sous-station électrique en est le lieu d'exposition parisien. En matière d'art contemporain, on y voit régulièrement de très intéressantes expositions, plus souvent thématiques que monographiques, mais ce lieu est loin d'être le seul où s'exprime l'action de la fondation. Celle-ci participe en effet à de nombreuses manifestations extérieures qu'elles soient ponctuelles (concert luminographique de Jorge Orta à la cathédrale d'Évry, par exemple) ou périodiques (Le Printemps de la photo à Cahors). Quand on a de l'énergie…

◆ SITUATION
**Fonds régional
d'art contemporain
Île-de-France**
4, rue de la Michodière
75002 Paris
Tél. : 01 42 65 43 93
Fax : 01 40 17 05 59

Fonds régional d'art contemporain Île-de-France

Étrange paradoxe : quoiqu'il ne dispose pas de locaux propres, le Frac Île-de-France bénéficie pourtant d'une certaine visibilité. On sait par exemple de quoi sont faites ses collections : un fonds de peinture figurative et un fonds photographique important. C'est qu'il n'a jamais manqué une occasion de faire valoir l'un comme l'autre et, faute d'un lieu défini, il occupe volontiers les espaces disponibles. L'argument sur lequel il s'appuie pour justifier cet état de fait est qu'il y a suffisamment de lieux à Paris et en région parisienne. Ce qui n'est pas vraiment le cas et l'on pourrait citer nombre de villes – de capitales européennes, notamment – bien plus riches en ce domaine.

Dans tous les cas, le Frac Île-de-France gagnerait à s'identifier dans ses murs parce que ses collections sont plus que dignes d'intérêt. Côté peinture, si l'accent a tout d'abord été mis sur un grand nombre d'artistes d'une génération aînée, celle des années cinquante et soixante, il a été reporté depuis le début des années quatre-vingt-dix par souci de rééquilibrage vers de jeunes artistes représentatifs d'une actualité plus récente. Côté photographie, il n'est guère en reste, grâce notamment à la création d'un système de bourses qui lui permet de suivre les développements d'un art en pleine recherche.

◆ SITUATION
**Galerie nationale
du Jeu de Paume**
Place de la Concorde
75008 Paris
Tél. : 01 42 60 69 69
Fax : 01 47 03 12 51
Ouvert le mardi
de 12 à 21 heures 30,
du mercredi au vendredi
de 12 à 19 heures,
les samedi et dimanche
de 10 à 19 heures.
Fermé le lundi.

Galerie nationale du Jeu de Paume

Il paraît que certaines personnes franchissent encore les portes des anciennes salles du Jeu de

Paume en croyant y découvrir les chefs-d'œuvre de Monet et de ses amis. Ce que c'est que d'avoir été pendant de si longs temps « le » temple de l'impressionnisme ! Qu'en sera-t-il dans plusieurs décennies et le souvenir des expositions d'art contemporain que l'on peut y voir aujourd'hui sera-t-il aussi tenace ? On ne peut que l'espérer et on voudrait même le croire parce que, depuis que la galerie nationale du Jeu de Paume a été transformée en centre d'art, on y a vu toutes sortes

d'expositions très réussies. Ceci est dû en partie au fait qu'elle fonctionne sur le modèle germanique de la « kunsthalle », c'est-à-dire qu'elle est un lieu exclusivement consacré à la présentation d'expositions temporaires et qu'elle n'a pas en charge la constitution d'une collection.

Après qu'elle a été créée en 1991 par Alfred Pacquement, c'est Daniel Abadie qui en assume la direction depuis 1994. Sa programmation fait surtout cas de la production d'artistes pour lesquels exposer au Jeu de Paume constitue, sinon une confirmation, du moins un tremplin vers l'affirmation d'une reconnaissance, ainsi de Philippe Favier ou de Bernard Moninot. D'une autre manière, Abadie y célèbre volontiers des artistes aînés qui ne lui paraissent pas occuper la place internationale qui leur revient, ainsi d'Olivier Debré, de Soto ou d'Alechinsky. En sept ans d'existence, le Jeu de Paume a su parfaitement effectuer sa reconversion et devenir l'un des rendez-vous incontournables de la capitale. Si l'impressionnisme est toujours assuré de faire recette, l'art contemporain n'a pas à rougir de ses fréquentations.

◆ SITUATION
Glassbox
113 bis, rue Oberkampf
75011 Paris
Tél. et fax : 01 43 38 02 82
http://www.icono.org/glass-box/smart.htm
Ouvert les jeudi et vendredi
de 14 à 21 heures
et les samedi et dimanche
de 14 à 20 heures.
Entrée libre.

◆ SITUATION
Jeune Peinture
5, rue de Ternaux
75011 Paris
Tél. et fax : 01 47 31 66 37
http://www.artotal.com/even/jp.htm

◆ SITUATION
**Maison européenne
de la photographie**
5-7, rue de Fourcy
75004 Paris
Tél. : 01 44 78 75 00
Fax : 01 44 78 04 34
Ouvert du mercredi au
dimanche de 10 à 20 heures.

Glassbox

Cosmopolite, telle est la première des qualités de ce lieu alternatif et indépendant qui a ouvert ses portes en octobre 1997 à l'initiative d'un collectif d'artistes d'une dizaine de nationalités. Expérimentale, telle serait la seconde tant il est vrai que Glassbox est d'abord et avant tout intéressé par montrer des œuvres qui ne pourraient pas l'être ailleurs que dans ses 120 m² modulables. Hors normes.

Jeune Peinture

Le salon de la JP, comme on l'a longtemps appelé, n'est plus tout jeune mais il reste encore assez vert avec ses 50 ans fêtés en 1999. C'est qu'il a su se régénérer en permanence et traverser tous les obstacles qui font ordinairement d'une institution de ce genre un objet désuet et obsolète. Il y a longtemps que son intitulé quelque peu restrictif n'est plus de saison et qu'il s'est ouvert aux formes les plus éclatées de l'art contemporain. Constitué d'un comité de sélection qui fait le tri des dossiers, il fait par ailleurs appel à des « regards critiques » qui sont invités à parrainer un, deux ou trois artistes de leur choix afin de créer une dynamique parallèle. Des prix, des manifestations « hors les murs », la publication d'un important catalogue et autres prestations du genre contribuent à assurer à l'institution une réelle présence sur la scène artistique. Un salon annuel et printanier.

Maison européenne de la photographie

La réputation du Marais en hôtels et maisons particulières n'est plus à faire ; sa richesse patrimoniale est l'un de ses plus forts arguments touristiques. L'installation de la maison européenne de la photographie dans les locaux réaménagés de l'hôtel Hénault de Cantobre confère à cette institution un « esprit de maison » qui n'a pas d'égal. Un esprit soigneusement entretenu par Jean-Luc Monterosso qui la dirige après avoir été à la tête de Paris Audiovisuel pendant dix-huit ans et avoir fait ses preuves – si nécessaire ! – sur le terrain d'un art qu'il a su porter au plus haut d'une reconnaissance.
Galeries d'expositions permanentes et temporaires,

dont une « vitrine » sur rue, bibliothèque, vidéo-thèque, centre de recherche, atelier de restauration sont les outils de travail de cette maison unique en son genre qui est devenue, en l'espace de deux ans, l'un des rendez-vous obligés de tous les amateurs de la photographie, entendue au sens large.

Dotée d'une très importante collection qui ne compte pas moins de douze mille pièces, des années cinquante à nos jours, la MEP est très largement ouverte à la jeune création contemporaine. Par le biais de la commande publique, elle a pris notamment en compte le glissement que cet art a connu au cours des vingt dernières années en passant d'une photographie de reportage à une manière davantage plasticienne*. La programmation en témoigne : Thomas Ruff, Anna et Bernhard Blume, Barbara et Michaël Leisgen, Karl Blossfeldt, l'Allemagne des années quatre-vingt, Esther et Jochen Gerz… rien que du beau monde !

Musée d'Art moderne de la Ville de Paris

Inauguré en 1961 dans les locaux du palais de Tokyo, le MAMVP n'a pas attendu longtemps pour ouvrir une section contemporaine. Créée par Pierre Gaudibert en 1966 sous le nom d'ARC (Art Recherche Confrontation), cette section a été dirigée par la suite de 1973 à 1988 par Suzanne Pagé, directrice depuis lors de l'ensemble du musée.

Sur l'échiquier parisien, l'ARC s'est très tôt imposé comme l'un des lieux phares de l'art contemporain par la qualité, la singularité et l'ouverture de sa programmation. La permanence de sa direction n'est pas sans expliquer aussi pour partie la réputation de l'institution parisienne. De Abakanowicz à Zush, en passant par les aînés comme Buren, Gasiorowski, Kiefer, Agnès Martin, Mitchell, Opalka, Polke, Raynaud, Soulages, Gilbert et George, etc., et par les plus jeunes comme Bustamante, les Di Rosa, Hybert, Moulène, Leccia, etc., c'est une anthologie de l'art au présent que constitue la liste très flatteuse des expositions que l'institution parisienne a présentées. Il faut dire qu'elle a toujours su s'inventer des formules qui soient en phase avec l'époque. C'étaient hier celle des fameux « Ateliers », manifestation biennale réunissant le plus vif de la création du

♦ SITUATION

Musée d'Art moderne de la Ville de Paris
11, avenue du Président-Roosevelt
75016 Paris
Tél. : 01 53 67 40 00
Fax : 01 47 23 35 98
Ouvert du mardi au vendredi de 10 à 17 heures 30 et les samedi et dimanche de 10 à 18 heures 45.

moment ; c'est aujourd'hui l'opération « Migrateurs », gouvernée depuis 1993 par Hans Ulrich Obrist, laquelle est chaque fois l'occasion de découvrir sur un mode très discret et ponctuel, dans le courant même de la programmation du musée, les travaux de très jeunes artistes tels que Sarah Szé, Mika Vainio ou Marie Denis.

Page ci-contre :
le Musée d'Art moderne de
la Ville de Paris.

Musée des Arts d'Afrique et d'Océanie

Imaginez un musée croupissant dans son image exotique, installé dans un bâtiment aux allures coloniales et situé en marge des circuits convenus. Nommez-y à sa direction un conservateur réputé pour qui l'art contemporain est le fait de « Magiciens de la terre », toutes origines confondues, sans aucune considération de frontières, et voilà qu'en quatre ans ce musée attire à lui la foule des amateurs d'art le plus pointu. Du moins, c'est ce qu'a réussi à faire Jean-Hubert Martin qui a pris en main les destinées de cette singulière institution. Un véritable coup de fouet.

Dès sa nomination, l'ancien directeur du musée national d'Art moderne avait bien prévenu qu'il s'intéresserait « aux regards réciproques qu'ont pu avoir au fil du temps les cultures exotiques et la nôtre ». Le résultat est concluant. Tout en tenant compte de la spécificité de l'institution qu'il dirige, Jean-Hubert Martin y développe un programme d'expositions qui illustre ses propos. Après la confrontation des travaux du Béninois Hazoumé et d'Hervé Di Rosa, après la présentation de la collection d'art africain d'Arman, c'est Annette Messager qui a été récemment invitée à investir de ses figures étranges le parcours du musée. Une manière de faire qui décape.

♦ SITUATION
Musée des Arts d'Afrique et d'Océanie
293, avenue Daumesnil
75012 Paris
Tél. : 01 44 74 85 00
Fax : 01 43 43 27 53
Ouvert tous les jours sauf mardi de 10 à 12 heures et de 13 heures 30 à 17 heures 20.

Musée des Arts décoratifs

De deux choses l'une : ou vous connaissez la maison et vous n'êtes pas surpris de la trouver mentionnée dans ce guide, ou vous pensez qu'elle est une institution désuète, encombrée de bric et de broc, et vous ne comprenez pas pourquoi elle y figure. Si tel est le cas, c'est que

♦ SITUATION
Musée des Arts décoratifs
101, rue de Rivoli
75001 Paris
Tél. : 01 44 55 57 50
Fax : 01 44 55 57 93
http://www.ucad.fr
Ouvert tous les jours sauf lundi de 11 à 18 heures, le mercredi jusqu'à 21 heures, les samedi et dimanche de 10 à 18 heures.

vous n'y avez pas mis les pieds depuis un bail. Il y a belle lurette que le musée de la rue de Rivoli a fait peau neuve et la nomination à sa tête, il y a deux ans, de l'ancienne directrice de la fondation Cartier et de feu le centre culturel américain en est le signe le plus explicite.

Ceux qui la connaissent savent en effet que Marie-Claude Beaud n'est pas du genre à attendre l'événement et qu'il est dans sa nature de le précéder en le créant. D'ailleurs elle ne l'a pas attendu en ouvrant sitôt arrivée un espace Tati dans l'une des ailes du pavillon Marsan et en invitant tout autant le designer aux montures « folles », Alain Mikli, que les œuvres en verre d'Erik Dietman ou de légendaires Harley Davidson.

Être « le plus possible à l'avant-garde », tel est le mot d'ordre de la dynamique direction de cette honorable maison.

♦ SITUATION
Musée Zadkine
110, rue d'Assas
75006 Paris
Tél. : 01 43 26 91 90
Fax : 01 40 46 84 27
Ouvert du mardi au dimanche de 10 à 17 heures 30, fermé le lundi.

Musée Zadkine

Il faut passer le seuil du 110 de la rue d'Assas et avancer dans l'espèce de petite ruelle pour trouver sur sa droite l'entrée de la maison-atelier, aujourd'hui transformée en musée, où vécut le sculpteur Ossip Zadkine (1890-1967). Et tout d'un coup vous voici transporté ailleurs : un petit jardin, des ateliers, une maison basse,

c'est là que l'artiste a vécu et travaillé. Venu, de sa Russie natale, s'installer à Paris en 1910, Ossip Zadkine accompagna l'évolution artistique de son siècle, du cubisme à l'abstraction. En hommage à son talent prospecteur, l'un des ateliers du musée a été récemment transformé en espace d'expositions temporaires dédié à la sculpture contemporaine.

S'il n'est pas grand, il est du moins idéal pour présenter une ou deux pièces conséquentes. Emmanuel Saulnier, Brigitte Nahon, Driss sans Arcidet l'ont déjà expérimenté – et de quelle manière ! Un lieu singulier et expérimental.

Paris Photo
Salon international européen pour la photographie

Vous aimez la photo ? Ce salon est fait pour vous. Dernière-née des manifestations parisiennes du genre, Paris Photo se consacre exclusivement à celle-ci, qu'elle soit du XIXᵉ siècle, moderne ou contemporaine. C'est dire si son champ est grand angle. Quant à son objectif, il est de faire valoir ce qu'il en est d'un art autre, tout neuf en quelque sorte, et pourtant déjà chargé d'histoire. De tous les états et de toutes les épreuves que celui-ci a connus et traversés depuis près de cent soixante ans qu'il existe, Paris Photo en a proposé pour son premier numéro en novembre 1997 un aperçu d'une telle qualité que l'on ne peut croire qu'en son avenir. D'autant que cela ne cesse de bouger sur le terrain parce que c'est un médium qui a l'âge de l'expérimentation. Rendez-vous à ne pas manquer.

◆ SITUATION
Paris Photo
Salon international européen
pour la photographie
1, boulevard Saint-Martin
75003 Paris
Tél. : 01 42 77 58 94
Fax : 01 42 77 74 27

Renn
Espace d'art contemporain

Producteur et réalisateur, Claude Berri est l'une des grandes figures du monde du cinéma. Il y a

◆ SITUATION
Renn Espace d'art contemporain
7, rue de Lille 75007 Paris
Tél. : 01 42 60 22 99
Fax : 01 42 61 03 06
Ouvert du mercredi au
dimanche de 14 à 19 heures.

réussi des coups de maître comme il a fait des flops magistraux. Dans tous les cas, c'est un être passionné et quand la passion le tient, il se donne à fond pour son objet. À preuve celle qui l'anime sur le front de l'art contemporain. Collectionneur averti, il a poussé son amour de l'art jusqu'à créer un lieu, inauguré en 1993, qui porte le même nom que sa boîte de production. À deux pas du musée d'Orsay, Renn espace d'art contemporain dispose de spacieux et lumineux locaux dont la programmation est peu banale. Une seule exposition par an y est en effet organisée, présentée sur une très longue période allant de six à neuf mois, c'est selon. Monographique, elle est consacrée soit à un parcours rétrospectif de l'œuvre de l'artiste invité, soit à une séquence particulière de son travail.

Claude Berri ne joue que dans la cour des grands : Robert Ryman, Robert Mangold, Yves Klein, Sol LeWitt, Daniel Buren et Simon Hantaï ont été à ce jour ses hôtes de choix. Pour notre plus grand bonheur.

◆ SITUATION
SAGA
Organisation : Reed OIP
11, rue du Colonel-Pierre-Avia
BP 571
75726 Paris Cedex 15
Tél. : 01 41 90 47 80
Fax : 01 41 90 47 89

SAGA

Exclusivement consacré à l'estampe, à la photographie et au dessin, le SAGA – anciennement Salon des Arts graphiques et appliqués – est au printemps ce que la FIAC est à l'automne, l'un des grands rendez-vous de l'art contemporain. Si ces techniques ont été longtemps tenues pour mineures, elles ont connu un regain d'intérêt considérable depuis une quinzaine d'années. C'est tant mieux parce que cela a permis de renflouer un public encore plus large sur le terrain de la création vivante. Il est de tradition historique en effet que les travaux sur papier sont un excellent vecteur de diffusion et de connaissance, ainsi par exemple de la gravure à la Renaissance. Le succès du SAGA tient en partie à la curiosité d'un public d'amateurs qui aspire à se forger des armes et qui commence souvent par se constituer une collection en acquérant des œuvres sur papier. Le développement considérable de la photographie et des technologies nouvelles n'a participé qu'à renforcer une telle dynamique. Rendez-vous annuel depuis douze ans, le SAGA qui attire tant éditeurs que galeristes, français et étrangers, s'est notamment doté d'un « Forum de l'image », occasion de rencontres, de débats et de tables rondes entre professionnels et public. Succès mérité.

Le 13ᵉ Art

Du Titien à Marcel Duchamp en passant par Poussin et Manet, le 13ᵉ arrondissement a multiplié les rues au nom d'artistes. Ses relations avec l'art se vérifient encore par le nombre d'ateliers qu'on y trouve – Olivier Debré, dont on ne sait pas toujours qu'il a une formation d'architecte, y a même construit une cité d'artistes. Rien d'étonnant qu'il y existe une association, « Le 13ᵉ Art », qui organise chaque automne une opération « portes ouvertes ». Rien d'original à cela direz-vous. En effet, à ceci près toutefois que cette manifestation s'accompagne d'une autre dont le retentissement dépasse largement le cadre de l'arrondissement pour gagner un public encore plus large. En 1997, une douzaine de jeunes galeries françaises et étrangères s'étaient installées dans un ancien entrepôt industriel. En 1998, débats façon café artistique.

♦ SITUATION

Le 13ᵉ Art
71-73, rue Clisson
75013 Paris
Tél. : 01 45 86 17 67

13, quai Voltaire
Caisse des Dépôts et Consignations

Delacroix y vécut et y travailla de 1829 à 1837, Corot de 1843 à 1848, *Le Moniteur universel* y installa son imprimerie au début du Second Empire, enfin divers titres lui succédèrent parmi lesquels *Le Monde illustré* et *Le Jardin des Modes*. Quelle est donc cette adresse prestigieuse ? Réponse : le 13, quai Voltaire.
Dans le hall voûté tout en longueur de l'hôtel particulier édifié au XVIIᵉ siècle qu'on y trouve, la Caisse des Dépôts et Consignations a choisi de faire le lieu de présentation privilégié de sa collection d'œuvres photo et vidéographiques. Conduite en faveur de la jeune création contemporaine, la mission de mécénat et d'action culturelle que s'est donnée cette institution ne s'intéresse pas exclusivement à ces

♦ SITUATION

13, quai Voltaire
Caisse des Dépôts
et Consignations
13, quai Voltaire
75006 Paris
Tél. : 01 40 49 41 66
Fax : 01 40 49 90 88
http://www.caissedesdepots.fr
Ouvert du mardi
au dimanche
de 12 à 18 heures 30.
Entrée libre.

Quartier de la Bastille

Galerie Area
10, rue de Picardie
75003 Paris
Tél. : 01 42 72 68 66
Fax : 01 42 72 12 75

J. et J. Donguy
57, rue de la Roquette
75011 Paris
Tél. : 01 47 00 10 94
Fax : 01 40 21 83 84

Liliane et Michel Durand-Dessert
28, rue de Lappe
75011 Paris
Tél. : 01 48 06 92 23
Fax : 01 48 06 92 24

Flux
5, passage Piver
75011 Paris
Tél. et fax : 01 40 21 88 97
http://www.cicv.fr/ART/flux

Galerie Alain Gutharc
47, rue de Lappe
75011 Paris
Tél. : 01 47 00 32 10
Fax : 01 40 21 72 74

Galerie Jousse Seguin
34, rue de Charonne
75011 Paris
Tél. : 014 7 00 32 35
Fax : 01 40 21 82 95

Ghislain Mollet-Viéville
52, rue Crozatier
75012 Paris
Tél. : 01 40 02 07 40
Fax : 01 40 02 70 50

Le Sous-Sol
9, rue de Charonne
75011 Paris
Tél. : 01 47 00 02 75
Fax : 01 47 00 24 75

Galerie Chez Valentin
77, avenue Ledru-Rollin
75012 Paris
Tél. : 0143 44 15 38
Fax : 01 43 44 14 76

Galerie Anne de Villepoix
11, rue des Tournelles
75004 Paris
Tél. : 01 42 78 32 24
Fax : 01 42 78 32 16

Espace d'art Yvonamor Pallix
13, rue Keller
75011 Paris
Tél. : 01 48 06 36 70
Fax : 01 47 00 01 21

médias, elle aide aussi volontiers les artistes à la réalisation de projets plus lourds, tels que sculptures, installations*, œuvres vidéos, etc. Jean-Charles Pigeau, Nathalie Elemento, Bill Viola, Pierrick Sorin, Loriot et Mélia, Valérie Favre en ont ainsi bénéficié.

Quartier de la Bastille

La revalorisation du quartier de la Bastille telle qu'elle a été engagée au cours des années quatre-vingt ne pouvait échapper au milieu de l'art. Ne serait-ce que pour des raisons tant d'espace que d'économie, celui-ci offrant notamment des possibilités d'installation façon loft qui étaient dans l'air du temps. Il n'y a rien d'étonnant donc à ce qu'une nouvelle géographie de galeries se soit peu à peu dessinée à l'entour de la place de la Bastille. Qu'elle ait connu une sorte de pic inflationniste à la fin des années quatre-vingt n'était que le symptôme d'une situation proprement critique qui a fait pour un temps de l'art contemporain le lieu de toutes sortes d'investissements et de placements outrés. Qu'après le reflux, il reste en place un vrai circuit de professionnels avertis confirme la transformation d'un quartier d'une culture d'artisan à une culture pleinement artistique.

Quartier Beaubourg

Décidé fin des années soixante, inauguré en 1977, le centre Pompidou ne pouvait qu'engendrer la naissance d'un nouveau quartier de galeries. C'est à Daniel Templon que revient l'avantage d'avoir été le premier à quitter celui de Saint-Germain pour celui de Beaubourg en s'y installant dès 1972. Est-il besoin de dire quel mouvement considérable il initiait ?

En l'espace de quelques années, les galeries fleurirent autour du centre, déterminant un nouveau parcours qui n'allait pas tarder à s'imposer comme le premier dans son domaine. Les années quatre-vingt et le formidable essor de l'intérêt que suscita l'art contemporain y contribuèrent largement. La rentrée en septembre, les vernissages communs et l'opération « Nuit de Beaubourg » connurent des moments de foule d'intense agitation.

Si tout cela s'est considérablement calmé et si les galeries jadis à la pointe commencent à prendre un coup de vieux, le quartier Beaubourg reste encore le plus dynamique.

Quartier Beaubourg

Galerie R & L Beaubourg
23, rue du Renard, 75004 Paris
Tél. : 01 44 59 27 27
Fax : 01 44 59 27 20

Galerie Philippe Casini
13, rue Chapon, 75003 Paris
Tél. : 01 48 04 00 34
Fax : 01 48 04 06 08

Michèle Chomette
24, rue Beaubourg
75003 Paris
Tél. : 01 42 78 05 62
Fax : 01 42 72 62 05

Galerie Chantal Crousel
40, rue Quincampoix
75004 Paris
Tél. : 01 42 77 38 87
Fax : 01 42 77 59 00

Galerie de France
54, rue de la Verrerie, 75004 Paris
Tél. : 01 42 74 38 00
Fax : 01 42 74 34 67

Galerie Ghislaine Hussenot
5 bis, rue des Haudriettes
75003 Paris
Tél. : 01 48 87 60 81
Fax : 01 48 87 05 01

Galerie Bernard Jordan
5, rue Chapon, 75003 Paris
Tél. : 01 42 77 19 61
Fax : 01 42 77 57 11

Galerie du Jour / Agnès B.
44, rue de Quincampoix
75004 Paris
Tél. : 01 42 33 43 40
Fax : 01 42 33 63 35

Galerie Laage-Salomon
57, rue du Temple, 75004 Paris
Tél. : 01 42 78 11 71
Fax : 01 42 71 34 49

Galerie Baudoin Lebon
38, rue Sainte-Croix-de-
la-Bretonnerie, 75004 Paris
Tél. : 01 42 72 09 10
Fax : 01 42 72 02 20

Galerie Gabrielle Maubrie
24, rue Sainte-Croix-de-la-
Bretonnerie, 75004 Paris
Tél. : 01 42 78 03 97
Fax : 01 42 74 54 00

Galerie Nelson
40, rue Quincampoix
75004 Paris
Tél. : 01 42 71 74 56
Fax : 01 42 71 74 58

Galerie Nathalie Obadia
5, rue du Grenier-Saint-Lazare
75004 Paris
Tél. : 01 42 74 67 68
Fax : 01 42 74 68 66

Galerie Daniel Templon
30, rue Beaubourg, 75003 Paris
Tél. : 01 42 72 14 10
Fax : 01 42 77 45 36

Zabriskie
37, rue Quincampoix
75004 Paris
Tél. : 01 42 72 35 47
Fax : 01 40 27 99 66

Galerie Zurcher
56, rue Chapon, 75003 Paris
Tél. : 01 42 72 82 20
Fax : 01 42 72 58 07

Quartier Haussmann-Matignon

À la géographie du milieu de l'art parisien, le quartier Haussmann-Matignon est un peu sa mémoire. Paul Durand-Ruel, le marchand des impressionnistes, y avait sa galerie au 1, rue de la Paix la transférant en 1867 au 16, rue Lafitte. Jusqu'à l'avènement des quartiers de Montparnasse et de Saint-Germain, celui du 8ᵉ arrondissement était quasiment le seul endroit où se développait le marché de l'art. En s'installant rue de Téhéran au lendemain de la seconde guerre mondiale, Aimé Maeght contribua à lui redonner un nouveau souffle mais que la dynamique Beaubourg continua à épuiser. D'aucuns restèrent tout de même très attachés à cette géographie centrale et l'aventure des années quatre-vingt la requinqua quelque peu. On vit alors de nouvelles galeries s'y ouvrir et une activité nouvelle prendre le pas sur l'univers antiquaire et moderne dans lequel le quartier s'enfonçait. Une activité, c'est vrai, essentiellement articulée autour de figures plus aînées que jeunes.

Quartier Haussmann-Matignon

Galerie du Cirque
26, rue du Cirque
75008 Paris
Tél. et fax : 01 40 17 04 70

Galerie Lelong
13, rue de Téhéran
75008 Paris
Tél. : 01 45 63 13 19
Fax : 01 42 89 34 33

Galerie Enrico Navarra
16, avenue Matignon
75008 Paris
Tél. : 01 47 42 65 66
Fax : 01 42 66 21 36

Galerie Jérôme de Noirmont
38, avenue Matignon
75008 Paris
Tél. : 01 42 89 89 00
Fax : 01 42 89 89 03

Galerie Piltzer
16, avenue Matignon
75008 Paris
Tél. : 01 43 59 90 07
Fax : 01 43 59 90 08

Quartier du Marais

Gilbert Brownstone et Cie
26, rue Saint-Gilles, 75003 Paris
Tél. : 01 42 78 43 21
Fax : 01 42 74 04 00

Galerie Cent 8
108, rue Vieille-du-Temple
75003 Paris
Tél. : 01 42 74 53 57
Fax : 01 42 74 53 18

Galerie Corinne Caminade
14, rue du Perche, 75003 Paris
Tél. : 01 42 72 27 04
Fax : 01 42 72 54 70

Carousel
4, rue de Jarente, 75004 Paris
Tél. : 01 44 61 97 27
Fax : 01 44 59 34 98

Galerie Les Filles du Calvaire
17, rue des Filles-du-Calvaire
75003 Paris
Tél. : 01 42 74 47 05
Fax : 01 42 74 47 06

Marian Goodman
7, rue Debelleyme, 75003 Paris
Tél. et fax : 01 48 04 70 52

Galerie Karsten Greve
5, rue Debelleyme, 75003 Paris
Tél. : 01 42 77 19 37
Fax : 01 42 77 05 58

Galerie Yvon Lambert
108, rue Vieille-du-Temple
75003 Paris
Tél. : 01 42 71 09 33
Fax : 01 42 71 87 47

Galerie Nikki Diana Marquardt
9, place des Vosges, 75004 Paris
Tél. : 01 42 78 21 00
Fax : 01 42 78 86 73

Galerie Moussion
110/123, rue Vieille-du-Temple
75003 Paris
Tél. : 01 48 87 75 91
Fax : 01 42 71 42 81

Galerie Claudine Papillon
16, rue des Coutures-Saint-
Gervais, 75003 Paris
Tél. : 01 40 29 98 80
Fax : 01 40 29 07 19

Polaris
8, rue Saint-Claude, 75003 Paris
Tél. : 01 42 72 21 27
Fax : 01 42 76 06 29

Galerie Denise René
22, rue Charlot, 75003 Paris
Tél. : 01 48 87 73 94
Fax : 01 48 87 73 95

Galerie Philippe Rizzo
9, rue Saint-Gilles, 75003 Paris
Tél. : 01 48 87 12 00
Fax : 01 48 87 06 22

Galerie Thaddaeus Ropac
7, rue Debelleyme, 75003 Paris
Tél. : 01 42 72 99 00
Fax : 01 42 72 61 66

Galerie Vidal Saint Phalle
10, rue du Trésor, 75004 Paris
Tél. : 01 42 76 06 05
Fax : 01 42 76 05 33

Galerie Xippas
108, rue Vieille-du-Temple,
75003 Paris
Tél. : 01 40 27 05 55
Fax : 01 40 27 07 16

Galerie Anton-Weller
57, rue de Bretagne, 75003 Paris
Tél. : 01 42 72 05 62
Fax : 01 42 72 05 63

Quartier du Marais

L'extension du quartier Beaubourg vers le Marais est un phénomène qui appartient en propre aux années quatre-vingt, à une époque où l'activité artistique marchande connut un essor particulièrement aigu. Elle se concrétisa d'autant plus rapidement par la mise en place d'un vrai réseau que son prolongement jusqu'aux alentours de la Bastille vint le conforter, instituant le quartier du Marais en qualité de relais entre les deux géographies signalées par le centre Pompidou d'une part, par l'Opéra Bastille de l'autre. Du 3ᵉ au 11ᵉ arrondissement en passant par le 4ᵉ, l'activité artistique parisienne s'est de la sorte définie un nouveau territoire avec tout ce que cela comporte de structures connexes, de bistros, de cinémas, centres et autres lieux culturels en tout genre. Fort de son patrimoine historique, le Marais s'est ainsi refait une image vive et dynamique tout en cultivant sa tradition.

Quartier
Rive gauche

Entre Montparnasse et Saint-Germain, de la *Coupole* aux *Deux Magots*, l'histoire de l'art contemporain a connu des « heures chaudes » et des préoccupations existentielles qui ont fait de la rive gauche pendant plus d'un demi-siècle, des années dix aux années soixante-dix, le foyer le plus animé de la capitale. Cafés, librairies, académies, École des Beaux-Arts, magasins de matériels pour artistes, galeries enfin, en ponctuent toujours la géographie. Fortement concurrencés par l'avènement des nouveaux quartiers de Beaubourg, du Marais et de la Bastille, ceux de Montparnasse et de Saint-Germain n'en conservent pas moins une activité encore très vive d'autant qu'au coup par coup ils ont su se régénérer en faisant valoir la richesse de leur tradition. Si les antiquaires en ont envahi certains secteurs, l'art contemporain le plus pointu y est encore avantageusement représenté par de jeunes marchands qui ont choisi de s'y installer parce qu'au plus proche d'une histoire qui demeure prospective.

Quartier Rive gauche

Galerie Arlogos
6, rue du Pont-de-Lodi
75006 Paris
Tél. : 01 44 07 33 50
Fax : 01 44 07 31 02

**Galerie Martine
et Thibault de la Châtre
Éditions GDL**
36, rue de Varenne
75007 Paris
Tél. : 01 45 48 82 99
Fax : 01 45 49 05 84

Galerie Di Meo
8, rue Bonaparte
75006 Paris
Tél. : 01 43 54 10 98
Fax : 01 43 54 88 65

Galerie Lucien Durand
19, rue Mazarine
75006 Paris
Tél. : 01 43 26 25 35
Fax : 01 43 26 05 56

Jean Fournier
22, rue du Bac
75007 Paris
Tél. : 01 42 97 44 00
Fax : 01 42 97 46 00

Galerie JGM
8 bis, rue Jacques-Callot
75006 Paris
Tél. : 01 43 26 12 05
Fax : 01 46 33 44 83

Galerie Krief
50, rue Mazarine
75006 Paris
Tél. : 01 43 29 32 37
Fax : 01 43 26 99 81

Arnaud Lefebvre
30, rue Mazarine
75006 Paris
Tél. : 01 43 26 50 67
Fax : 01 44 07 51 19

Le Monde de l'Art Rive gauche
33-35, rue Guénégaud
75006 Paris
Tél. : 01 43 29 11 71
Fax : 01 43 54 50 21

Galerie Montenay-Giroux
31, rue Mazarine
75006 Paris
Tél. : 01 43 54 85 40
Fax : 01 43 29 42 21

Galerie Denise René
196, boulevard Saint-Germain
75007 Paris
Tél. : 01 42 22 77 57
Fax : 01 45 44 89 18

**Galerie
Georges Philippe Vallois**
38, rue de Seine
75006 Paris
Tél. : 01 46 34 61 07
Fax : 01 43 25 18 80

Galerie Aline Vidal
70, rue Bonaparte
75006 Paris
Tél. : 01 43 26 08 68
Fax : 01 43 29 62 10

Galerie Lara Vincy
47, rue de Seine
75006 Paris
Tél. : 01 43 26 72 51
Fax : 01 40 51 78 88

Rue Louise-Weiss

Comme n'importe quelle naissance, la création d'un nouveau quartier de galeries est un événement. Le 1er avril 1997, l'installation de six jeunes marchands rue Louise-Weiss dans le 13e arrondissement, derrière la toute nouvelle Bibliothèque nationale de France, n'a pas dérogé à la règle. Du jour au lendemain, la géographie parisienne de l'art contemporain s'était étendue à l'est de la capitale, versant rive gauche, dans un secteur où rien ne la prédestinait particulièrement. C'est peut-être là ce qui fait la force et la singularité de cette aventure sans pareil. Dans tous les cas, les habitudes ont été très vite prises et il n'est pas question de circuit d'art contemporain à Paris qui ne passe par cette nouvelle adresse. Les jeunes galeries qu'on y trouve – transfuges de Beaubourg, de la Bastille et de province – partagent en commun non seulement mailings et dates de vernissages mais un certain esprit vif et décapant de la meilleure santé.

Rue Louise-Weiss

Air de Paris
32, rue Louise-Weiss
75013 Paris
Tél. : 01 44 23 02 77
Fax : 01 53 61 22 84

Art : Concept
34, rue Louise-Weiss
75013 Paris
Tél. : 01 53 60 90 30
Fax : 01 53 60 90 31

Galerie Jennifer Flay
20, rue Louise-Weiss
75013 Paris
Tél. : 01 44 06 73 60
Fax : 01 44 06 73 66

Emmanuel Perrotin
30, rue Louise-Weiss
75013 Paris
Tél. : 01 42 16 79 79
Fax : 01 42 16 79 74

**Galerie
Praz Delavallade**
28, rue Louise-Weiss
75013 Paris
Tél. : 01 45 86 20 00
Fax : 01 45 86 20 10

Galerie Almine Rech
24, rue Louise-Weiss
75013 Paris
Tél. : 01 45 83 71 90
Fax : 01 45 70 91 30

Pau / Pyrénées-Atlantiques 64

Aquitaine

Le Parvis 3

◆ SITUATION
Le Parvis 3
Centre d'art contemporain
Centre Leclerc Université
Avenue Sallenave 64000 Pau
Tél. : 05 62 90 60 32
Fax : 05 62 90 60 20
Ouvert du lundi au vendredi
de 9 à 12 heures 30 et de 14
à 18 heures. Entrée libre.

V. Ibos (cf. p. 73) :
Le Parvis, Centre d'art contemporain.

Périgueux / Dordogne 24

Aquitaine

Espace culturel François-Mitterrand

◆ SITUATION
Espace culturel
François-Mitterrand
Association départementale
pour le développement
culturel
Place Hoche
BP 1056
24001 Périgueux
Tél. : 05 53 06 40 00
Fax : 05 53 06 40 01
Ouverture selon programma-
tion, téléphoner pour tout
renseignement.
Entrée libre.

Si la Dordogne est riche en sites naturels, elle est très pauvre en art contemporain. Inauguré en 1996 par une exposition d'Erik Dietman, l'espace culturel François-Mitterrand est l'un des seuls endroits où il a droit de cité. Lieu ponctuel d'exposition de la délégation départementale du Périgord, sa programmation s'attache surtout à la présentation d'artistes confirmés pour permettre au public d'avoir un contact direct avec leurs œuvres. Chaque année, l'organisation d'une « master class » y est l'occasion d'un échange entre élèves, étudiants, enseignants et public avec un artiste invité afin qu'un dialogue s'instaure entre eux. C'est toujours un moment d'intense activités. Viallat, Gerz et Spoerri se sont déjà prêtés au jeu.

Poitiers / Vienne 86

Poitou-Charentes

Le Confort moderne

◆ SITUATION
Le Confort moderne
185, rue du Faubourg-du-
Pont-Neuf
86000 Poitiers
Tél. : 05 49 46 08 08
Fax : 05 49 61 30 34
http://www.confort-moder-
ne.fr
Ouvert tous les jours
de 14 à 19 heures sauf lundi
et mardi.
Entrée libre.

Vous connaissez Laurel et Hardy, bien sûr ; mais connaissez-vous « L'oreille est hardie » ? Non. C'est que vous n'êtes jamais allé au Confort moderne. Il serait grand temps de remédier à une telle carence. Lieu de création alternatif, polyvalent et pluridisciplinaire, actif à Poitiers depuis plus de vingt ans, il est implanté depuis 1985 en plein centre-ville dans les locaux désaffectés d'un ancien entrepôt d'électroménager qui lui a donné

son nom. S'il s'est tout d'abord fait un nom en matière de promotion de groupes musicaux, le Confort moderne n'a pas tardé à montrer de l'intérêt pour les arts plastiques en développant une programmation régulière d'expositions. En 1990, avec la sublime création par James Turrell de *Heavy Water*, une sorte de bain initiatique à l'expérience d'un carré de ciel bleu, il a atteint un point d'orgue peu commun. Ce qui fait la grande force du Confort moderne, c'est la production d'œuvres. Jean-Luc Moulène et Joël Ducorroy, parmi d'autres, ont pu le vérifier : ils y ont fait des expositions qui comptent comme des jalons dans le développement de leur œuvre. L'été 1998, Fabrice Hybert investissait les locaux avec ses POF (Prototypes d'objets en fonctionnement) jusqu'à transformer le lieu lui-même en un immense POF. Un vrai creuset.

Pontault-Combault / Seine-et-Marne 77

Île-de-France

Centre photographique d'Île-de-France

Créé de toutes pièces en 1989 par Richard Fournet, le centre francilien de Pontault-Combault s'était imposé comme l'un des lieux vivants de la création photographique contemporaine. La brutale éviction de ce dernier au printemps 1996 a suspendu pendant quelque temps le programme d'expositions tant monographiques que thématiques de très grande qualité que l'on pouvait y voir. Récemment repris en main, il semble vouloir retrouver l'image de marque qui avait fait sa réputation. Tant mieux : le lieu – une ancienne graineterie – est superbe et les salles d'exposition permettent d'y travailler de la meilleure façon. Stéphane Couturier en a été l'un des tout derniers hôtes. C'est tout dire.

♦ SITUATION
Centre photographique d'Île-de-France
La Graineterie
Hôtel de ville
77347 Pontault-Combault
Tél. : 01 64 43 47 10
Fax : 01 64 43 47 16
Ouvert tous les jours sauf lundi de 14 à 18 heures.
Entrée libre.

Salle d'Armes

♦ SITUATION
Salle d'Armes
Rue André-Antoine
27340 Pont-de-l'Arche
Tél. : 02 35 02 00 55
Ouverture selon
programmation, téléphoner
pour tout renseignement.
Entrée libre.

Une immense salle voûtée plein cintre située en contrebas et à laquelle on accède par un escalier qui surplombe littéralement l'espace : transformée en 1996 en lieu d'exposition, cette ancienne salle d'armes accueille un programme hybride dans lequel l'art contemporain trouve une heureuse place. Parce que la Haute-Normandie manque de lieu fort de ce genre et que les quelques prestations qu'on y a vues étaient très réussies, on souhaiterait qu'un tel espace lui soit exclusivement réservé. Conçue parfois en partenariat avec la galerie Marcel-Duchamp d'Yvetot, sa voisine outre-Seine, la programmation de la salle d'Armes mêle volontiers les genres : Alain Balzac, Françoise Quardon, Jean-Charles Pigeau comptent parmi ses hôtes dont le passage reste mémorable. L'intérêt de l'unique et imposant volume qui la constitue exige des artistes invités à penser une installation spécifique pour le lieu.

Centre d'art contemporain
Parc Saint-Léger

♦ SITUATION
Centre d'art contemporain
Parc Saint-Léger
Mairie 58320 Pougues-les-Eaux
Tél. : 03 86 90 96 60
Fax : 03 86 90 96 61
Ouvert du mardi au
dimanche de 14 à 19 heures.
Entrée libre.

Magnifiquement installé dans le cadre de l'ancienne station thermale municipale, le Centre d'art de Pougues-les-Eaux a connu ces dernières années quelques difficultés. Après une manière de suspension de séance, le voici reparti nanti d'une nouvelle direction. Issu de la deuxième génération des centres d'art, ceux apparus à la fin des années quatre-vingt, dans un contexte régional déjà bien équipé, il a été conçu non comme un lieu d'exposition de plus mais comme un lieu de séjour et de production. Le cadre naturel du parc Saint-Léger dans lequel il est inscrit

s'ajoutant à la situation thermale spécifique de la commune dont il dépend devrait appeler une programmation en prise directe avec l'idée de nature, voire ponctuellement de l'eau. C'est bien là l'intention de la nouvelle direction qui compte comme par le passé inviter des artistes à venir travailler sur place. Le centre de Pougues-les-Eaux dispose en effet d'un ensemble de six ateliers d'artistes en résidence qui ont été conçus comme des lieux ouverts pour permettre au public d'aller encore plus directement à la rencontre tant de l'artiste que de l'œuvre. Lyne Cohen, Gary Hill, Xavier Veilhan ont été parmi les premiers invités de ce centre. À suivre.

Quimper / Finistère 29
Bretagne

Le Quartier
Centre d'art contemporain

Créé en 1990, le Centre d'art de Quimper a mis quelque temps à trouver sa voie comme si les locaux de l'ancienne caserne du XIXᵉ siècle qui l'abritent en avaient bridé les potentialités. C'est vrai que leur aménagement par l'architecte François Geay ne laisse guère de souplesse, les cinq salles d'exposition présentant toutes une même structure rectangulaire. Malgré cela, la programmation qu'a développée la nouvelle direction, en place depuis 1995, mettant en jeu des pratiques très diverses prouve qu'il y a toujours moyen de subvertir l'espace. Fondée sur la production d'œuvres et la présentation d'artistes qui ne sont pas toujours reconnus à leur juste me-

♦ SITUATION
Le Quartier
Centre d'art contemporain
10, parc du 137ᵉ-RI
29000 Quimper
Tél. : 02 98 55 55 77
Fax : 02 98 55 87 77
Ouvert du mardi au samedi
de 10 à 18 heures et le
dimanche de 14 à 17 heures.

sure, celle-ci participe de la sorte à une réévaluation salutaire. Ainsi, tant des expositions monographiques de Tania Mouraud ou d'Hélène Agofroy que des peintres abstraits Torie Begg, Martina Klein, Bruno Rousselot et Juan Uslé, présentés l'été 1997. À signaler un espace librairie et une salle de documentation qui incitent à traîner.

Reims / Marne 51

Champagne-Ardenne

♦ SITUATION

Le Collège
Fonds régional
d'art contemporain
Champagne-Ardenne
1, place Museux
51100 Reims
Tél. : 03 26 05 78 32
Fax : 03 26 05 13 80
Ouvert tous les jours
de 14 à 18 heures sauf lundi.
Entrée libre.

Le Collège
Fonds régional d'art contemporain Champagne-Ardenne

S'il dut attendre d'avoir 8 ans pour disposer de ses propres locaux, le Frac Champagne-Ardenne qui est implanté depuis 1990 dans l'un des bâtiments de l'ancien collège des jésuites, en plein

centre-ville, bénéficie d'espaces avantageusement amples et variés. Sa collection, tout d'abord constituée sur le mode anthologique d'une création plus ou moins sensible à la picturalité, notamment de grands travaux sur papier, connaît depuis quelques années une nouvelle orientation. Celle-ci se caractérise par une approche d'esprit Fluxus* qui balance entre forme et comportement en vue de mettre en valeur une création contemporaine où l'art et la vie s'interpénètrent. Établie en toute intelligence de cette orientation, la programmation des expositions temporaires du Frac Champagne-Ardenne est l'une des premières sources de cette collection. Les relations privilégiées que l'institution entretient avec les artistes lui permettent de la sorte d'accéder à des œuvres pleinement originales, voire conçues et réalisées spécifiquement pour elle. La collection du Frac se constitue ainsi de l'acquisition de mini-ensembles monographiques d'autant plus efficaces à faire circuler par la suite. À ce titre, des artistes reconnus tels que Chris Burden, Dietman ou Franz West, mais aussi des jeunes, comme Stéphane Calais, Christian Lapie ou Hubert Duprat, ont été les hôtes du Frac au cours de ces dernières années. Un travail de fond qu'il n'est pas toujours facile de mesurer dans l'immédiat d'une visibilité mais qui n'en est pas moins très efficace.

Espace Champagne
École supérieure d'Art et de Design de Reims

Inscrit au sein même de l'école, attenant au hall d'entrée, cet espace qui a par ailleurs vitrine sur rue est essentiellement consacré à la programmation de jeunes artistes. Si la peinture en est l'un des principaux vecteurs directeurs, c'est surtout pour témoigner tant de sa persistance que des recherches que ces derniers conduisent sur le terrain. En cela, l'Espace Champagne est un lieu ouvertement prospectif et expérimental. David Renaud, Anne Deguelle, Stephen Maas, Camille Saint-Jacques comptent parmi ses derniers hôtes.

♦ SITUATION

Espace Champagne
École supérieure
d'Art et de Design de Reims
12, rue Libergier
51100 Reims
Tél. : 03 26 84 69 90
Fax : 03 26 84 69 98
Ouverture selon programmation, téléphoner pour tout renseignement.
Entrée libre.

Rennes / Ille-et-Vilaine 35

Bretagne

Commandes publiques

Hervé Télémaque, Peter Downsborough, François Morellet, Erik Dietman, Antony Gormley, Nissim Merkado, Claudio Parmiggiani, Étienne Bossut, etc. Bien peu de villes peuvent se vanter de compter autant de commandes publiques. À Rennes, le choix de l'art contemporain s'est imposé à l'esprit des élus comme celui d'une véritable culture urbaine qu'a sanctionnée la création d'un poste de conseiller aux arts plastiques dès 1984. Plus d'une vingtaine d'œuvres ont ainsi été réalisées et mises en place sur la ville, occasionnant toutes sortes de promenades dans une ville riche d'art et d'histoire. Circuit.

La Criée
Centre d'art contemporain

On reproche souvent à l'art contemporain de se tenir trop à l'écart du public. Implantée en plein centre-ville, incluse au sein même des bâtiments d'un marché couvert quasi quotidien, la Criée occupe de ce point de vue une situation irrépro-

♦ SITUATION

La Criée
Centre d'art contemporain
Place Honoré-Commeurec
35000 Rennes
Tél. : 02 99 78 18 20
Fax : 02 99 79 07 62
Ouvert du mardi au samedi de 14 à 19 heures.
Entrée libre.

chable. Lieu d'expérimentation et de production, animé pendant près de dix ans par Yannick Miloux, elle a constitué l'une des pièces majeures de la géographie de l'art contemporain en Bretagne. En parler au passé ne signifie pas qu'il ne s'y passe plus rien mais depuis la mise à pied de son directeur en octobre 1995, il faut bien dire que ce n'est plus comme avant. Si, pour éviter sa fermeture, il a fallu en confier la gestion au Frac Bretagne et si celui-ci s'en sert très heureusement de relais pour la programmation de ses expositions, son avenir n'est pourtant pas dans un tel usage. Il faut souhaiter qu'elle redevienne un centre d'art contemporain à part entière avec des moyens et une direction propres.

◆ SITUATION
Galeries du Cloître
École régionale des Beaux-Arts
34, rue Hoche
35000 Rennes
Tél. : 02 99 28 55 78
Fax : 02 99 28 58 24
Ouvert du lundi au vendredi
de 15 à 19 heures.
Entrée libre.

Galeries du Cloître
École régionale des Beaux-Arts

À l'inventaire des galeries d'écoles d'art, celles de Rennes installées dans des locaux donnant sur un ancien cloître intérieur comptent parmi les plus dynamiques. Une programmation très ouverte y est développée tout au long de l'année scolaire soit en relation directe avec les activités pédagogiques de l'école, notamment les workshop animés par des artistes invités, soit en collaboration avec la section histoire de l'art de l'université Rennes-II, soit enfin au regard de préoccupations d'actualité. Pas seulement pour les étudiants.

◆ SITUATION
Musée des Beaux-Arts
20, quai Émile-Zola
35000 Rennes
Tél. : 02 99 28 55 85
Fax : 02 99 28 55 99
Ouvert tous les jours
sauf mardi et jours fériés
de 10 à 12 heures
et de 14 à 18 heures.

Musée des Beaux-Arts

Réputé pour ses collections XVIIe siècle, le musée des Beaux-Arts de Rennes n'en possède pas moins un petit fonds contemporain, fort notamment d'œuvres des affichistes du Nouveau Réalisme*. Normal, Hains et Villeglé sont tous deux bretons. Afin de faire vivre son patrimoine au temps présent, le musée propose une ou deux fois l'an un programme d'expositions relativement pointues organisées en collaboration tantôt avec le Frac Bretagne, tantôt avec l'université Rennes-II.

Oniris Yvonne Paumelle

Depuis une petite dizaine d'années, Oniris est la seule galerie privée à défendre sur le marché à Rennes et en région bretonne les formes et les couleurs d'un art résolument contemporain. Parmi les artistes qu'elle représente, on y trouve des personnalités aussi diverses qu'Antoniucci, qui enseigna jadis à l'école des Beaux-Arts, ou Morellet, voisin des pays de la Loire. Yola Kotlarek, Rafa Forteza et Julije Knifer comptent encore parmi les fidèles de la galerie.

◆ SITUATION

Oniris Yvonne Paumelle
38, rue d'Entrain
35000 Rennes
Tél. : 02 99 36 46 06
Fax : 02 99 38 20 89
Ouvert du mardi au samedi,
sauf jours fériés,
de 15 à 19 heures
et sur rendez-vous.

Rochechouart / Haute-Vienne 87
Limousin

Musée départemental d'Art contemporain de la Haute-Vienne

Il faut tout d'abord le contourner pour bien en mesurer tant la situation stratégique que la masse fortifiée. Il apparaît alors dans toute la puissance défensive de ces constructions dont le Moyen Âge avait le secret et qui nous a légué plus d'un trésor. Implanté sur un imposant promontoire rocheux dominant le confluent de la Graine et de la Vayre, le château de Rochechouart dont la plupart des bâtiments datent de la fin du XVe siècle recèle entre autres un décor de fresques du début du XVIe de toute beauté. Mais ce n'est pas là sa seule richesse. Rochechouart est aussi le fief de l'un des rares musées départementaux d'Art contemporain de l'Hexagone. Un musée créé de toutes pièces dans les années quatre-vingt, à l'initiative du conseil général de la Haute-Vienne, par Guy Tosatto, aujourd'hui directeur du musée de Nîmes (cf. p. 117). Le cas est suffisamment rare pour le souligner. Il n'a hélas ! pas vraiment fait école. À quelques rares exceptions près, le département n'est pas un niveau territorial très sensible au sujet. Imaginons seulement un instant ce qu'il adviendrait si tous les départements s'engageaient dans la défense et l'illustration de l'art contemporain ! À Rochechouart, la démonstration est exemplaire ; l'engagement institutionnel n'a jamais failli et la Haute-Vienne dispose aujourd'hui d'un musée dont la réputation est internationale. Tout

◆ SITUATION

Musée départemental d'Art contemporain de la Haute-Vienne
Château de Rochechouart
87600 Rochechouart
Tél. : 05 55 03 77 77
Fax : 05 55 03 72 40
Ouvert tous les jours, sauf
mardi, de 14 à 18 heures.
En temps d'exposition et
l'été, les horaires sont élargis,
téléphoner pour tout renseignement.

d'abord installé dans quelques-unes des pièces du château, il a réussi au fil du temps à en occuper la quasi-totalité. Il dispose aujourd'hui d'un jeu très divers de salles – dont une tour et des combles absolument magnifiques – qui lui permettent d'envisager toutes sortes d'accrochages. S'il s'applique à témoigner « de l'évolution des formes depuis 1960 », le musée de Rochechouart est tout entier voué « à l'art en train de se faire ». Délibérément vastes pour pouvoir y faire entrer une grande diversité de propositions, trois grands axes directeurs – la nature, l'imaginaire et l'histoire – en ont très tôt défini tant la constitution de la collection que l'orientation de la programmation.

Si Gerhard Richter, Wolfgang Laib, Patrick Tosani, Christian Boltanski et Annette Messager ont été parmi d'autres les premiers hôtes de Rochechouart et figurent avantageusement dans la collection, celle-ci comprend surtout d'importants ensembles de l'arte povera* (Anselmo, Fabro, Kounellis…), de l'école allemande (Polke, Schütte, Horn…) et de l'art anglais du paysage (David Tremlett, Richard Long). Tout en poursuivant dans cette veine, avec des expositions comme celles qu'il a consacrées à Tony Cragg ou à Richard Deacon, Jean-Marc Prévost qui a pris la direction de l'établissement depuis 1993 y a notamment développé un judicieux axe photographique, voire vidéo, en invitant des artistes comme James Welling, Geneviève Cadieux, Suzanne Lafont ou Gillian Wearing. Ainsi, depuis bientôt quinze ans que l'art contemporain a investi la vieille bâtisse médiévale – il ne faut surtout pas manquer d'aller admirer l'œuvre que Giuseppe Penone a réalisée sur la terrasse –, Rochechouart peut se flatter d'en être l'un des hauts lieux. À tout seigneur tout honneur.

Page ci-contre : le Musée départemental d'Art contemporain de la Haute Vienne, à Rochechouart

Roquebrune-sur-Agen / Var 83
Provence-Alpes-Côte d'Azur

Rocher des Trois Croix
Commande publique :
Bernar Venet, sans titre, 1991

Géométrique, le motif de la croix est l'objet de toutes sortes de déclinaisons formelles qui font la richesse d'une certaine histoire de l'art. Si le thème de la crucifixion a été longtemps privilégié

par les artistes, ce n'est pas simple raison de commande mais aussi pour ce qu'il leur offrait la possibilité d'inscrire l'espace. Reprenant à son compte les propositions iconographiques de Giotto, de Grünewald et du Greco, Bernar Venet a imaginé un Golgotha universel et minimal au sommet de ce promontoire classé du Var. Une façon de rassembler les pages les plus admirables de l'histoire de l'art dans une réunion d'un extrême dépouillement formel. Une œuvre qui fait signe.

Rouen / Seine-Maritime 76

Haute-Normandie

♦ SITUATION
**Grande galerie
Aître Saint-Maclou**
École régionale
des Beaux-Arts
186, rue Martainville
76000 Rouen
Tél. : 02 35 71 38 49
Fax : 02 35 07 45 81
Ouvert du lundi au samedi
de 9 à 12 heures
et de 14 à 18 heures,
fermé les jours fériés.
Entrée libre.

Grande galerie
Aître Saint-Maclou

Autant le dire d'emblée, la scène rouennaise n'a jamais considéré l'art contemporain comme une affaire de première nécessité (l'opération de commandes publiques que la ville a menée parallèlement à la construction du métro est loin d'être une réussite). Elle compte pourtant parmi ses enfants des artistes aussi prestigieux que Géricault et Duchamp mais le poids de l'école postimpressionniste dont elle fait ses choux gras est tel qu'il semble aveugler quelque peu le regard vers d'autres aventures. Heureusement, la galerie de l'école des Beaux-Arts qui a été créée en 1992 et qui s'est récemment augmentée d'un second espace d'exposition est ouverte à toutes les formes d'expression et compense cet état de fait. Elle est donc le seul véritable bastion où l'on peut repérer ce qu'il en est de la création contemporaine au travers d'une programmation qui mêle les genres, impliquant volontiers la participation des étudiants tant à l'élaboration qu'au montage des expositions. Cela en fait un lieu d'expérimentation d'autant plus intéressant que celles-ci s'y suivent à un rythme relativement vif. Didier Mencoboni, Pascal Convert, Lucy Orta, Éric Duyckaerts, Ghislaine Vappereau en ont été les hôtes parmi d'autres.

Espace d'art contemporain
Centre de Ressources

Une galerie d'art contemporain au sein d'un lycée agricole ? Non, non, vous ne rêvez pas et beaucoup de lieux institutionnels pourraient envier l'espace et la résidence d'artiste dont dispose le lycée Xavier-Bernard. Certes, sa programmation n'a pas le rythme d'un centre d'art, mais l'exposition annuelle qu'il organise en est digne. Après Ousmane Sow et Charles Simonds, venus travailler sur place, c'est le Guinéen Nabisco qui a pris le relais. L'art contemporain en plein milieu rural : en voilà une bonne idée ! Détour.

◆ SITUATION
Espace d'art contemporain, Centre de Ressources
Lycée agricole Xavier-Bernard
86480 Rouillé
Tél. et fax : 05 49 43 62 59
Ouvert du lundi au vendredi
de 9 à 12 heures
et de 14 à 18 heures.
Entrée libre.

Centre d'art contemporain

Installé au rez-de-chaussée de l'école municipale des Beaux-Arts, le Centre d'art de Rueil-Malmaison offre un programme d'expositions de qualité. L'espace dont il dispose étant fait de trois grandes salles, on peut y voir souvent pas moins de deux ou trois expositions simultanées. Particulièrement attentif à la jeune création contemporaine, il alterne volontiers expositions thématiques, « première expo » et « expos interécoles » sans pour autant négliger de montrer des travaux d'artistes plus confirmés, comme ceux d'Anne Deguelle ou d'Isabelle Waternaux. Peinture, sculpture, installation*, photographie, y sont tour à tour convoquées sans aucun esprit de chapelle. À l'actif du Centre d'art de Rueil, signalons qu'il organise régulièrement deux types d'opérations très conviviales : tous les mois, les débats *Transat*, occasion d'échanges d'idées sur un sujet donné, filmés en

◆ SITUATION
Centre d'art contemporain
2, place Jean-Jaurès
92500 Rueil-Malmaison
Tél. : 01 47 14 07 88
Fax : 01 47 14 07 22
Ouverture selon programmation ; en temps d'exposition, ouvert tous les jours, sauf dimanche, de 15 à 18 heures.
Entrée libre.

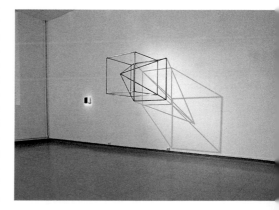

vue d'un journal vidéo, et, bimestriellement, *Pièce de collectionneur*, conférence autour d'une œuvre issue d'une collection privée ou publique. Programme à la demande. Membre du IAPIF*.

Saint-Brieuc / Côtes-d'Armor 22
Bretagne

Galerie du Chai

♦ **SITUATION**
Galerie du Chai
6, place du Chai
22000 Saint-Brieuc
Tél. : 02 96 60 86 10
Fax : 02 96 52 07 60
Ouvert tous les jours
du lundi au samedi
de 14 à 18 heures.
Entrée libre.

La Bretagne bénéficie d'un réseau très divers de structures d'art contemporain. La galerie du Chai, créée à Saint-Brieuc en 1992 dans le cadre de la mission départementale des arts plastiques, est installée en plein centre-ville. Fonctionnant à l'égal d'un petit centre d'art, elle se consacre essentiellement à la promotion et à la diffusion de jeunes créateurs installés en région. C'est dire qu'elle est tout à la fois un laboratoire et un observatoire et que sa programmation est attentive à toutes les innovations plastiques. En prise directe avec les publics les plus divers, elle leur offre la possibilité de mesurer ce qu'il en est des recherches d'une création contemporaine en devenir.

Saint-Cyr-sur-Loire / Indre-et-Loire 37
Centre

Parc de sculptures de la Perraudière

♦ **SITUATION**
Pour tout renseignement :
École municipale d'arts
plastiques
27, rue de la Croix-
Périgourd
37540 Saint-Cyr-sur-Loire
Tél. et fax : 02 47 49 05 49

Créé à la fin du XIXᵉ siècle, le parc de la Perraudière était jadis réputé pour ses plantations exotiques. Depuis quelques années la commune de Saint-Cyr-sur-Loire sur le territoire de laquelle il se trouve a décidé de le restaurer. À l'insolite d'une végétation que l'on ne s'attend tout de même pas à trouver sous de tels cieux, l'idée a été d'y ajouter une autre note – ô combien exotique aux yeux d'un très grand nombre ! – en y installant des sculptures contemporaines. La dynamique École municipale d'arts plastiques, en charge de l'organisation de ce programme – en collaboration avec le CCC de Tours (cf. p. 181) et le Frac* Centre d'Orléans (cf. p. 122) – y a déjà placé une dizaine d'œuvres et non des moindres. On y retrouve ainsi des artistes comme Jean Clareboudt, Philippe Ramette et Gloria Friedmann. Un charmant petit pavillon, dit de Charles X, y accueille régulièrement des expositions qui accompagnent le programme de sculptures. Une heureuse initiative.

L'Estrade
Restaurant de La Comédie

Lieu de rendez-vous des gens de théâtre, le restaurant de *La Comédie* de Saint-Étienne s'est en quelque sorte recyclé du côté des arts plastiques. Si l'architecture intérieure de *L'Estrade* – il y en a une et une vraie sur laquelle sont installées plusieurs tables – rappelle le monde de la scène, toute la décoration est faite d'œuvres et d'objets arts plastiques : les porte-menus sont signés Ben, des Viallat sont accrochés au mur, une compression de César trône sur une sellette, etc. Ambiance conviviale et chaleureuse.

♦ SITUATION
L'Estrade
Restaurant de La Comédie
7, avenue Émile-Loubet
42000 Saint-Étienne
Tél. et fax : 04 77 25 09 60

Musée d'Art moderne

On a pu encore le vérifier lors de l'exposition « Une ville, une collection » organisée par l'institution stéphanoise pour fêter ses 10 ans : le musée d'Art moderne de Saint-Étienne possède notamment l'une des rares collections françaises d'art contemporain de référence. Inauguré en décembre 1987, dans la forme et les locaux qu'il occupe aujourd'hui, il a été construit par Didier Guichard sur un mode relativement minimal, avec des matériaux plutôt sévères, mais il est d'une parfaite fonctionnalité et ses salles sont vastes et lumineuses. Un immense et magistral *Espace Zéro* de Jean-Pierre Raynaud se dresse à l'entrée participant à lessiver le regard, voire le purifier, dès le début de la visite. Il faut dire que les collections stéphanoises contemporaines proposent un parcours très dense parmi les tendances et les mouvements artistiques depuis 1960. L'accent y est particulièrement mis sur le pop art*, l'art minimal* américain, l'arte povera* et la peinture allemande depuis 1980. Si l'école de Nice* et Fluxus* y sont avantageusement représentés grâce aux donations de Vicky Rémy et de François et Ninon Robelin, les années soixante à soixante-dix se sont tout récemment vues confortées par le

♦ SITUATION
Musée d'Art moderne
La Terrasse
42000 Saint-Étienne
Tél. : 04 77 79 52 52
Fax : 04 77 79 52 50
Ouvert tous les jours
de 10 à 18 heures.

dépôt d'œuvres majeures que le musée vient de recevoir de la très célèbre collection Sonnabend. Acquisitions, mécénats, donations, dépôts, aucune procédure n'a jamais été négligée et le musée est aussi un exemple en cette matière. Il est l'un des rares en France à bénéficier depuis plus de dix ans d'un soutien mécène, celui de la fondation d'entreprise Casino, et il s'est vu choisi par la Caisse des Dépôts et Consignations pour conserver sa collection, une façon de conforter son fonds d'œuvres des années quatre-vingt-dix. Côté programmation, le musée d'Art moderne de Saint-Étienne mêle volontiers les genres. Tour à tour rétrospectives, monographiques, thématiques ou ciblées sur une séquence spécifique du travail d'un artiste, les expositions qu'il organise sont toujours des modèles de rigueur et de précision. On se souvient par exemple de celle qu'il a consacrée au groupe Supports-Surfaces en 1991 ou de cet événement qu'il a organisé en reconstituant le *French Wall* de Jochen Gerz, l'automne 1997. Ce qui rend encore la visite de l'institution stéphanoise indispensable, c'est l'intelligente articulation qu'elle fait entre son fonds d'art moderne et ses collections contemporaines. Ceux qui la fréquentent gardent aussi en mémoire la série d'expositions qu'ils ont pu y voir sur les années cinquante.

Page ci-contre : le Musée d'Art moderne de Saint-Étienne.

Centre d'arts plastiques
Lieu Ressources

En périphérie lyonnaise, le centre d'art de Saint-Fons qui a été créé en 1986 développe tout un travail de prospection auprès de la jeune création s'appliquant à ne produire que des expositions inédites, sur un rythme d'environ cinq par an. Attentif à toutes les propositions contemporaines, il met volontiers l'accent sur la qualité conceptuelle et technique du travail des artistes qu'il invite. À la recherche d'un public le plus large possible, il lui propose par ailleurs toute une panoplie d'activités et de services lui permettant une approche diversifiée de la création contemporaine : artothèque, diathèque, vidéothèque, documentation, ateliers de sensibilisation, interventions d'artistes, etc. Un vrai travail de fond.

♦ SITUATION
Centre d'arts plastiques
Lieu Ressources
12, rue Gambetta
69160 Saint-Fons
Tél. : 04 72 09 20 27
Fax : 04 72 09 20 40.
Ouvert tous les jours,
sauf dimanche et lundi, de
14 heures 30 à 18 heures 30.
Entrée libre.

♦ SITUATION
Chapelle Saint-Jacques
Avenue du Maréchal-Foch
31803 Saint-Gaudens
Tél. : 05 61 94 78 66
Fax : 05 61 94 78 78
Ouvert du mercredi au
dimanche de 15 à 19 heures.

Chapelle Saint-Jacques

L'ancienne chapelle du collège de jeunes filles de Saint-Gaudens compte parmi ces lieux d'histoire désaffectés que l'art contemporain aime à s'approprier. Transformée en lieu d'exposition depuis 1993, la chapelle Saint-Jacques a choisi d'articuler son action autour de deux grands axes : sensibilisation du public à l'art contemporain et aide à la création. Sa programmation qui tient compte de la singularité du lieu induit de préférence la présentation d'œuvres en relation avec l'édifice, son architecture et sa mémoire, mais elle compose aussi avec d'autres données plus contextuelles telles que le festival de théâtre de rue que la ville a créé il y a quelques années ou bien les relations d'échanges que celle-ci entretient avec sa voisine catalane Lleida. Basée sur la réciprocité, une fructueuse collaboration s'est ainsi développée avec l'école municipale des Beaux-Arts de cette dernière permettant aux artistes d'un côté comme de l'autre de la frontière d'exporter leur travail.

Zone portuaire
Commande publique : Yann Kersalé, *Nuit des docks*, 1990

La nuit, dit-on, tous les chats sont gris. Les chats, peut-être, mais pas les sites sur lesquels intervient Yann Kersalé. La nuit tombée, le port de Saint-Nazaire – tout comme l'opéra de Lyon, la cathédrale de Nantes, le pont de Normandie, etc. – est l'objet d'une incroyable mise en lumière. Ni embrasement, ni illumination (ce sont là des termes trop galvaudés qui ne siéent pas à désigner l'art de Kersalé), mais une fabuleuse coloration lumineuse du site. Yann Kersalé est un artiste hors norme qui n'a pas son pareil pour transformer l'espace. Pour le subvertir et nous l'offrir à voir comme jamais nous aurions pu imaginer qu'il fût. La nuit et la lumière sont ses matériaux de prédilection et, comme d'autres utilisent des couleurs ou construisent des formes, Kersalé se sert de projecteurs pour faire vivre le site sur lequel il intervient. Ni peintre, ni sculpteur, mais un plasticien de l'immatériel. Non pas un « magicien de la terre » mais un magicien de la lumière. Pleins feux.

Saint-Paul-de-Vence / Alpes-Maritimes 06
Provence-Alpes-Côte d'Azur

Galerie Catherine Issert

Célèbre pour son restaurant de *La Colombe d'or*, sa fondation Maeght et sa place légendaire où Yves Montand aimait jouer à la pétanque, Saint-Paul-de-Vence compte avec la galerie Catherine Issert l'une des plus actives de la Côte. Quoiqu'elle soit l'une des plus anciennes – voilà bientôt vingt-cinq ans qu'elle a été créée –, elle conserve le même dynamisme qu'à ses débuts. Attentive à tous les développements de l'art le plus contemporain, la galerie Issert a montré l'essentiel des grands mouvements des années soixante-dix à nos jours : Supports-Surfaces*, l'art narratif, Fluxus*, la Figuration libre*, l'art abstrait, etc., aussi y trouve-t-on des artistes aussi divers que Le Gac, Ben, Blais, Lavier, Dietman, la collection Yoon Ja et Paul Devautour, Basserode, Erik Samakh, etc. Depuis peu, la galerie s'est ouverte à l'édition de livres et d'objets d'artistes, comme cette déstabilisante *Paire-la-Chaise*, signée Morellet, qui ne manque ni d'humour, ni de confort. Passage recommandé.

♦ SITUATION
Galerie Catherine Issert
06570 Saint-Paul-de-Vence
Tél. : 04 93 32 96 92
Fax : 04 93 32 78 13
http://www.competences.com/stpaul/Issert.html
Ouvert tous les jours sauf dimanche de 11 à 13 heures et de 15 à 19 heures. Sur rendez-vous en novembre.

Saint-Priest / Rhône 69
Rhône-Alpes

Centre d'art contemporain de Saint-Priest

Créé en 1979 par un universitaire passionné d'art contemporain, le Centre d'art de Saint-Priest a connu au cours des années quatre-vingt une activité très intense. Municipal, il a essentiellement développé son action sur un double terrain : la

♦ SITUATION
Centre d'art contemporain de Saint-Priest
Place Ferdinand-Buisson
69800 Saint-Priest
Tél. : 04 78 20 03 66/02 50
Fax : 04 78 20 90 31
Ouvert du mardi au samedi de 14 à 18 heures.
Entrée libre.

constitution d'une collection et une programmation d'expositions toutes deux particulièrement consacrées à la peinture. Attentif à toutes les formes que celle-ci a pu prendre depuis une trentaine d'années, le Centre d'art en a décliné les différents états tant à travers les figures majeures des grands mouvements qu'à travers les fortes individualités. Depuis le départ de son fondateur, il y a quatre ans, le centre poursuit, bon an, mal an, ses activités mais force est de dire qu'il a perdu son identité originelle.

Saint-Rémy-de-Provence / Bouches-du-Rhône 13
Provence-Alpes-Côte d'Azur

Centre d'art contemporain de Saint-Rémy-de-Provence
Association Art 04

♦ SITUATION

Centre d'art contemporain de Saint-Rémy-de-Provence, Association Art 04
4, avenue Frédéric-Mistral
13210 Saint-Rémy-de-Provence
Tél. et fax : 01 42 79 07 15
Ouverture selon programmation, téléphoner pour tout renseignement.
Entrée libre.

Célèbre pour ses monuments romains, cette petite bourgade qui a vu naître Nostradamus et accueilli Van Gogh n'est pas encore réputée pour ses actions en art contemporain. Cela viendra peut-être un jour si l'association Art 04 parvient à réaliser le projet qu'elle a commencé à mettre en œuvre, à savoir développer tout un programme de commandes publiques dans l'espace urbain. D'ores et déjà, depuis quelques années, dans le cadre familial d'une propriété qui comprend les locaux désaffectés d'une ancienne graineterie, elle organise chaque été une exposition de haut niveau : Chen Zhen, Thomas Shannon et Antony Gormley en ont été les hôtes. Pas mal pour un début. L'été dernier a été consacré à la présentation des affiches d'artistes éditées par Alain Buyse. Ça change des vieilles pierres.

Saint-Savin / Vienne 86
Poitou-Charentes

Abbaye de Saint-Savin
Centre international d'art mural

♦ SITUATION

Abbaye de Saint-Savin Centre international d'art mural
28, place de la Libération
86310 Saint-Savin
Tél. : 05 49 48 66 22
Fax : 05 49 48 89 03
Ouverture selon programmation, téléphoner pour tout renseignement.

Passage obligé pour le médiéviste digne de ce nom, Saint-Savin l'est en été pour l'amateur d'art contemporain épris de *wall drawing**. Classé patrimoine mondial de l'humanité par l'Unesco, les fresques de cette petite commune du Poitou-Charentes constituent en effet l'un des plus prestigieux ensembles de peinture murale du Moyen Âge. Si l'église qui les abrite compte parmi les bâtiments d'une abbaye bénédictine romane des XIe siècle et XIIe siècle, le réfectoire sert quant à lui de lieu de création vivante. Créé en 1990, le Centre international d'art mural invite périodiquement un artiste à y réaliser une œuvre monumentale présentée pendant plusieurs mois au public. Après David Tremlett et Hamish Fulton, Georges Rousse a été le dernier à y intervenir. À chaque fois, ça a été le choc. À ne rater sous aucun prétexte : de toutes façons, il faut avoir vu les fresques de la nef !

Saint-Yrieix-la-Perche / Haute-Vienne 87
Limousin

Biennale du livre d'artiste

On considère ordinairement le petit livre d'images photographiques intitulé *Twenty six Gasoline Stations* qu'Edward Ruscha a édité en 1963 comme le premier du genre. Ni livre illustré, ni livre de peintre, c'est un « livre d'artiste », un genre nouveau, tout entier conçu, fabriqué et édité par son auteur. Ainsi défini, le livre d'artiste a connu depuis lors une fortune critique considérable et une certaine évolution. Des éditeurs sont apparus, des expositions ont été organisées, des manifestations spécifiques lui ont été consacrées. Parmi celles-ci la plus remarquable est assurément cette biennale du Livre d'artiste fondée en Limousin par l'association Pays-Paysage. Créateurs, écrivains, éditeurs, diffuseurs, collectionneurs, écoles d'art, etc., toute personne ou toute entité impliquée à un titre ou un autre dans l'économie du livre d'artiste se doit d'avoir emprunté une fois au moins le chemin de la petite commune de Saint-Yrieix. Lieu de rencontres et de création, la foire qui a lieu un printemps sur deux réunit plus d'une soixantaine de participants, français et étrangers. Table ronde, colloque et expositions y sont à l'ordre du jour pour faire le point sur l'évolution du phénomène. Bibliophiles amateurs d'art, c'est pour vous !

♦ SITUATION
Biennale du livre d'artiste
Pays-Paysage
17, rue Jules-Ferry
87500 Saint-Yrieix-la-Perche
Tél. : 05 55 75 70 30
Fax : 05 55 75 70 31

◆ SITUATION
**Bouvet-Ladubay
Centre d'art contemporain**
Saint-Hilaire-Saint-Florent
49400 Saumur
Tél. : 02 41 83 83 83
Fax : 02 41 50 24 32.
Ouvert tous les jours
de 9 à 12 heures
et de 14 à 19 heures.
Entrée libre.

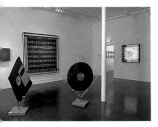

Bouvet-Ladubay
Centre d'art contemporain

Bienheureuse loi Évin ! Grâce à elle, le dynamique et entreprenant patron de la maison de champagne Bouvet-Ladubay, contraint et forcé de suspendre toute forme de sponsoring en matière de compétition automobile, s'est tourné vers l'art contemporain. Dans sa maison fondée en 1851, installée à Saint-Hilaire-Saint-Florent, en périphérie de Saumur, il a donc décidé d'ouvrir un centre d'art. Comme on ne fait jamais les choses à moitié chez Bouvet-Ladubay, il a choisi de l'établir dans les anciens locaux de l'usine électrique que les fondateurs de l'entreprise avait créée au début du siècle pour éclairer leurs 8 km de cave. Inaugurés en 1992, ceux-ci sont dignes d'un vrai centre d'art et l'on y trouve des expositions de très grande qualité. Bouvet-Ladubay dispose d'un jeu de salles aux formats très variés, toutes situées sur le même plan, qui induit chaque fois des accrochages très efficaces. L'une de ces salles est occupée en permanence par un travail réalisé par Niele Toroni pour l'ouverture du centre. Essentiellement monographique, sa programmation alterne des propositions toujours singulières ; Villeglé, Jean Le Gac, Miguel Chevalier, Joël Ducorroy et Keichi Tahara en ont été les derniers héros. Ne pas quitter les lieux sans avoir demandé à visiter non seulement les caves, bien sûr, mais le petit théâtre construit au siècle dernier et qui servait jadis de salle de spectacles. Une autre surprise.

Commande publique :
Sarkis,
Point de rencontre : le rêve,
1993

Si l'une des richesses patrimoniales de Sélestat est sa bibliothèque humaniste dont la fondation remonte au XVIᵉ siècle et qu'il ne faut absolument pas manquer de visiter, la commande publique qu'a réalisée Sarkis dans cette charmante petite commune alsacienne en est une autre. Intitulée « Point de rencontre : le rêve », celle-ci se développe en un lieu mi-urbain, mi-naturel de la cité, de part et d'autre d'une rue, ici sur le mur d'enceinte d'un vieux rempart, là en bordure d'une rivière sur les éléments abandonnés d'une vanne de régulation. Sarkis a recouvert le premier de quelque trois cents plaques émaillées – le nombre de rues de Sélestat – frappées de paroles évoquant tour à tour la nature, le voyage, l'amour, l'art, etc. Il a affublé la seconde de deux caissons lumineux aux ailes d'ange en néon rouge qui paraissent s'élever au-dessus de l'eau. L'ensemble est d'une grande force poétique et, comme toujours chez Sarkis, il est une invitation au spectateur à nourrir l'œuvre de sa propre histoire et de sa propre mémoire. Comme un poème dans la ville.

Fonds régional d'art contemporain Alsace

Non ! la peinture n'est pas morte comme d'aucuns voudraient le faire croire et, si nécessaire, il n'est que d'aller à la découverte de la collection du Frac Alsace. L'accent qu'il a choisi de mettre depuis plusieurs années non seulement sur la peinture mais aussi sur la sculpture issues des grands courants dits « historiques » de l'abstraction et de la figuration en est une flagrante démonstration. Ce choix n'exclut en rien par ailleurs la volonté de constituer des ensembles autour de certaines démarches artistiques mettant en question soit le statut de l'objet, soit la notion de mise en espace, voire de mise en scène, de même que photographie, estampe et vidéo constituent trois autres axes d'investigation de la collection.

Installé depuis deux ans dans le tout flambant neuf bâtiment de l'Agence culturelle d'Alsace, le Frac dispose d'un espace d'exposition propre, tout en façade vitrée et en forme de croissant de lune. S'il s'avère de ce fait quelque peu difficile à exploiter malgré un jeu de cimaises modulables qui permet de l'aménager en fonction de ce que l'on veut y faire, il demeure l'une des vitrines les plus actives de l'art contemporain en région.

♦ SITUATION

**Fonds régional
d'art contemporain Alsace**
1, route de Marckolsheim
67600 Sélestat
Tél. : 03 88 58 87 55
Fax : 03 88 58 87 56
Ouvert du mercredi au samedi de 14 à 18 heures, le dimanche de 11 à 18 heures.
Entrée libre.

♦ SITUATION

Sélest'art
Office de la Culture
de Sélestat
Cour des Prélats
67600 Sélestat
Tél. : 03 88 58 85 75
Fax : 03 88 82 99 39

Sélest'art

Depuis 1984, Sélestat vit l'automne aux couleurs de la jeune création contemporaine jusque dans son nom lui-même en devenant... Sélest'art. Transformée en biennale depuis 1993, cette manifestation qui a franchi le Rhin pour s'inscrire sur un plan davantage européen est fondée sur la mise en valeur d'un argument thématique chaque fois différent. Dans son principe, Sélest'art vise à « anticiper sur les tendances de la modernité et de l'ouverture » en offrant à de jeunes artistes l'occasion parfois d'une première exposition. Résolument tournée vers l'avenir, la version 97, articulée sur le thème « Europe et Humanisme », rassemblait ainsi en six lieux différents une trentaine d'artistes sélectionnés sur dossiers par un jury spécialisé, venus tant des régions françaises que des pays d'Europe centrale et orientale. Une des rares manifestations de ce genre en région digne d'intérêt.

Rendez-vous à ne pas manquer.

Sète / Hérault 34

Languedoc-Roussillon

♦ SITUATION

**Centre régional
d'art contemporain**
26, quai Aspirant-Herber
34200 Sète
Tél. : 04 67 74 94 37
Fax : 04 67 74 23 23
Ouvert tous les jours sauf
mardi de 12 heures 30
à 19 heures.
Entrée libre.

Centre régional d'art contemporain

À Sète, il n'est pas que le cimetière qui soit marin. Il y a aussi un centre d'art contemporain. Installé face à la Méditerranée, dans un bâtiment portuaire désaffecté, réaménagé par Lorenzo Piqueras, celui-ci a choisi tout naturellement d'orienter sa programmation vers les cultures du « milieu du monde » selon un rythme que trois périodes scandent comme un métronome. La première, qui correspond au premier semestre, voit se succéder une série d'expositions sous le titre générique d'« Ainsi de suite » ; c'est l'occasion de confronter différentes générations d'artistes et différents moments de l'histoire de l'art mais aussi de réaliser des accrochages évolutifs afin de favoriser l'approche et l'étude de l'art contemporain dans la durée. La deuxième période, c'est celle de l'été ; plus adaptée aux échanges internationaux et aux expositions collectives en partenariat avec d'autres institutions françaises ou étrangères. La troisième

période, enfin, qui couvre le dernier trimestre de l'année, est surtout consacrée à rendre visibles et familiers les champs d'expérience de l'art les plus divers, en relation étroite avec les écoles d'art, les ateliers et les résidences d'artistes, celles de la villa Saint-Clair (cf. p. 172) notamment, partenaire « naturel » du centre d'art. Inauguré au printemps 1997, le centre d'art a encore tout le temps de faire ses preuves, mais le succès remporté dès son ouverture laisse augurer du meilleur. À suivre.

Commande publique :
Richard Di Rosa,
La Madonne du Quartier Haut, 1992

Heureuse ! La femme poisson qu'a imaginée Richard Di Rosa pour la place de l'Hospitalet dans le « Quartier Haut » de Sète est heureuse. D'ailleurs, si elle rappelle ces Vénus maternelles et sensuelles qui répondent aux noms célèbres de Lespugue ou de Willendorf, elle n'a rien à leur envier. Elle présente les mêmes formes généreuses et outrées que ses ancêtres, la même bonhomie archaïque et la même joie de vivre. Trônant littéralement sur un coussin moelleux dans l'un des quartiers les plus populaires de la cité que les gosses et les vieux se sont appropriés depuis des lustres, elle est leur complice joyeuse et ludique. Rien d'étonnant qu'ils trouvent donc dans cette « mamma » singulière qui se détache sur fond de ciel bleu toutes sortes de plaisirs voluptueux.

Espace Fortant de France

Inaugurée en grandes pompes en 1989, l'usine d'embouteillage de la société Skalli Fortant de France n'est pas seulement la plus pointue du genre, elle est la seule à disposer d'un espace d'art contemporain propre. Soucieuse d'associer l'image de qualité de ses produits à une action mécène et de faire vivre l'art sur le lieu même du travail, la maison Fortant de France a donc choisi d'opérer sur son site industriel. Si Combas et Di Rosa ont eu la charge de l'inaugurer, beaucoup d'autres les ont suivis depuis lors parmi lesquels Arroyo, Le Gac, Venet, Formica, Degottex, etc.

◆ SITUATION
Quartier Haut
Place de l'Hospitalet
34200 Sète

◆ SITUATION
Espace Fortant de France
278, avenue
du Maréchal-Juin
34200 Sète
Tél. : 04 67 46 70 00
Fax : 04 67 46 71 99
Ouvert de 10 à 18 heures
du lundi au vendredi mais
tous les jours en juillet-août.
Entrée libre.

♦ SITUATION
Villa Saint-Clair
École des Beaux-Arts
17, rue Louis-Ramond
34200 Sète
Tél. : 04 67 74 37 07
Fax : 04 67 74 37 07

Villa Saint-Clair
École des Beaux-Arts

Comme son nom l'indique, ce qui fait le charme du lieu est son côté villégiature. Mais ce qui fait l'identité de la villa Saint-Clair, ce sont ses ateliers-résidences. Créés en 1987, ils se sont très vite imposés comme un séjour privilégié pour les artistes en quête d'un moment « suspendu ». Lieu de production par excellence, ceux-ci ont vu défiler un nombre important de créateurs, plasticiens ou écrivains, invités à y séjourner pour une durée variant de deux à trois mois. Sylvia Bossu, Mohamed El Baz, Paul-Armand Gette, Françoise Quardon, Hugues Reip comptent parmi ceux qui s'y sont arrêtés. Une façon de petite villa Médicis en bordure de la Méditerranée. Visite réservée.

Sijean / Aude 11

Languedoc-Roussillon

♦ SITUATION
LAC
(Lieu d'art contemporain)
Le Hameau du Lac
11130 Sijean
Tél. et fax : 04 68 48 83 62
Ouverture selon
programmation
et sur rendez-vous,
téléphoner pour tout
renseignement.

LAC
(Lieu d'art contemporain)

Décidément, l'art contemporain s'accommode volontiers de l'économie de la vigne ! L'ancienne cave viticole dans laquelle Piet Moget, installé à Sijean depuis plus de trente ans, a créé le LAC en est une étonnante illustration. Pour son contenu comme pour son contenant, ce lieu mérite vraiment le détour, la chaleur de l'accueil y étant proportionnelle à l'ampleur de l'espace. Géré sur un mode ouvertement familial, le LAC est à l'image charismatique de son fondateur, peintre et collectionneur d'origine flamande, qui ne peut se retenir de faire partager ses plaisirs esthétiques (le musée Fabre de Montpellier bénéfice de prêt d'œuvres de Mondrian, Bram Van de Velde, Hantaï et Malcolm Morley issues de sa collection).

Thématiques ou monographiques, les expositions que l'on peut voir au LAC visent le plus souvent à faire le point sur les tendances les plus diverses d'un art au présent, sans se priver si nécessaire d'un regard historique sur le versant d'un art davantage moderne. Un personnage et un lieu, tous deux inattendus.

Sotteville-lès-Rouen / Seine-Maritime 76
Haute-Normandie

Fonds régional d'art contemporain Haute-Normandie

Après douze ans d'atermoiements de toutes sortes, la nomination, en 1994, d'une nouvelle direction et la définition d'une triple orientation de sa collection, le Frac Haute-Normandie a réussi enfin à trouver ses marques. Quotidienneté, domesticité et altérité composent aujourd'hui les trois territoires principaux sur lesquels est articulée son action. L'inauguration, en septembre 1998, d'un espace d'exposition propre, nommé Trafic, devrait permettre à l'institution normande de gagner enfin la lisibilité qui lui manquait. À suivre.

◆ SITUATION
Fonds régional d'art contemporain Haute-Normandie Trafic
3, place des Martyrs de la Résistance
76300 Sotteville-lès-Rouen
Tél. : 02 35 72 27 51
Fax : 02 35 72 23 10
Ouvert du mercredi au samedi de 13 à 19 heures, et le dimanche de 13 à 18 heures.
Entrée libre.

Strasbourg / Bas-Rhin 67
Alsace

Centre européen d'actions artistiques contemporaines

En matière de commande publique, les Strasbourgeois ont bien de la chance. Non seulement il y a le projet artistique du tramway (cf. p. 176) mais ils bénéficient depuis plusieurs années en ce domaine de l'action bienveillante du Centre européen d'actions artistiques contemporaines. Créé en 1987, le CEAAC est en effet à l'initiative de la mise en place de tout un réseau d'œuvres d'art tant à travers la ville que dans le parc de Pourtalès et autre espaces verts. Ici, Bernar Venet a enroulé l'une de ses lignes indéterminées ; là, Denis Pondruel a installé une chaise de méditation, etc. Mais l'action du CEAAC ne se limite pas à la seule gestion de commandes publiques, elle s'étend à bien d'autres domaines en contribuant à la création d'ateliers, à l'organisation de colloques, à la distribution de bourses et de prix ; de plus, le centre dispose depuis 1993 d'un lieu d'exposition propre, l'Abreuvoir, où il présente régulièrement les travaux des artistes impliqués dans ses différents projets ou qui sont susceptibles de l'être dans un proche avenir.

◆ SITUATION
Centre européen d'actions artistiques contemporaines Commandes publiques et Centre d'art l'Abreuvoir
Quartier de la Krutenau
7, rue de l'Abreuvoir
67000 Strasbourg
Tél. : 03 88 25 69 70
Fax : 03 88 35 59 77
Ouvert du mercredi au dimanche de 14 à 18 heures.
Entrée libre.

◆ SITUATION

**La Chaufferie
Galerie de l'école
des Arts décoratifs**

5, rue de la Manufacture-
des-Tabacs
67000 Strasbourg
Tél. : 03 88 35 38 58
Fax : 03 88 36 29 58
Ouvert du mercredi au
dimanche de 14 à 19 heures.
Entrée libre.

La Chaufferie
Galerie de l'école des Arts décoratifs

Plus qu'une simple galerie d'école, la Chaufferie qui dispose d'un superbe local parfaitement réaménagé dont l'accès est indépendant de celui des bâtiments pédagogiques propose une programmation digne d'un véritable centre d'art contemporain. Définie par un comité de professeurs dont les motivations souscrivent à une idée éclectique, celle-ci vise tout d'abord à présenter ce qu'il en est de la jeune création actuelle, en invitant notamment chaque année à la rentrée trois ou quatre artistes étrangers, anciens élèves d'une école d'art avec laquelle celle de Strasbourg est en relation. Mais la Chaufferie fait aussi appel à des personnalités en renom, toutes tendances confondues, afin de mettre en exergue soit la singularité d'une démarche (Jonathan Borofsky), soit l'état à un moment donné du travail d'un artiste (Skoda), soit encore une problématique qui interroge les étudiants (la question du formalisme). Dans tous les cas, le passant y trouve toujours son compte car la programmation y est un modèle d'exigence et de rigueur.

◆ SITUATION

**La Laiterie
Centre européen
de la jeune création**

11, rue du Hohwald
BP 101
67069 Strasbourg
Tél. : 03 88 75 10 05
Fax : 03 88 75 58 78
Ouvert du mardi au
dimanche de 15 à 19 heures.
Entrée libre.

La Laiterie
Centre européen de la jeune création

Lentement mais sûrement, l'ancienne friche industrielle de la Laiterie de Strasbourg se transforme peu à peu depuis 1993 en un grand complexe culturel. Le « Hall des chars », premier bâtiment à avoir été restauré, comprend une salle d'exposition de 420 m². La programmation qui y est développée mêle les propositions les plus diverses selon une orientation très large tant purement esthétique que sociale et politique. On y a vu aussi bien Georges Rousse ou une exposition sur le Vitra Museum de design que des objets de détenus ou des œuvres d'artistes israéliens et palestiniens. Au rythme de cinq expositions par an en moyenne, la Laiterie a ainsi su se créer une image de marque qui la singularise sur la scène régionale.

Musée d'Art moderne et contemporain

L'ouverture, au mois de novembre 1998, du musée d'Art moderne et contemporain de Strasbourg sanctionne l'accomplissement d'un projet mis en route dès 1987 et qui aura nécessité douze années de tergiversations en tous genres. C'est beaucoup. Souhaitons du moins que le résultat soit à la mesure de l'attente. Pour ce que l'on en sait, le site des anciens abattoirs qui a été retenu et sur lequel l'architecte Adrien Fainsilber a dressé un ambitieux bâtiment, ample et transparent, devrait répondre aux besoins d'une capitale européenne qui occupe une place de choix dans le paysage artistique national.

Muséographiquement parlant, l'idée de parcours devrait présider à l'organisation interne de l'établissement selon un déroulement chronologique visant moins à rendre compte « de l'évolution de la forme » que « de la virtualité expressive ou symbolique de celle-ci ». Du fait de la spécificité architecturale du lieu, ce parcours doit substituer « à la continuité "darwinienne" d'une vision de l'art en progrès constant, une mise en perspective de son caractère polymorphe, rejetant les lectures univoques ». Bon, pas d'affolement. Ce ne sont là que des intentions de principe et il reste que les collections du musée, tant en art moderne qu'en art contemporain, sont particulièrement intéressantes. Alors, allez vite découvrir cette toute nouvelle institution et vérifiez que cela valait vraiment la peine d'attendre.

ST'ART
Foire d'art contemporain de Strasbourg

Dernière-née des foires d'art contemporain, ST'ART qui a été créée en 1996 semble promise à un bel avenir. L'accueil qu'elle a reçu tant de la part des galeristes que des amateurs d'art au cours de ses trois uniques manifestations est en effet des plus encourageants. La situation de Strasbourg et sa qualité de carrefour européen n'y sont pas étrangères mais aussi la volonté déclarée de ses organisateurs d'être une manifestation résolument

◆ SITUATION

Musée d'Art moderne et contemporain
1, rue Hans-Jean-Arp
67000 Strasbourg
Tél. : 03 88 23 31 31
Fax : 03 88 23 31 32
http://www.strasbourg.com/musées

◆ SITUATION

**ST'ART
Foire d'art contemporain de Strasbourg**
Administration –
Information générale :
SOFEX
Place de la Foire-Exposition
BP 256 R/7
67007 Strasbourg
Tél. : 03 88 36 11 90
Fax : 03 88 37 37 95

tournée vers le public, à l'égard des diktats à la mode. Quand on sait l'importance des vent-coulis dans le monde de l'art et leur répercussion sur le marché, on peut s'interroger si ST'ART saura y échapper sans en périr. On le lui souhaite. Dans tous les cas, l'étape vers fin janvier-début février s'impose.

Rendez-vous à ne pas manquer.

Tramway
Commandes publiques : Jonathan Borofsky, Barbara Kruger, Gérard Collin-Thiébaut, Mario Merz, L'Oulipo, 1994

À Strasbourg, il faut absolument prendre le tramway. Non qu'il soit l'un des moyens de locomotion le plus pratique et le plus efficace pour circuler dans la ville – quoique – mais parce qu'il est la meilleure façon d'aller à la découverte des œuvres qui ont été spécialement conçues dans le cadre de

sa réalisation. Le cas est d'ailleurs exemplaire puisque le projet artistique qui a accompagné sa mise en œuvre a fait l'objet d'un comité de pilotage international installé au tout début de la réflexion du chantier. C'est dire si l'engagement des artistes a été total et si leurs interventions s'intègrent parfaitement au concept environnemental. De Jonathan Borofsky, dont *La Femme qui marche vers le ciel* réplique à son alter ego masculin installé à Kassel, à Gérard Collin-Thiébaut, qui a illustré les titres de transport, en passant par Barbara Kruger qui scande ses mots sur les marches et les quais, Mario Merz dont la suite de Fibonacci s'égrène entre les rails et L'Oulipo dont les textes s'affichent sur les colonnes Morris, il n'y a pas une fausse note. De plus, l'objet tramway lui-même ne manque pas d'allure, tant dans sa conception technologique que dans son environnement. Le succès qu'il remporte auprès des Strasbourgeois est là pour en témoigner. À quelle station vous descendez ?

Bourgogne

Centre d'art contemporain du château de Tanlay

Commencé dès le milieu du XVIe siècle, le château de Tanlay trouve en Pierre Le Muet un siècle plus tard son véritable architecte. L'édifice qu'il construit et qui vient avantageusement compléter les éléments renaissants du portail, des fossés et des communs est une vraie réussite. Demeuré dans la famille du marquis de Tanlay, après qu'il lui a été restitué au lendemain de la Révolution, le château de Tanlay mérite à plus d'un titre qu'on prenne le temps d'une visite très complète. Tous les amateurs d'art y trouveront leur compte : celui d'art ancien à la découverte d'une étonnante galerie en trompe-l'œil, celui d'art contemporain à celle du Centre d'art qu'il abrite dans les anciens bâtiments de ferme du château et qui organise chaque année de fin mai à début octobre une importante exposition.

♦ SITUATION
Centre d'art contemporain du château de Tanlay
Place du Général-de-Gaulle
89340 Tanlay
Tél. : 03 86 75 76 33
Fax : 03 86 42 93 38
Ouvert tous les jours
de fin mai à début octobre
de 11 à 19 heures.

Créé à l'initiative de Louis Deledicq voilà plus de vingt ans, le centre d'art dispose sur deux niveaux de plusieurs salles d'expositions et, depuis peu, d'un espace réservé à la présentation de jeunes artistes. Sa réputation, Tanlay la tient tant à l'originalité qu'à la qualité de sa programmation, laquelle, balançant entre art moderne et art contemporain, s'est toujours appliquée à faire valoir les relations d'intelligence qui existent entre l'un et l'autre. La nouvelle direction – confiée à Jacques Py – qui a inauguré son mandat l'été dernier avec « Les champs de l'illusion », une exposition réunissant Alkema, Loriot & Mélia, Raetz et Voïta, laisse augurer du meilleur avenir.

Le Creux de l'enfer
Centre d'art contemporain

◆ SITUATION
Le Creux de l'enfer
Centre d'art contemporain
Vallée des Usines
85, avenue Joseph-Claussat
63300 Thiers
Tél. : 04 73 80 26 56
Fax : 04 73 80 20 08
Ouvert tous les jours sauf
mardi de 10 à 12 heures
et de 14 à 18 heures,
les samedi et dimanche
de 14 à 19 heures.
Entrée libre.

S'il est un centre d'art qui a du caractère, c'est bien celui de Thiers, installé qu'il est dans le contexte puissamment industriel de cette capitale de la coutellerie dont la réputation tient notamment à une lame, l'Opinel. L'ancienne usine au nom diabolique du « Creux de l'enfer » dans laquelle il a pris place est située au fin fond d'une vallée rocheuse et étroite en bordure d'une rivière torrentueuse propice à la plus ardue des courses de canoë-kayak. Heureusement réaménagé par Xavier Fabre et Vincent Speller en 1988, le bâtiment conjugue aujourd'hui sur ses trois étages et sa terrasse tout un ensemble de structures qui en font un lieu fortement singulier. Pour partie accroché à la falaise, pour partie grand ouvert sur la vallée, le Creux de l'enfer offre aux artistes des espaces très divers qui vont de la caverne brute et suintante aux cimaises blanches et lumineuses. Compte tenu de toutes ces spécificités, sa programmation privilégie la production d'expositions autour des notions de temps et de territoires en invitant les artistes à venir travailler sur place. Fabrice Hybert, Patrick van Caeckenberg, Roman Signer, Dris Sans-Arcidet et Per Barclay y ont commis des interventions mémorables. Il faut dire que le centre d'art de Thiers, par ailleurs siège de l'artothèque municipale, est dirigé depuis dix ans par Laurence Gateau, une jeune femme pleine d'énergie qui fait un travail remarquable et mène l'institution auvergnate sur un rythme… d'enfer. Incontournable.

Tour du Prince de Galles
Commandes publiques :
Ange Leccia, Jacques Vieille

◆ SITUATION
Tour du Prince de Galles
79100 Thouars
Tél. : 05 49 66 24 24
du 1er avril au 30 octobre, les
samedis et dimanches
de 15 à 19 heures ; du
1er novembre au 31 mars,
sur rendez-vous.

Voisine du château d'Oiron (cf. p. 121), la petite ville de Thouars ne pouvait pas rester insensible à l'art contemporain. Elle a donc décidé d'en rejoindre les rangs en accueillant dans sa tour du Prince de Galles deux commandes publiques, l'une de Jacques Vieille, l'autre d'Ange Leccia, chacune invitant le visiteur à une expérience de l'enfermement, celle de l'un mettant en jeu le matériau agricole de la région, celle de l'autre le mode vidéo. Il faut savoir que, médiévale, la bâtisse fortifiée servit de prison du XVIIe siècle au début du XXe siècle, comme en témoignent les cages en bois qui y sont conservées.

Chapelle Jeanne d'Arc

L'intérêt de Thouars à l'égard de l'art contemporain ne se cantonne pas seulement aux deux commandes publiques de Vieille et de Leccia (cf. ci-dessus). Depuis trois ans, la ville a en effet pris le parti de développer parallèlement un programme d'expositions temporaires dans les locaux désaffectés d'une chapelle voisine. Construite au XIXe siècle, la chapelle Jeanne d'Arc présente quatre expositions par an qui visent à mettre en valeur les différentes facettes de l'art contemporain. À chaque fois, l'espace y est investi de façon tellement différente que c'est le lieu dans sa totalité qui change d'aspect. Jacques Villeglé, Nathalie Van Doxell et Michel Verjux en ont déjà fait l'heureuse expérience.

♦ SITUATION
Chapelle Jeanne d'Arc
79100 Thouars
Service des arts plastiques de la ville de Thouars
Tél. et fax : 05 49 67 93 79
Ouverture selon programmation, téléphoner pour tout renseignement.

Toulouse / Haute-Garonne 31

Midi-Pyrénées

Espace d'art moderne et contemporain de Toulouse et Midi-Pyrénées

Si, si, vous avez bien lu : « Espace d'art moderne… et contemporain… de Toulouse… et… Midi-Pyrénées » : pourquoi faire simple quand on peut faire compliqué ! Depuis plus de dix ans l'histoire de cette institution est un vrai serpent de mer et rien n'est moins sûr qu'à l'heure où sortira ce guide, celle-ci ait été enfin inaugurée. Cet « espace » qui est implanté dans les bâtiments historiques des anciens abattoirs toulousains réunira tout à la fois le musée municipal d'Art moderne, le Centre régional d'art contemporain (jadis installé à Labège), le Fonds régional

♦ SITUATION
Espace d'art moderne et contemporain de Toulouse et Midi-Pyrénées
76, allée Charles-de-Fitte
31000 Toulouse
Tél. : 05 61 59 99 96
Fax : 05 61 59 38 67

d'art contemporain Midi-Pyrénées et l'annexe Histoire de l'art de la bibliothèque municipale de Toulouse. Quel patchwork ! Espérons qu'un tel encombrement ne s'avère ingérable et que Toulouse trouve enfin sa place sur l'échiquier artistique tant national qu'international. C'est tout de même la quatrième ville de France !

Compte tenu de la situation, il est bien difficile d'en dire plus sinon que la collection, centrée sur des artistes actifs dès les années cinquante, affirme les tendances expressionnistes et informelles qui sont celles de nombreux courants nés de la seconde guerre mondiale aux États-Unis, en Europe et en Orient. Un tel choix se justifie au regard des collections voisines, tant bordelaise que nîmoise, et devrait contribuer à créer à Toulouse le foyer d'un dialogue culturel avec ces grands lieux de l'art contemporain. Wait and see, donc.

Galerie Sollertis

♦ SITUATION
Galerie Sollertis
Brice Fauché
12, rue des Régans
31000 Toulouse
Tél. : 05 61 55 43 32
Fax : 05 61 25 34 13
http://www.cyberhq.com/cyberfr/sollertis
Ouvert du mardi au samedi de 14 à 19 heures.

Avec une opiniâtreté et une exigence qui sont tout à son honneur, Brice Fauché, professeur de philosophie de formation, tient bon la barre à Toulouse depuis près d'une quinzaine d'années. Il faut dire que la ville n'a pas une grande réputation en direction de l'art contemporain, il suffit pour le mesurer de prendre le métro et d'y découvrir le peu brillant programme de commandes publiques qui y a été développé dans chacune des stations.

Le travail de ce galeriste, qui alterne personnalités reconnues et figures moins familières, a le mérite d'être la seule structure à ce jour où l'on peut voir ce qu'il en est des états d'une création véritablement vivante.

À signaler, à l'occasion de chaque exposition, l'édition régulière d'un petit quatre-pages en noir et blanc très efficace qui tient informé de cette programmation.

Parmi les artistes défendus par la galerie, citons entre autres les excellents photographes Roland Fischer et Stéphane Couturier. Pour faire ses courses.

Tourcoing / Nord 59

Nord-Pas-de-Calais

Le Fresnoy
Studio national des arts contemporains

Il y a au Fresnoy comme un curieux mélange entre un parfum désuet de vieille salle de cinéma style « art et essai » et une dynamique de studio très à la pointe. Intitulée *Projections, les transports de l'image...*, l'exposition inaugurale du site au printemps 1997 mettait d'emblée dans l'ambiance d'un lieu essentiellement consacré aux nouvelles technologies. Créé dans les années dix, le Fresnoy qui fut pendant près de soixante ans l'un des haut lieux de distractions populaires du Nord a cessé toute activité depuis le début des années soixante-dix. Sa transformation en établissement d'enseignement artistique et audiovisuel, doublé d'un centre d'expositions, devrait lui permettre de retrouver la vie haute en couleurs qu'il a connue. D'autant que son directeur n'est autre que l'excellent Alain Fleischer et qu'un programme permanent de projections, de rencontres, de débats, de « workshops » en fait un vrai lieu de vie. Résolument tourné vers l'avenir.

♦ SITUATION
Le Fresnoy
Studio national des arts
contemporains
BP 2
59207 Tourcoing
Tél. : 03 20 28 38 00
Fax : 03 20 28 38 99
Ouvert tous les jours sauf mardi de 13 à 19 heures, dimanche et jours fériés de 15 à 19 heures.

Tours / Indre 37

Centre

Centre de création contemporaine

L'histoire du CCC – comme on l'appelle – est tout entière liée à celle de son fondateur, Alain Julien-Laferrière. Il est à Tours ce que Jean-Louis Froment fut à Bordeaux, ce que Jean-Louis Maubant est à Villeurbanne, etc. : l'âme même de la dynamique art contemporain non seulement d'une ville mais bien au-delà d'une région. Il vit, il respire l'art contemporain au quotidien avec cette obsession de faire partager à l'autre cette nécessité par-delà toute retenue, toute résistance, tout refus.

De *Tours Art Vivant*, une association créée à la fin des années soixante-dix, à la biennale natio-

♦ SITUATION
Centre de création
contemporaine
53-55, rue Marcel-Tribut
37000 Tours
Tél. : 02 47 66 50 00
Fax : 02 47 61 60 24
Ouvert du mercredi au dimanche de 15 à 19 heures. Entrée libre.

nale d'art contemporain qui ne connut hélas !
que deux numéros, en 1983 et en 1985, Julien-
Laferrière a tout éprouvé des stratégies cultu-
relles.

Le CCC, qu'il a créé en 1985, s'est avéré au fil du
temps comme la forme structurelle la plus
appropriée à ses projets. Installé pendant plus de
dix ans dans d'anciens ateliers d'un lycée technique, le Centre d'art de Tours s'est surtout attaché à privilégier les démarches d'artistes singuliers, non inscrits au sein de mouvements ou de
tendances bien définis.

Grandes monographies d'artistes chevronnés
(Opalka, Dietman, Debré, Mosset, Ben, etc.) et
expositions personnelles d'artistes plus jeunes
(Autard, Poivret, Basserode, van Caeckenberg,
etc.) en ont composé alors le programme.

Depuis deux ans et en attente d'une installation
définitive dans un carmel désaffecté, le CCC
loge de façon provisoire dans des locaux en plein
quartier urbain, à deux pas de la gare. Le fait
d'avoir ainsi pignon sur rue a largement transformé ses modes d'action.

Quatre fonctions nettement distinctes président
à leur développement : une programmation
d'expositions relativement restreinte, essentiellement articulée sur la question de l'exposition ; la
création d'un bureau d'études visant à l'intégration à la vie du CCC de quelque soixante-
quinze étudiants ; la mise en place d'une agence
d'artistes destinée à épauler tant conceptuelle-
ment que techniquement les artistes dans le
cadre de l'élaboration de leurs projets ; enfin, la
gestion du dépôt de l'œuvre de Claude Rutault
intitulée *Transit*, sorte de réservoir servant à
alimenter le travail de l'artiste et qui est une
façon de vivre au quotidien le fonctionnement
d'une œuvre.

Comme on peut le comprendre, le CCC a toujours été soucieux d'être en phase avec les
formes d'action les plus innovantes des artistes ;
il est donc par nature à l'avant-scène des préoccupations d'une création pleinement contemporaine. Et c'est sans parler de ses activités
d'éditions, de conférences, de colloques, ainsi
que de l'atelier Calder à Saché, résidence
d'artiste dont il a la responsabilité, autre source
de relations de travail. Tout un monde, en
quelque sorte.

Page ci-contre :
le Centre
de création
contemporaine
de Tours.

♦ SITUATION
Galerie Michel Rein
56 bis, rue du Rempart
37000 Tours
Tél. : 02 47 66 73 72
Fax : 02 47 66 73 76
Ouvert du mercredi au
samedi de 10 à 12 heures
et de 14 à 19 heures.

Galerie Michel Rein

« Celui qui se perd dans sa passion a moins perdu que celui qui perd sa passion » écrit Saint-Augustin. Pour la passion de l'art contemporain, Michel Rein a largué un beau jour les amarres et a troqué son statut de cadre supérieur dans la communication pour celui de galeriste. Amateur de longue date, collectionneur depuis la fin des années soixante-dix, il n'a pu résister à l'appel de l'art. Installé depuis 1992 dans les locaux d'une ancienne imprimerie, il compte parmi les rares marchands privés en région. Il est aujourd'hui un homme heureux parce qu'il fait ce qu'il aime vraiment – et qu'il le fait très bien – travaillant avec des aînés comme Buren, Rutault ou Sekula mais aussi des jeunes qui ont pour nom Delphine Coindet, Bernard Rüdiger ou Bernard Calet. La visite s'impose et vous pouvez toujours soutenir son action en y faisant vos emplettes.

Trédrez-Locquémeau / Côtes-d'Armor 22

Bretagne

♦ SITUATION
Galerie du Dourven
Domaine départemental
22300 Trédrez-Locquémeau
Tél. et fax : 02 96 35 21 42.
Ouvert de 15 à 19 heures
tous les week-end
et jours fériés et, pendant
les périodes de vacances
scolaires, tous les jours
sauf le lundi.
Entrée libre.

Galerie du Dourven

« Levez-vous vite, orages désirés qui devez emporter René dans les espaces d'une autre vie ! » s'exclame Chateaubriand dans *René*. Face à la mer, sur ces rochers de la Pointe du Dourven, flânant parmi les pins sylvestres, les chênes-lièges, les eucalyptus, les châtaigniers, vous reviendra peut-être en mémoire la parole impérieuse de l'écrivain. Il n'est guère de lieu plus inspiré et l'on se prend à penser que Jean-Jacques, lui aussi, aurait aimé ce coin-là. Située entre celles du Séhar et de Beg Léguer, la pointe du Dourven qui saille dans la baie de Lannion est l'un des sites les plus beaux de la côte d'Armor. Y trouver une galerie d'art contemporain tient du mirage et l'on se demande qui a bien pu en avoir l'idée. Qu'importe après tout, laissez-vous emporter par la magie du lieu et ce microclimat qui permet d'y entretenir des essences les plus inattendues.

Créée par la mission arts plastiques du département, la galerie du Dourven se présente comme une architecture tout entière vitrée dont la proue avance vers la mer offrant un point de vue inoubliable juste au-dessus des découpes de la côte. Si sa programmation ne peut que tenir compte de ce contexte, les artistes qui y sont invités ne peuvent qu'imaginer un travail spécialement conçu pour le lieu. Bien sûr les rapports art et paysage y sont privilégiés mais aussi tout ce qui peut référer à une culture régionale. Si Erik Samakh y a fait entendre entre chien et loup des voix d'outre-tombe, Jacques Villeglé y a célébré de ses signes sociopolitiques un poète breton. Bref, il y va chaque fois d'un véritable challenge.

Troyes / Aube 10

Champagne-Ardenne

Passages
Centre d'art contemporain

Installé depuis 1982 dans les locaux d'une ancienne fabrique de bonneterie, le Centre d'art de Troyes s'est très rapidement imposé comme l'un des relais les plus actifs de la région champenoise. Un double objectif l'a toujours guidé : favoriser la création la plus récente en invitant de jeunes artistes, français ou étrangers, à développer leur travail et présenter les œuvres d'artistes plus chevronnés marquant un moment

◆ SITUATION

Passages
Centre d'art contemporain
Ancienne adresse :
3, rue Vieille-Rome
10000 Troyes
Tél. : 03 25 80 59 42
Fax : 03 25 76 17 12
Nouvelle adresse :
9, rue Jeanne-d'Arc
10000 Troyes
Ouvert tous les jours sauf le dimanche de 14 à 18 heures. Entrée libre.

particulier de leur parcours. On pouvait y voir ainsi encore récemment tant la première exposition en France du canadien Pierre Bruneau que l'ensemble de l'œuvre estampé de Gérard Garouste.

Cette façon d'éclectisme a toujours réglé la programmation du centre qui mêle les genres et dont les expositions de Jochen Gerz, de Gina Pane ou de Raymond Hains resteront pour longtemps gravées dans la mémoire de ceux qui les ont vues.

L'installation du centre dans les locaux désaffectés de l'école des Beaux-arts, à proximité de la gare, devrait lui permettre de disposer d'un espace plus important, plus rationnel et plus confortable. Il perdra en revanche quelque chose qui en faisait le charme et qui était dû au fait de son installation dans une maison particulière. Passages…

Deuxième acte, en quelque sorte.

Valence / Drôme 26

Rhône-Alpes

♦ SITUATION
Le musée de Valence
4, place des Ormeaux
26000 Valence
Tél. : 04 75 79 20 80
Fax : 04 75 79 20 84
Ouvert tous les jours
sauf mardi l'après-midi
de 14 à 18 heures, de plus
les mercredi, samedi
et dimanche, le matin,
de 9 à 12 heures.

Le musée de Valence

Tout amateur de dessin qui se respecte – de dessin soit ancien, soit moderne, soit contemporain – se doit de faire halte ici au moins une fois. Le musée de Valence qu'abrite l'ancien évêché et où l'on trouve mêlés les moments de son histoire et les fragments d'une collection à caractère encyclopédique possède un fonds graphique XVIIIe très important, et plus particulièrement une collection de paysages d'Hubert Robert de premier ordre. Un vrai régal pour les passionnés de ruines en tous genres. À cela s'ajoute tout un ensemble d'œuvres sur papier qui va des différentes abstractions des années cinquante jusqu'à nos jours et qui vise à faire voir ce qu'il en est de l'usage du dessin dans la création contemporaine.

Au centre d'une réflexion qui s'inquiète tant de sa nature que de sa fonction, le dessin est à Valence l'objet de régulières manifestations au regard d'une actualité qui ne cesse de connaître toutes sortes de développements. « Le dessin n'est pas la forme, il est la manière de voir la forme » disait Paul Valéry.

L'Aquarium

Galerie de l'école des Beaux-Arts de Valenciennes, ville natale de Watteau, l'Aquarium est composé de deux espaces distincts, dont l'un, « Les Vitrines du hall », justifie à lui seul son nom. Consacrées à la présentation d'expositions d'arts plastiques, tant monographiques que thématiques, celui-ci occupe – comme son nom l'indique – des locaux qui donnent sur le hall d'entrée de l'école. L'autre lieu est un « Espace design » où, sur un rythme relativement soutenu, sont présentés des objets de mobilier et des accessoires de la maison dans un souci tout à la fois pédagogique et de réflexion pour mettre en valeur les rapports existant entre art et design, concept et technicité, savoir-faire et matière. L'intérêt de ce genre d'institution est d'être pleinement immergé dans le contexte d'une école. Il permet aux étudiants de disposer sur place d'une antenne d'expositions, souple et légère, et au public amateur de découvrir ce qu'il en est de son fonctionnement.

♦ SITUATION
L'Aquarium
École des Beaux-Arts
8, rue Ferrand
59300 Valenciennes
Tél. : 03 27 22 57 63
Fax : 03 27 22 57 60
Ouvert du mardi au samedi
de 15 à 19 heures.
Entrée libre.

Cimetière
Commande publique : Emmanuel Saulnier, *Rester-Résister,* 1994

Haut lieu de la Résistance, le Vercors a connu toutes sortes d'épisodes heureux et sombres qui font la grandeur de son histoire. De douloureuse mémoire, le massacre des habitants de Vassieux-en-Vercors entre le 14 et le 22 juillet 1944 est l'un des plus brutaux qui aient été perpétrés par les troupes nazies. L'hommage qui leur est rendu au travers de la commande publique qu'a réalisée Emmanuel Saulnier dans le petit cimetière communal est un exemple du genre. Pour un monument aux morts, il est d'une étonnante présence. Au nombre des victimes, soixante-seize stèles de verre de différentes dimensions y sont dressées formant comme un carré mémorable qui laisse le regard circuler entre elles et se perdre dans le paysage. Une dalle de granit gravée au nom des habitants assassinés occupe le centre des trois premiers rangs et une allée de gravillon blanc en borde le dernier permettant au visiteur d'appréhender ce cimetière de verre dans la globalité de sa transparence. Silence et recueillement.

Vence / Alpes-Maritimes 06

Provence-Alpes-Côte d'Azur

Château de Villeneuve

♦ SITUATION
Château de Villeneuve
Fondation Émile-Hugues
2, place du Frêne
06140 Vence
Tél. : 04 93 58 15 78
Fax : 04 93 24 24 23
Ouvert tous les jours sauf lundi de 10 à 12 heures 30 et de 14 à 18 heures.

Attenant à une tour de garde du XIIᵉ siècle, le château de Villeneuve qui fut pendant longtemps la demeure des seigneurs locaux et qui est le siège de la fondation Émile-Hugues a été construit au XVIIᵉ siècle. Depuis sa restauration par l'architecte Jean-François Bodin, il présente tous les aspects d'une belle et grande villa à l'italienne aux murs vivement colorés. Art moderne et art contemporain y alternent dans l'intelligence d'une programmation qui vise à faire valoir des séquences particulières de l'œuvre des artistes. On y a ainsi vu une mémorable exposition d'œuvres fluo de Jean-Pierre Raynaud et, tout récemment, la période niçoise de Claude Viallat. Un vrai lieu de plaisir.

Château Notre-Dame-des-Fleurs

♦ SITUATION
Château Notre-Dame-des-Fleurs
06140 Vence
Tél. : 04 93 24 52 00
Fax : 04 93 24 52 19
Ouvert tous les jours sauf le dimanche de 11 à 19 heures.

D'un château l'autre, celui que Pierre et Marianne Nahon, anciens marchands parisiens, ont transformé en « galerie aux champs » a été construit au XIXᵉ siècle sur les vestiges d'une abbaye bénédictine. Anciennement musée des Arômes, c'est un autre air qu'on y respire maintenant, mêlé d'art moderne et d'art contemporain. Si la programmation fait la part belle aux artistes tant de l'école de Nice* que du Nouveau Réalisme* – Arman en tête qui a inauguré les locaux en 1993 –, elle en appelle aussi volontiers au mode thématique (« Objets d'artistes », « Les Bugatti », « Nouvelles impressions d'Afrique », « Mai 68 », etc.). Tout est ici conçu pour l'accueil du public qui peut à son gré profiter du jardin en espaliers planté de

sculptures qui s'étire devant la bâtisse. Ne pas repartir sans avoir visité la petite chapelle médiévale que les maîtres des lieux ont dédié à Tinguely et dont Jean-Pierre Raynaud a composé les vitraux en hommage au sculpteur. Le château Notre-Dame-des-Fleurs est une galerie privée, on peut donc y faire ses courses.

Vez / Oise 60

Picardie

Donjon de Vez

Vous aimez les vieilles pierres et vous êtes amateur d'art contemporain ? Ça tombe bien, Francis Briest aussi. Commissaire-priseur de son état, il a racheté à la fin des années quatre-vingt le petit château de Vez, édifié au XIIe siècle puis fortifié au XIVe siècle et dont il ne reste plus aujourd'hui que le donjon, la chapelle, les tours de guet et une belle ligne de remparts. Classé monument historique, pièce majeure du patrimoine gothique du pays du Valois, le donjon de Vez n'en est pas moins ouvert à la création contemporaine. Non seulement, chaque été son propriétaire l'anime d'une exposition d'art moderne ou contemporain mais il a invité des artistes à y réaliser des œuvres permanentes : Calder y a été célébré, Raynaud y a installé un pot en or, Sol LeWitt y a fait un étonnant *wall drawing**, enfin le paysagiste Pascal Cribier en a dessiné les jardins. Une petite escapade gourmande d'art et d'histoire.

♦ SITUATION
Donjon de Vez
Vallée de l'Automne
Rue Croix-Rebours
60117 Vez
Tél. : 03 44 88 55 18
Fax : 03 44 88 55 19
Ouvert toute l'année les samedi, dimanche et jours fériés de 14 à 18 heures et, l'été, tous les après-midi.

Villefranche-sur-Saône / Rhône 69

Rhône-Alpes

Espace arts plastiques
Centre culturel de Villefranche

Depuis vingt ans qu'il a été créé dans les locaux d'une ancienne halle à grain du milieu XIXe, ce lieu a connu toutes sortes de vicissitudes et sa présence sur la scène artistique a été en dents de scie. Partie prenante du Centre culturel de Villefranche depuis le début des années quatre-vingt-dix, il a retrouvé une nouvelle dynamique, notamment au cours des trois dernières années, et une programmation pleinement prospective.

♦ SITUATION
Espace arts plastiques
Centre culturel de Villefranche
170, rue de Grenelle
69400 Villefranche-sur-Saône
Tél. : 04 74 68 33 70
Fax : 04 74 62 35 13
Ouvert les mardi, jeudi, vendredi et samedi de 14 à 18 heures, le mercredi de 9 à 12 heures et de 14 à 18 heures. Entrée libre.

À raison de quatre expositions par an, celle-ci s'applique à faire valoir les différents aspects de l'art contemporain. Monographiques – comme celles de Corinne Mercadier ou de Gérard Traquandi – ou de groupe, les expositions de Villefranche font partie de tout un dispositif destiné à sensibiliser le public : ateliers, conférences, rencontres, etc.

Villeneuve-d'Ascq / Nord 59

Nord-Pas-de-Calais

♦ SITUATION
Musée d'Art moderne de la communauté urbaine de Lille
1, allée du Musée
59650 Villeneuve-d'Ascq
Tél. : 03 20 19 68 68
Fax : 03 20 19 68 99
Ouvert tous les jours sauf mardi de 10 à 18 heures.

Musée d'Art moderne de la communauté urbaine de Lille

On ne le sait pas toujours mais le musée de Villeneuve-d'Ascq, créé en 1983, installé en lisière d'un immense parc, possède la cinquième collection cubiste au monde et ce, grâce à la donation Masurel à laquelle d'ailleurs il doit son existence. Bien sûr, le cubisme n'est pas l'art contemporain mais il le fut, et de quelle manière ! À ce trésor s'ajoute encore un ensemble d'œuvres remarquables des années cinquante. Autant de bonnes raisons pour y multiplier les actions en direction de l'avenir. C'est ce que ne manque pas de faire Joëlle Pijaudier, sa directrice. En charge de cet établissement depuis plus de dix ans, elle y conduit une politique très dynamique qui en fait l'un des foyers les plus vivants de la scène artistique du nord de la France.

Expositions temporaires et commandes publiques destinées au parc composent les deux grands axes de son action. Le premier en appelle surtout au mode monographique visant à faire voir la singularité du parcours d'artistes tels que Gasiorowski, Dufrêne, Leroy, Oppenheim, Boetti, On Kawara ou Alan Mac Collum ; le second qui est le plus souvent développé en relation avec une exposition s'est traduit par la commande de sculptures destinées au parc à des artistes comme Flanagan, Deacon ou Jean-Gabriel Coignet. Quoiqu'il revendique d'être moderne, on aura compris que le musée de Villeneuve-d'Ascq ne se prive d'aucune espèce de forme contemporaine. Détour obligé.

Galerie Georges Verney-Carron

Après avoir laissé à d'autres, au début des années quatre-vingt, l'initiative d'ouvrir une galerie au rez-de-chaussée du petit bâtiment de son entreprise de communication, Georges Verney-Carron a décidé en 1987 de créer une structure à son nom propre. Depuis lors, cet homme passionné d'art contemporain empile les casquettes sur sa tête : galeriste, conseiller artistique, assistant de maîtrise d'ouvrage, etc. Il a eu l'idée de suggérer à Lyon Parc Auto (cf. p. 93) de créer des parkings new look. Il a contribué à la mise en œuvre technique de la place des Terreaux. Il est à l'origine de plusieurs commandes publiques. Enfin, il mène dans sa galerie une programmation de haut niveau : Lawrence Weiner, Daniel Buren, François Perrodin, Jean-Gabriel Coignet, Rober Racine, Krijn de Koning, Cécile Bart sont quelques-uns des artistes avec lesquels il travaille. Bref, il n'arrête pas. Arrêtez-vous chez lui.

Institut d'art contemporain
Frac Rhône-Alpes / Nouveau musée

Au meilleur sens du mot, c'est d'une cohabitation que procède la fusion toute récente en Institut d'Art contemporain du Nouveau musée de Villeurbanne et du Frac Rhône-Alpes. Sans rentrer dans les détails de l'histoire séparée de ces deux institutions, disons tout simplement que cette cohabitation est la conséquence de situations qui les ont vues toutes deux mais indépendamment l'une de l'autre traverser certains tourments pour se retrouver finalement fondues sous le même toit.

Fondé par Jean-Louis Maubant à la fin des années soixante-dix, installé dans les locaux désaffectés d'une ancienne école primaire, le Nouveau musée a bénéficié en 1992 d'une complète réhabilitation et il dispose aujourd'hui

◆ SITUATION

Galerie Georges Verney-Carron
99, cours Émile-Zola
69100 Villeurbanne
Tél. : 04 72 69 08 20
Fax : 04 72 44 97 70
Ouvert du lundi au vendredi
de 9 à 12 heures
et de 14 à 18 heures 30
et sur rendez-vous.

◆ SITUATION

Institut d'art contemporain
Frac Rhône-Alpes / Nouveau
musée
11, rue du Docteur-Dolard
69605 Villeurbanne
Tél. : 04 78 03 47 00
Fax : 04 78 03 47 09
http://www.nouveau-
musee.org
Ouvert du mercredi
au dimanche, de juin
à septembre
de 13 à 19 heures,
d'octobre à mai
de 13 à 18 heures.

d'un outil remarquable. Une programmation dont la rigueur est le reflet de son engagement, la constitution d'un fonds d'archives dans le domaine de la recherche théorique sur l'art, la mise en œuvre d'une politique éditoriale pionnière : telles sont les trois grandes orientations d'une institution dont l'envergure internationale est reconnue depuis belle lurette. De Buren à Basserode et de Lawrence Weiner à Tony Oursler, la liste des artistes qui ont été montrés au Nouveau musée est considérable. Ouverte, elle témoigne du souci qui a toujours été celui de Jean-Louis Maubant de présenter tant des artistes chevronnés que des jeunes. Qu'elle soit monographique ou thématique, chacune des expositions du Nouveau musée vérifie toujours les mêmes critères : exigence, innovation, réflexion. Pour cela, il est l'un des pions essentiels de l'échiquier hexagonal et, à ce titre, un lieu incontournable.

En 1992, la transformation de son intitulé en « Nouveau musée/Institut » visait à mettre l'accent sur l'activité tant de recherches que d'édition, tant de formation que de documentation, qu'il n'a jamais cessé de mener parallèlement et qui en fait l'un des lieux les actifs de l'Hexagone en ces différents domaines.

Si l'installation du Frac Rhône-Alpes dans ses locaux a pu surprendre, elle trouve sa justification dans l'idée d'une conjugaison de leurs missions et de leurs moyens ainsi que dans la réalisation, à partir des spécificités de chacun, d'un projet artistique culturel commun de formation et de sensibilisation du public.

L'un des atouts majeurs de l'institution régionale est sa collection. Composée d'œuvres très diverses (notamment Figuration narrative*, pop art* européen, Figuration libre*, sculpture anglaise[1], jeunes artistes régionaux), elle lui permet toutes sortes d'actions soit dans le cadre du Nouveau musée et en collaboration avec lui, soit indépendamment par la mise en place en région d'expositions modulaires et thématiques. C'est ainsi qu'a été défini tout un programme sur trois ans autour des thèmes fondateurs de la notion de *muséum*, telle qu'elle avait été envisagée au début du XVIIIe : histoire naturelle, astronomie, galerie de portraits, etc. Une fusion/cohabitation très « synergétique ».

Page ci-contre : l'Institut d'Art contemporain du Nouveau musée de Villeurbanne et du Frac Rhône-Alpes.

◆ SITUATION
Galerie Duchamp
École municipale d'arts
plastiques
7-9, rue Percée
76190 Yvetot
Tél. : 02 35 96 36 90
Fax : 02 35 95 09 85
Ouverture selon program-
mation, téléphoner pour
tout renseignement.
Entrée libre.

Galerie Duchamp

Si le nom de Duchamp peut surprendre, il n'a pourtant rien d'usurpé. Deux raisons au moins le justifient : la première est que l'inventeur des ready-made est natif de Blainville, un petit village voisin, proche de Rouen ; la seconde est que la programmation de cette galerie de l'école municipale des arts plastiques est de grande qualité et vise à mettre en exergue les innovations les plus fortes. Les tendances les plus singulières y sont représentées et, depuis six ans qu'elle a été créée, les artistes qui y ont été invités – de Bertholin à Ken Lum en passant par Georges Rousse, Valérie Belin et Jean-Charles Pigeau – s'y sont toujours investis de la façon la plus sin-

gulière. Dans un proche avenir, la présentation alternée d'œuvres issues des collections du Frac devrait contribuer à faire de ce lieu l'un des passages obligés de Haute-Normandie. C'est tant mieux parce qu'il n'y a rien de plus étonnant que de trouver de l'art contemporain là même où l'on ne s'y attend pas. Ne pas quitter Yvetot sans être allé jeter un coup d'œil sur l'hôtel de ville reconstruit après la guerre et signé Auguste Perret.

MÉDIAS

Revues d'art, magazines, feuilles de choux, malgré toutes les difficultés de l'époque la presse écrite traitant d'art contemporain est heureusement diverse et variée. La liste des titres ici retenus n'est évidemment pas exhaustive. Notre sélection s'est attachée à faire valoir des publications de qualité, qu'elles soient reconnues ou discrètes.

Art Présence

Rue de l'Hôtel-des-Landes
22370 Pléneuf-Val-André
Tél. & fax 02 96 72 99 85
Trimestriel

Réalisée au fin fond de la Bretagne, cette revue d'art n'en est pas moins attentive à l'actualité la plus fraîche. Sans aucun *a priori* de chapelle, son intérêt se porte volontiers sur la jeune création contemporaine dont elle nous livre parfois des avant premières qui témoignent de son esprit pionnier.

Art Press

8, rue François-Villon, 75015 Paris
Tél. 01 53 68 65 65 - Fax 01 53 68 65 85
Mensuel

Souvent considérée comme la plus intello des revues d'art, elle est indéniablement la plus convoitée des artistes. Depuis plus de vingt-cinq ans qu'elle existe, on dit aussi volontiers qu'elle a fait et défait plus d'un effet de mode : c'est qu'elle est soucieuse non pas seulement de rendre compte de l'actualité, mais de la prévenir.

Beaux-Arts

Tour Maine-Montparnasse
33, avenue du Maine, 75015 Paris
Tél. 01 56 54 12 34 - Fax 01 45 38 30 01
Mensuel

Pur produit des années 1980, ce titre qui est destiné à un grand public mêle style news et approche didactique sur l'art. Éclectique, il traite indifféremment les périodes et les styles les plus divers dans un souci essentiellement porté par l'actualité.

Les Cahiers du Musée national d'Art moderne

CNAC Georges Pompidou
75191 Paris Cedex 04
Tél. 01 44 78 13 29
Trimestriel

Thématique, la revue du Musée national d'Art moderne fait appel à toutes sortes de plumes diverses et variées : philosophes, sociologues, historiens, critiques d'art, écrivains, artistes, etc. Une publication dans le meilleur esprit universitaire.

Le Carnet des arts plastiques

6, chemin des Balmes, 69390 Vourles
Tél. 04 90 69 69 66 - Fax 04 90 69 69 67
Guide trimestriel des expositions,
musées et galeries en France et en Suisse

Guide très sommaire mais pratique, assez bien illustré. Plus particulièrement bien documenté sur la région Rhône-Alpes.

Cimaise

95, rue Vieille-du-Temple, 75003 Paris
Tél. & fax 01 45 43 70 45
Bimestriel

Les effets de mode n'ont pas de prise sur cette revue dont l'essentiel est fait de visites d'ateliers et d'études monographiques, d'artistes comme de lieux. Peinture et sculpture y sont considérés comme des modes vigoureux et prospectifs. Un plus important : édition franco-anglaise.

Connaissance des Arts

25, rue de Ponthieu, 75008 Paris
Tél. 01 44 95 89 00 - Fax 01 42 56 43 35
Mensuel

Curieux de la richesse patrimoniale de toutes les époques et de toutes les cultures, ce titre consacre à l'art contemporain une réelle attention à travers le filtre de l'actualité, de sujets thématiques ou monographiques. L'architecture reste son domaine privilégié.

ddo (doigt dans l'œil)

BP 101, 59109 Lille
Tél. 03 20 24 64 24 - Fax 03 20 24 69 49
57, rue Trichon 59100 Roubaix
Bulletin bimestriel d'informations
en art contemporain de l'eurorégion Nord

Ce format tabloïd qui couvre tant le Nord, le Nord-Pas-de-Calais et la Picardie que la Flandre, la Wallonie, Bruxelles et le Kent mêle articles de fond, entretiens et agenda pratique. Une publication de référence, curieuse aussi de théâtre et de musique.

Documents

Les Presses du réel - Le Consortium
Centre d'art contemporain
16, rue Quentin, 21000 Dijon
Tél. 03 80 30 75 23 - Fax 03 80 30 59 74
Trimestriel

Bilingue, cette revue connaît deux formules distinctes : la première, un dossier thématique réunissant les travaux d'artistes plasticiens et d'écrivains ; la seconde, un dossier confié à un seul artiste. Chroniques et articles monographiques sont aussi au menu d'une revue qui a été reprise par la structure éditoriale du Consortium de Dijon.

Exposé

20, quai Cypierre, 45000 Orléans
Tél. 02 38 42 03 26 - Fax 02 38 42 03 25
Annuel

Cette toute jeune revue d'esthétique et d'art contemporain, comparatiste et transdisciplinaire, très sensible au rapport texte/image, ne cache pas ses ambitions de renouveler le regard critique. Thématique, elle propose une approche réflexive liée aux problématiques actuelles de l'art.

Hors d'œuvre

Interface
104, rue de Mirande, 21000 Dijon
Tél. & fax 03 80 65 19 07
Le journal de l'art contemporain
en Bourgogne, trimestriel

Dernière née dans le genre, cette publication se veut un espace d'information, de communication et de réflexion critique très ouvert. Elle offre un menu très divers qui couvre un champ régional élargi particulièrement actif.

L'Info Noir / Blanc

Bulletin du Comité
des artistes-auteurs-plasticiens (Caap)
21, rue Rodier, 75009 Paris
Tél. & fax 01 44 53 01 69
Mensuel

Outil tout à la fois d'information et de combat des droits et des devoirs des créateurs, ce huit-pages photocopié est une mine de tuyaux administratifs et d'infos pratiques. Dossier thématique militant et revue de presse épinglante y sont riches d'enseignements.

Le Journal

Centre national de la photographie
11, rue Berryer, 75008 Paris
Tél. 01 53 76 12 32 - Fax 01 53 76 12 33
Trimestriel

Tout nouveau né dans l'univers médiatique de la photographie contemporaine, c'est d'abord et avant tout l'organe de communication des activités du CNP. Il n'en propose pas moins des articles de fond ou des brèves sur l'actualité photographique en général.

Le Journal des Arts

23, avenue Villemain, 75014 Paris
Tél. 01 45 43 82 60 - Fax 01 45 43 81 40
Bimensuel, sortie le vendredi

Organe d'information générale balayant l'ensemble de l'actualité artistique toutes périodes et toutes pratiques confondues, ce périodique offre au lecteur une mine de renseignements. L'art contemporain y trouve son compte sous forme tant de compte rendus d'expositions que de sujets de dossiers.

Le Journal des Expositions

11, rue de Chatou, 92700 Colombes
Tél. & fax 01 42 42 53 73
Bulletin d'information mensuel

Fait de quatre pages consacrées à l'actualité de l'art contemporain en région parisienne, ce gratuit rassemble commentaires sur l'actualité, prises de position, comptes rendus d'expositions, entretien et une ou deux informations pratiques.

Maintenant

Centre Georges-Pompidou
Direction de la Communication
75191 Paris Cedex 04
Tél. 01 44 78 12 33 - Fax 01 44 78 13 00
Bulletin d'information bimestriel

Sous-titré « L'agenda du Centre Georges-Pompidou », cette feuille format tabloïd de huit pages permet au lecteur d'être informé sur toutes les activités du Centre dans le contexte particulier des travaux visant son réaménagement. Notamment sur ses actions « hors les murs ».

Muséart

11 bis, avenue Mac-Mahon, 75017 Paris
Tél. 01 40 55 82 00 - Fax 01 40 55 82 10
http://www.museart.com.
Mensuel

Mensuel de l'actualité de l'art et du voyage culturel, cette revue dont le champ d'investigation est très large ne laisse qu'une petite place à l'art contemporain qui trouve toutefois à s'exprimer dans chaque numéro à travers le traitement d'une actualité condensée et de sujets thématiques.

L'Œil

23, avenue Villemain, 75014 Paris
Tél. 01 45 43 82 60 - Fax 01 45 43 81 40
Mensuel

De l'antiquité à l'art contemporain, cette revue d'art historique couvre un champ immense en s'attachant tant à traiter de l'actualité la plus vive que de sujets patrimoniaux. Articles de fond, entretiens, découvertes de lieux et de collections sont au menu d'une publication qui a su récemment réactiver son image et regagner sa place dans le champ médiatique artistique.

Omnibus

Association Omnibus - L'Avance artistique
51, rue Planchat, 75020 Paris
Tél. 01 40 24 29 78 - Fax 01 40 24 29 77
Trimestriel

Conçu et réalisé par une seule et même personne, *Omnibus* se veut une publication de partis pris et d'écriture hors normes. Des plumes engagées signent le sommaire qui est fait de textes à haute dose critique. Sa maquette, objet d'une savante expérimentation graphique, vise à donner une visualité à la matière texte.

Pratiques

École régionale des Beaux-Arts
34, rue Hoche, 35000 Rennes
Tél. 02 99 28 55 78 - Fax 02 99 28 58 24
Semestriel

Sous-titrée « Réflexions sur l'art », cette publication vise à mettre en évidence les enjeux des pratiques contemporaines, qu'elles soient du domaine de la théorie, des formes plastiques ou de la médiation de l'art. Rigueur et exigence au service d'une pensée sur l'art.

Purple Prose

Association Belle Haleine
9, rue Pierre-Dupont, 75010 Paris
Tél. 01 40 34 14 64 - Fax 01 40 34 27 55
Semestriel

Apparu au début des années quatre-vingt-dix, *Purple Prose* est l'un des titres les plus « branchés ». Une mise en pages « zappante », un va-et-vient permanent entre français et anglais, un format poche, il traite de toutes les formes d'arts visuels et se décline en publications parallèles : *Purple Fiction*, *Purple Fashion* et le tout nouveau *Purple Sexe*.

Sans Titre

ACRAC
14, rue Véronèse, 59800 Lille
Fax 03 20 21 09 46
Paraît cinq fois l'an

Gratuit de quatre pages, ce titre qui est édité par l'Association pour un Centre régional d'art contemporain a assis sa réputation sur la publication d'un entretien qui est chaque fois un vrai morceau d'anthologie. Comptes rendus d'expositions et agenda européen l'accompagnent.

Synesthésie (Internet)

171, rue André-Karman
93300 Aubervilliers
Tél. 01 48 34 15 59 - Fax 01 48 33 65 98
http://www.metafort.com/synesthesie

Cette revue électronique s'adresse aux artistes, chercheurs et à ceux qui veulent jouer un rôle actif dans les changements de société liés au développement des nouvelles technologies. Créatrice de différents sites Web, elle propose actions artistiques en ligne, textes théoriques, introductions à des œuvres d'art et listes de liens.

Technikart

30, rue de Charonne, 75011 Paris
Tél. 01 48 05 15 28 - Fax 01 48 07 12 52
http://www.club-internet.fr/technikart
Mensuel

Sous le label « Culture et société », ce titre signale que son intérêt pour la création contemporaine est à entendre au sens large. Arts plastiques, musique, danse, cinéma, nouvelles technologies, sujets de société, sont au menu d'un magazine efficace quoique à tendance « people ».

Le Travail de l'art

4, rue Say, 75009 Paris
Tél. 01 48 78 54 45 - Fax 01 48 78 54 67
Semestriel

« Montrer comment l'art se travaille et ce qu'il travaille » : tel est l'objectif de cette toute nouvelle publication qui réunit uniquement des écrits d'artistes ainsi que les matériaux de leur recherche. La reprise de textes historiques de ce siècle, inédits, indisponibles ou introuvables, est aussi à son menu.

Verso Arts et Lettres

2, rue de Nevers, 75006 Paris
Tél. 01 46 33 62 45 - Fax 01 44 07 08 28
Trimestriel

Cette publication apparue il y a deux ans affiche haut et fort ses partis pris. Introduite par un dossier consacré à un artiste, elle mêle avec une rigueur noire et blanche commentaires d'expos, points de vue, paroles d'artistes, chroniques, analyses littéraires et théâtrales, etc.

Visuel(s)

Images-Diffusion-Écrits-Architecture
11, route de Darnétal, 76000 Darnétal
Tél. & fax 02 35 15 08 72
Trimestriel

Toute nouvelle, cette petite revue d'architecture s'inquiète des menaces en germe dans nos sociétés. Elle se propose donc de réfléchir à la question du dépassement de la crise de la modernité, en approfondissant notamment la réflexion sur la conjonction entre art et architecture. À suivre.

Zérodeux

Association Zoo Galerie
2, rue du Château, 44000 Nantes
Tél. & fax 02 40 35 41 55
Trimestriel

Ce gratuit se définit comme une revue d'informations d'art contemporain en Bretagne, Centre, Normandie et Pays de la Loire, autant de régions qui partagent le même indicatif téléphonique. Articles de réflexion, comptes rendus d'expositions et entretiens composent l'essentiel de son sommaire.

SERVEUR MINITEL

3615 cnap

C'est le minitel du Centre national des arts plastiques. Pour tout savoir sur le calendrier des manifestations, les aides aux plasticiens, les enseignements artistiques, les lieux de l'art contemporain, les brèves, le courrier et les petites annonces, l'annuaire professionnel...

Centre national des arts plastiques
27, avenue de l'Opéra, 75001 Paris
Tél. 01 40 15 73 00 - Fax 01 40 15 74 14

OUVRAGES GÉNÉRAUX

Au cours des quinze dernières années, l'art contemporain a connu un essor éditorial considérable. Sa bibliographie compte un nombre d'ouvrages d'une très grande diversité : essais, monographies, catalogues d'expositions, etc. Les titres qui suivent sont ceux d'ouvrages généraux, choisis pour leur densité et leur précision ; ils n'en représentent qu'un tout petit échantillon.

Carnets de la Commande publique
Éditions du Regard, Paris

Une collection qui a pour objectif d'évaluer par l'analyse de certaines œuvres la politique développée dans le cadre de la commande publique. De petit format, richement illustrés, imprimés sur papier glacé, chacun des volumes présente toutes les caractéristiques d'un minilivre d'art. Un peu précieux.

Gilbert Brownstone
Art contemporain France
Assouline, Paris 1997

Brève histoire des arts plastiques depuis l'entre-deux-guerres jusqu'à nos jours, ce petit livre vise à éclaircir ce qu'il en a été, ce qu'il en est de la notion d'art contemporain en France, surtout depuis 1960. La cinquantaine d'œuvres reproduites pleine page en compose comme une petite anthologie. Un discours simple, une vision éclectique.

Jean-Luc Chalumeau
L'Art au présent
UGE 10/18, Paris 1985

Quoiqu'un peu daté, cet ouvrage passe au crible tant les formes d'art que les structures, les systèmes et les hommes qui ont participé à la transformation du paysage artistique français au début des années quatre-vingt. Il permet ainsi de mesurer tout à la fois les espoirs attendus, les transformations réussies, les débordements, voire les erreurs, commis d'une époque.

Dominique Baqué
La Photographie plasticienne :
un art paradoxal
Éditions du Regard, Paris 1998

Premier du genre, cet ouvrage propose une analyse très pointue d'un concept qui est apparu dans le champ de l'art depuis 1970. Il en relève notamment l'aspect paradoxal en mettant en évidence ce que celui-ci subvertit d'une approche traditionnelle de la photographie. Historique, théorique et parfaitement documenté.

Dominique Frétard
L'Art dans toutes ses régions :
arts plastiques en France
Autrement, Paris 1986

Si cet ouvrage est aujourd'hui dépassé, il présente du moins l'avantage de faire le point de la situation artistique française à un moment donné de son histoire. L'état des lieux qu'il dresse des premiers effets de la décentralisation est lucide, efficace et sans complaisance. Qui plus est bilingue français-anglais.

Groupes, mouvements, tendances
de l'art contemporain depuis 1945
École nationale supérieure
des Beaux-Arts Paris 1989

Véritable livre-dictionnaire, cet ouvrage recense quelque soixante-quatorze mouvances qui ont agi sur l'art contemporain au cours de la seconde moitié de ce siècle. Sous la forme de fiches parfaitement documentées, il en propose une approche tout à la fois historique, analytique et critique très précise. Bibliographie et glossaire à l'appui. Un excellent outil pour étudiant.

Catherine Millet
L'Art contemporain en France
Flammarion, Paris 1987, rééd. 1994

Référence indiscutable d'une histoire de l'art en France de 1965 à 1994, date de sa dernière réactualisation, cet ouvrage est un must. L'auteur, qui les a vécus, nous fait revivre les uns après les autres tous les mouvements artistiques qui ont animé la scène nationale. Il s'interroge sur les effets de mode, questionne les relations de l'art et du social, celles de l'art et de l'individu, celles de l'art et du marché, cherche à éclaircir le rôle des avant-gardes. Abondamment documenté et illustré, ce livre d'histoire est nourri tant de souvenirs personnels que d'une pensée analytique, de références critiques que de réflexions théoriques. Un classique.

Catherine Millet
L'Art contemporain
Flammarion, coll. « Dominos », Paris 1997

Très différent du précédent, ce petit ouvrage est avant tout l'occasion d'une réflexion. « Un exposé pour comprendre » et « un essai pour réfléchir ». Théorique, il s'interroge sur la volonté de l'art de se rapprocher du public et celle des artistes de vouloir trop investir le réel. D'où les risques d'une inéluctable confusion. Discussion.

Nicolas de Oliveira
Nicola Oxley et Michael Petry
Installation : l'art en situation
Thames & Hudson, Hazan, Paris 1997

Cet ouvrage, considéré comme une référence, est l'un des rares qui traitent de la question de l'installation*. Sa traduction en français est une aubaine pour tous ceux qui veulent en apprendre sur l'historique du phénomène, sa signification, sa portée symbolique, son économie, etc.
Une abondante documentation et une illustration de premier choix.

Jean-Louis Pradel
L'Art contemporain depuis 1945
Bordas, Paris 1992

Plaidoyer pour l'art contemporain, ce petit ouvrage bien illustré s'applique à faire le point des différentes tendances qui ont animé la scène artistique internationale en mettant en exergue certains de ses acteurs parmi les plus notoires. Une synthèse efficace.

GLOSSAIRE

Ceci n'est pas un dictionnaire. Simplement quelques indications, les unes techniques, les autres esthético-historiques, qui devraient permettre au lecteur de se retrouver dans le dédale des expressions propres à l'art contemporain utilisées dans ces pages. Pour un plus ample savoir, se référer aux titres de la bibliographie.

Art conceptuel

Tendance qui a émergé aux États-Unis vers le milieu des années soixante et qui repose sur une conception de « l'art comme idée de l'art ». Joseph Kosuth et Lawrence Weiner sont les pères fondateurs de ce mouvement qui a essaimé très rapidement à travers toute l'Europe et dont l'expression a gagné un sens très élargi pour qualifier toute démarche artistique où l'idée de l'œuvre – son concept – prévaut sur sa réalisation. Les œuvres d'art conceptuel en appellent volontiers à une matérialité de documentation et d'archives comme l'écrit, la photo, le dessin ou la bande magnéto.

Art graffiti

Si le phénomène du « tag » apparaît dans le métro à New York dès 1970, il lui faudra attendre une petite dizaine d'années avant d'être pris en compte par les artistes et considéré par le milieu de l'art. Dès lors que la culture underground, le mouvement hip-hop et la musique rap auxquels il est étroitement lié auront été intégrés, l'art graffiti porté par des artistes comme Jean-Michel Basquiat, Keith Haring, Crash, Futura 2000 et quelques autres connaîtra un succès proprement fulgurant. Symptôme de tous les excès des années quatre-vingt, il est le parangon d'une culture spontanée, authentiquement populaire, d'une totale liberté de parole.

Arte povera

Apparu à Turin à la fin des années soixante, l'arte povera désigne un ensemble d'artistes réunis par le critique d'art Germano Celant. Leurs travaux, quoiqu'ils soient plastiquement très différents, s'opposent à toutes formes de fonctionnalisme et, dans un esprit quasi provocateur de « déculturation », prônent une pédagogie de la sensation forte. En réaction aux mythes de l'industriel et du naturel, l'arte povera qui compte entre autres des artistes comme Merz, Anselmo, Pistoletto, Kounellis, Fabro, Penone, est soucieux de rétablir un contact direct avec les matériaux et de favoriser l'échange entre des flux opposés. Quelque chose de vitaliste y est à l'œuvre qui lui confère une forte singularité.

Art minimal

Le refus de tout illusionnisme, le déni de toute subjectivité, le recours à des matériaux usinés, la pratique de la série sont autant de caractéristiques qui définissent l'art minimal. En complète opposition avec les débordements gestuels de l'expressionnisme abstrait, ce mouvement émerge aux États-Unis au milieu des années soixante pour se déterminer essentiellement à l'ordre d'une production en volume visant à faire valoir la qualité d'objet de l'œuvre d'art. Sol LeWitt, Don Judd, Carl André, Robert Morris figurent parmi les plus radicaux d'un art dont la part expérimentale du rapport triangulaire de l'espace, de l'œuvre et du regardeur est l'une des clefs de voûte.

Body art

Ce terme désigne l'une des tendances de l'art des années soixante-dix qui est à inscrire à l'ordre générique de la performance. Employé tant comme support que comme moyen, et non plus comme objet de représentation, le corps y est mis à l'épreuve dans le cadre d'actions le plus souvent réalisées en public. De la sorte, l'artiste vise à établir une véritable communication avec celui-ci en sollicitant sa sensibilité de façon directe et non par le truchement du discours ou d'une image. Souvent considéré comme spectaculaire et provocateur, le body art procède bien davantage de la volonté des artistes d'« un repli sur soi » qui invite à se remettre à l'écoute du monde et de l'autre. Les axionnistes viennois – Arnulf Rainer et Hermann Nitsch –, Michel Journiac et Gina Pane sont les figures emblématiques de cette tendance.

Cac – Centre d'art contemporain

Pas plus que celui de musée, le label de centre d'art contemporain n'est réservé. Au début des années quatre-vingt, le ministère Lang se l'est pourtant approprié pour qualifier tout un ensemble de lieux, nouvellement créés, exclusivement destinés à la présentation d'expositions temporaires. Conçus le plus souvent comme des lieux de production, ces centres d'art qui n'ont ordinairement en charge aucune espèce de collection fonctionnent sur un mode proprement expérimental. Leur taille peut varier toutefois de la petite unité souple et légère à celle beaucoup plus lourde d'un véritable musée. De nombreux lieux privés se revendiquent à bon droit de cette appellation, ce qui risque parfois de créer un malentendu quant à la perception que l'on peut en avoir.

École de Nice

Davantage géographique que stylistique, l'École de Nice qui se constitue au cours des années soixante en réplique à la domination de l'École de Paris ne constitue pas pour autant un groupe d'artistes homogène. Elle procède surtout de la complicité amicale de tout un petit monde de créateurs qui partagent une même attitude revendicatrice. Originaires de Nice et des environs (Klein, Malaval, Arman, Raysse) ou vivant sur la Côte (Ben, Chacalis, Filliou, Viallat...), ceux-ci participent à des mouvements aussi divers que le Nouveau Réalisme* ou Fluxus*, voire Supports-Surfaces*.

Fdac – Fonds départemental d'art contemporain

Les Fdac sont au département ce que les Frac* sont à la région, à cette différence considérable qu'il n'en existe que quelques-uns sur tout le territoire. En matière d'art contemporain, le département n'est malheureusement pas, à quelques exceptions près remarquables, un échelon territorial très actif. Imaginer la création systématique d'un Fdac par département, comme cela a été fait pour les Frac au début des années quatre-vingt, voilà qui renforcerait la situation de l'art contemporain en France !

Figuration libre

Apparue au tout début des années quatre-vingt dans le contexte d'un mouvement international de retour à la peinture, la Figuration libre est à la France ce que la Trans-avant-garde* est à l'Italie et les Nouveaux fauves* à l'Allemagne. François Boisrond, Rémi Blanchard (aujourd'hui disparu), Robert Combas et Hervé Di Rosa en sont les représentants mousquetaires. Issu de la bande dessinée, de la culture rock et d'une imagerie volontiers populaire, leur art est à l'unisson d'une génération qui se déprend des discours par trop intellectualisés de ses aînés et qui revendique spontanéité et efficacité. Une génération de l'image qui rameute la figure et réclame toute liberté de faire.

Figuration narrative

Proposée par le critique d'art Gérald Gassiot-Talabot au milieu des années soixante, cette expression a été forgée par lui pour caractériser toute une production picturale soucieuse de réactiver la question classique « de la représentation du temps par l'image statique ». Donc de redonner sens et valeur au contenu de l'œuvre et d'en assumer une notion narrative. Au sein de cette figuration, grand cas est notamment fait d'une attitude volontiers « critique » qui participe à la dénonciation des travers d'une société que règlent le pouvoir et l'argent. Rancillac, Télémaque, Cueco, Aillaud, Recalcati, Fromanger et quelques autres comptent parmi les représentants français d'une tendance largement européenne.

Fluxus

Comme on le dit de Dada dont il est l'héritier par bien de ses aspects, Fluxus est un mouvement international de l'esprit qui se manifeste plus particulièrement au cours d'actions ou de concerts. Formulé par Georges Maciunas, il émerge au début des années soixante, tant aux États-Unis qu'en Europe, animé par des artistes comme John Cage, La Monte Young, Yoko Ono, Nam June Paik et Vostell. Visant un décloisonnement des pratiques, Fluxus orchestre toutes sortes de mélanges plastiques, visuels, sonores et performants. Brecht, Filliou et Ben en composent une branche méditerranéenne très active dont les prestations sont restées mémorables.

Frac – Fonds régional d'art contemporain

Créés au début des années quatre-vingt, les Frac ont été institués dans le cadre de la politique de décentralisation culturelle qu'a mise alors en œuvre Jack Lang sur tout le territoire. L'intention était de doter les régions d'une structure propre destinée tant à constituer une collection d'art contemporain qu'à en organiser la promotion en invitant celles-ci à y consacrer un budget *ad hoc* établi en parité avec l'État. Objets de fréquentes polémiques, les Frac n'en demeurent pas moins l'un des rouages essentiels du dispositif artistique national et participent pour une part considérable à la diffusion de l'art contemporain en région.

Happening

À traduire littéralement comme un « événement en train d'avoir lieu ». Conceptualisé par Alan Kaprow dès 1958, le happening relève d'une forme de manifestation collective qui en appelle à la sollicitation du public. Parent proche de l'action et de la performance, mais davantage provocateur et ironique, il vise la libération des forces créatrices que tout homme possède en lui, complice qu'il est de démarches théâtralisantes à la façon d'un Julian Beck au sein de son Living Theater. Des mouvements comme Fluxus* et le Body art*, des artistes comme Klein et Beuys y ont souvent recouru comme moyen de communication avec l'autre.

Installation

Ce terme très générique recouvre tout mode de présentation d'un travail par lequel l'artiste établit dans l'espace tout un dispositif constitué de divers éléments en relation entre eux. L'installation que l'on peut considérer comme une extension architecturée de la notion d'environnement vise l'occupation d'un territoire en vue de nous inviter à son expérimentation soit physique, soit mentale, soit poétique.

Land art

Parce qu'ils n'en pouvaient plus de produire des œuvres en vase clos, un certain nombre d'artistes américains ont ressenti la nécessité à la fin des années soixante de travailler en relation directe avec la nature. Ils ont alors imaginé toutes sortes d'interventions *in situ* se servant de celle-ci tout à la fois comme support et comme matériau. Le plus souvent éphémères et très peu accessibles, leurs travaux relèvent tant d'inscriptions ou de marquages au sol (Richard Long, Walter de Maria) que de véritables entreprises de terrassements, de constructions (Robert Smithson, Michaël Heizer, Christo). De ce fait, leur communication en appelle à toute une économie d'images intermédiaires, dessins, photographies, vidéos, etc. Véritable esthétique de la mesure et de la démesure, le land art a très rapidement essaimé à travers toute l'Europe pour s'imposer comme l'une des avant-gardes les plus novatrices.

Nouveau Réalisme

Par-delà la diversité de leurs démarches, les artistes du Nouveau Réalisme qui ont été réunis en 1960 sous l'autorité critique de Pierre Restany partagent en commun une même aventure de l'objet. César, Arman, Villeglé, Spoerri, Raysse et quelques autres en sont les figures majeures. Fondé non plus sur la représentation mais sur la présentation de la nature moderne, leur art procède de « nouvelles approches perceptives du réel » qui visent son appropriation la plus radicale. Assemblés, compressés, accumulés, empaquetés, etc., les objets qu'ils récupèrent le sont comme les fragments du grand tableau monumental qu'offre à voir le monde contemporain.

Nouveaux Fauves

Sous ce label que l'on énonce en allemand « Neue Wilde », on regroupe un certain nombre d'artistes pour lesquels la couleur et la forme demeurent les éléments fondamentalement expressifs de la peinture. La référence est explicite. Il est fait ici allusion tant au fauvisme et à ses débordements colorés qu'à l'expressionnisme et à ses distorsions formelles. Georg Baselitz, Markus Lüpertz, Rainer Fetting, A.R. Penck comptent parmi les figures les plus actives de cette tendance de l'art allemand qui illustre la participation de l'art allemand au courant postmoderne. Peintes ou sculptées, leurs œuvres dont les sujets visent le plus souvent à revivifier un vieux fonds culturel en appellent davantage à la spontanéité qu'à l'analyse.

Nouvelle sculpture anglaise

Sous le couvert de cette expression plutôt vague ont été réunis dans la première moitié des années quatre-vingt différents artistes utilisant comme matériaux de base des objets de toutes sortes récupérés ici et là sur un mode proche du Nouveau Réalisme*. Pour l'essentiel britanniques, mais non exclusivement, ceux-ci ont développé toute une production d'œuvres, soit illustratives, soit métaphoriques, soit abstraites, les mettant en forme en recourant aux pratiques de l'assemblage, du découpage, du bricolage, voire de l'accumulation. Ainsi des objets ludiques de Bill Woodrow, des entassements de David Mach ou des constructions de Richard Deacon.

Photographie plasticienne

Si l'expression n'est pas des plus heureuses, force est de composer avec elle compte tenu de sa fortune critique. Elle a été inventée au cours des années quatre-vingt pour désigner toute une production d'images qui, si elle recourait au médium photographique, se distinguait de l'usage ordinairement convenu qu'on en faisait. La qualité de plasticienne renvoie en effet à l'idée d'une photographie dont l'image procède de diverses manipulations tant des matériaux et des modèles qui la constituent que du format ou de la mise en espace dans lesquels elle est établie. Le succès de cette expression va de pair avec celui d'un mode qui a gagné ses lettres de noblesse pour quitter la dimension de l'album, sinon du cadre, et se confronter à celle de la cimaise, voire de l'espace.

Pop art

Résolument tourné vers les images de la technologie, de l'environnement urbain et des mass médias, le pop art – abréviation de « popular art » – est né en Grande-Bretagne dans le milieu des années cinquante. Très rapidement récupéré par les États-Unis qui en font le vecteur artistique de leur *American way of life*, notamment Warhol, Lichtenstein, Oldenburg, Wesselman et Rosenquist, il vise à exprimer non les sentiments intimes de l'artiste mais ses sentiments publics. Tout en demeurant un art de la représentation, il recourt à toutes sortes de procédés de reproduction mécanographique célébrant par là l'avènement de la société de consommation.

Supports-Surfaces

Apparu à la fin des années soixante, constitué en tant que groupe à l'occasion d'une exposition en 1970 au musée d'Art moderne de la Ville de Paris, Supports-Surfaces qui a rassemblé au total une douzaine d'artistes n'a agi collectivement qu'un très court laps de temps. Si l'idée fondatrice du groupe est de remettre en question les moyens de la peinture (voire de la sculpture) en interrogeant ses constituants mêmes, son objectif est d'en dresser l'inventaire pour les redistribuer autrement. L'aventure de Supports-Surfaces participe d'un mouvement général de réflexion sur la nature de l'œuvre d'art et ses mécanismes structurels et matériels. Viallat, Dezeuze, Bioulès, Dolla, Grand, Pagès comptent parmi les figures clés du groupe dont la pensée théorique qui a influencé toute une génération a été développée par Marcelin Pleynet et portée par la revue *Tel Quel*.

Trans-avant-garde

Inventée par le critique d'art Achile Bonito Oliva en 1980, cette expression lui sert à désigner une tendance de l'art italien qui vise à réhabiliter la peinture tant remise en question par les années soixante-dix. La TAG qui procède d'une volonté de revitaliser la scène artistique italienne réaffirme ainsi le droit de l'artiste à exprimer sa propre « conscience heureuse » moyennant la récupération de la figuration, de l'élément fantastique, du fait main. Elle participe notamment à la réactiva-

tion de manières empruntées à l'histoire de la peinture, à travers tous les styles et toutes les avant-gardes. Sandro Chia, Francesco Clemente, Enzo Cucchi, Mimmo Paladino et Nicola de Maria comptent parmi les figures de proue de cette tendance.

Wall drawing

Mot à mot : « dessin sur le mur ». Anglo-saxonne, cette expression a fait florès depuis une vingtaine d'années dans la langue de l'art contemporain. Elle sert à désigner de façon générique toute création, qu'elle soit graphique ou peinte, très proche de la fresque dans son résultat plus que dans sa technique, conçue spécialement pour se développer sur une surface murale dans le cadre d'une architecture le plus souvent intérieure. L'Américain Sol LeWitt a grandement contribué à en multiplier la pratique mais des artistes du land art[1] comme Richard Long, Hamish Fulton ou de l'arte povera* comme Giuseppe Penone l'ont eux aussi volontiers pris en compte dans leur travail.

INDEX DES NOMS DE COMMUNES

CHARLEVILLE-MÉZIÈRES
– Musée Arthur-Rimbaud

CHÂTEAU-CHINON
– Commande publique :
Jean Tinguely et Niki de Saint Phalle

CHÂTEAUGIRON
– Frac Bretagne

CHÂTELLERAULT
– Galerie de l'Ancien Collège
– Commande publique :
Jean-Luc Vilmouth

CHÂTEAUROUX
– Galerie du collège Marcel-Duchamp

CHATOU
– Maison Levanneur - Centre national
de l'estampe et de l'art imprimé

CHOISY-LE-ROI
– Service municipal d'Arts plastiques

CLERMONT-FERRAND
– Frac Auvergne

COLOMIERS
– Espace des arts

CONQUES
– Commande publique : Pierre Soulages

CORTE
– FraCorse

CRESTET
– Crestet Centre d'art

CRÉTEIL
– Fdac du Val-de-Marne

DEAUVILLE
– Courant d'art

DELME
– Synagogue de Delme
Espace d'art contemporain

DIGNE
– Commande publique :
David Rabinowitch

DIJON
– Le Consortium, centre d'art
contemporain et l'Usine

DÔLE
– Frac Franche-Comté

DOMART-EN-PONTHIEU
– Maison du livre d'artiste
contemporain

DOUCHY-LES-MINES
– Centre régional de la photographie
Nord - Pas-de-Calais

DUNKERQUE
– Frac Nord - Pas-de-Calais

ENGHIEN-LES-BAINS
– Eaux de Là
Biennale d'art contemporain

EYMOUTIERS
– Espace Paul-Rebeyrolle, Centre d'art

FÉCAMP
– Palais Bénédictine

FIGEAC
– Commande publique : Joseph Kosuth

FLAINE
– Flaine culture et commandes publiques

FRAÏSSÉ-DES-CORBIÈRES
– Château de Fraïssé

FRESNES
– Maison d'art contemporain Chaillioux

GENNEVILLIERS
– Galerie municipale Édouard-Manet

GRAVELINES
– Musée du Dessin
et de l'Estampe originale

GRENOBLE
– Magasin - Centre national d'art
contemporain
– Musée de Grenoble
– Nouvelle Galerie

HÉRIMONCOURT
– CICV Pierre-Schaeffer
Montbéliard Belfort

HÉROUVILLE-SAINT-CLAIR
– Centre d'art contemporain
de Basse-Normandie

IBOS
– Le Parvis, Centre d'art contemporain

ISSOIRE
– Centre Nicolas-Pomel, Salle Jean-Hélion

ISSOUDUN
– Commande publique :
Marin Kasimir

ISSY-LES-MOULINEAUX
– Commande publique :
Jean Dubuffet

IVRY-SUR-SEINE
– Galerie Fernand-Léger & Crédac
– IAPIF, Information arts plastiques Île-de-France
– La manufacture des Œillets

JARNAC
– La fondation DANAE, Diffusion Actions Nouvelles Arts Actuels Europe

JOIGNY
– Atelier Cantoisel

JUVISY-SUR-ORGE
– Espace d'art contemporain Camille-Lambert

LACENAS
– Galerie de Bionnay

LA COLLE-SUR-LOUP
– Galerie Évelyne Canus

LA COURNEUVE
– Art Grandeur Nature

LA GARDE-ADHÉMAR
– Éric Linard Éditions

LA GUÉROULDE
– La Source

LA SEYNE-SUR-MER
– Villa Tamaris-Pacha
– La Tête d'obsidienne

LE BLANC-MESNIL
– Forum culturel

LECTOURE
– Centre de photographie de Lectoure

LE HAVRE
– Le Spot, Studio d'art contemporain

LE PUY
– Commande publique : Daniel Dezeuze

LES ARQUES
– Les ateliers des Arques

LES MESNULS
– Fondation d'art contemporain Daniel et Florence Guerlain

LILLE
– Art Connexion
– Espace Croisé, Centre d'art et d'architecture

LIMOGES
– Frac Limousin

LORIENT
– Rencontres photographiques - galerie Le Lieu

LUSIGNY-SUR-BARSE
– Commande publique : Klaus Rinke

LYON
– Biennale de Lyon Art contemporain
– Commande publique : Daniel Buren
– Commande publique : Giuseppe Penone
– Galerie Domi Nostrae
– Galerie Le Réverbère 2
– Hôtel des Beaux-Arts
– Hôtel-restaurant La Tour rose
– LPA, Lyon Parc Auto
– Musée d'art contemporain

MARSEILLE
– Ateliers d'artistes de Marseille
– Le Cargo
– CIRVA, Centre international de recherche sur le verre et les arts plastiques
– Frac Provence - Alpes - Côte d'Azur
– Galerie Athanor
– Galerie Roger Pailhas
– MAC, Galeries contemporaines des musées de Marseille
– Musée de la Mode
– Rencontres Place publique

METZ
– Faux Mouvement
– Frac Lorraine
– Commande publique : Patrick Tosani

MEYMAC
– Abbaye Saint-André Centre d'art contemporain

MILHAUD
– Galerie association Esca

MILLY-LA-FORÊT
– Jean Tinguely : *Le Cyclope*

MONFLANQUIN
– Artistes en résidence

MONS-EN-BARŒUL
– Heure exquise !

MONTBÉLIARD
– Le 19, Centre régional d'art contemporain

MONTPELLIER
– Frac Languedoc-Roussillon

MONTREUIL
– Espace Mira Phalaina
– Musée de l'Histoire vivante

MONTROUGE
– Salon de Montrouge

MOUANS-SARTOUX
– Espace de l'art concret

NANCY
– Biennale internationale de l'Image
– Galerie Art Attitude Hervé Bize

NANTES
– La Galerie, l'Atelier - École régionale des Beaux-Arts
– Frac Pays de la Loire
– Galerie Plessis
– Musée des Beaux-Arts

NEVERS
– Commandes publiques

NICE
– Art Jonction
– Hôtel Windsor
– Musée d'Art moderne et d'Art contemporain
– La Station
– Villa Arson
Centre national d'art contemporain

NÎMES
– Carré d'art, musée d'art contemporain
– École des Beaux-Arts
– Le 9, restaurant bar
– La Vigie, Art contemporain

NOHANT-VIC
– Commande publique : Françoise Vergier

NOIRLAC
– Cf. Bruère-Allichamps

NOISIEL
– La Ferme du Buisson
Centre d'art contemporain

OIRON
– Château d'Oiron

ORLÉANS
– Frac Centre

PARIS
LIEUX INSTITUTIONNELS
ET ASSOCIATIFS
MANIFESTATIONS PÉRIODIQUES
COMMANDES PUBLIQUES

– Bibliothèque nationale de France
– Musée national d'Art moderne
Centre Georges-Pompidou
– Centre national de la photographie
– Commandes publiques
– La Défense, commandes publiques
– École nationale supérieure des Beaux-Arts
– Espace Huit-Novembre

– FIAC, Foire internationale d'art contemporain
– Fondation Cartier pour l'art contemporain
– Fondation Coprim pour la promotion de l'art contemporain
– Fondation Électricité de France Espace Électra
– Frac Île-de-France
– Galerie nationale du Jeu de Paume
– Glassbox
– Jeune Peinture
– Maison européenne de la photographie
– Musée d'Art moderne de la Ville de Paris
– Musée des Arts d'Afrique et d'Océanie
– Musée des Arts décoratifs
– Musée Zadkine
– Paris Photo, Salon international européen pour la photographie
– Renn, Espace d'art contemporain
– SAGA
– Le 13ᵉ Art
– 13, quai Voltaire
Caisse des Dépôts et Consignations

GALERIES PRIVÉES

– Quartier de la Bastille
– Quartier Beaubourg
– Quartier Haussmann-Matignon
– Quartier du Marais
– Quartier Rive gauche
– Rue Louise-Weiss

PAU
– Le Parvis 3

PÉRIGUEUX
– Espace culturel François-Mitterrand

POITIERS
– Le Confort moderne

PONTAULT-COMBAULT
– Centre photographique d'Île-de-France

PONT-DE-L'ARCHE
– Salle d'Armes

POUGUES-LES-EAUX
– Centre d'art contemporain Parc Saint-Léger

QUIMPER
– Le Quartier, Centre d'art contemporain

REIMS
– Le Collège Frac Champagne-Ardenne
– Espace Champagne, École supérieure d'Art et de Design de Reims

RENNES
– Commandes publiques
– La Criée, Centre d'art contemporain
– Galeries du Cloître
École régionale des Beaux-Arts
– Musée des Beaux-Arts
– Oniris Yvonne Paumelle

ROCHECHOUART
– Musée départemental d'Art
contemporain de la Haute-Vienne

ROQUEBRUNE-SUR-AGEN
– Commande publique : Bernar Venet

ROUEN
– Grande galerie Aître Saint-Maclou

ROUILLÉ
– Espace d'art contemporain
Centre de Ressources

RUEIL-MALMAISON
– Centre d'art contemporain

SAINT-BRIEUC
– Galerie du Chai

SAINT-CYR-SUR-LOIRE
– Parc de sculptures de la Perraudière

SAINT-ÉTIENNE
– L'Estrade, Restaurant de la Comédie
– Musée d'Art moderne

SAINT-FONS
– Centre d'arts plastiques, Lieu Ressources

SAINT-GAUDENS
– Chapelle Saint-Jacques

SAINT-NAZAIRE
– Commande publique : Yann Kersalé

SAINT-PAUL-DE-VENCE
– Galerie Catherine Issert

SAINT-PRIEST
– Centre d'art contemporain
de Saint-Priest

SAINT-RÉMY-DE-PROVENCE
– Centre d'art contemporain de Saint-
Rémy-de-Provence, Association Art 04

SAINT-SAVIN
– Abbaye de Saint-Savin
Centre international d'art mural

SAINT-YRIEIX-LA-PERCHE
– Biennale du livre d'artiste

SAUMUR
– Bouvet-Ladubay
Centre d'art contemporain

SÉLESTAT
– Commande publique : Sarkis
– Frac Alsace
– Sélest'art

SÈTE
– Centre régional d'art contemporain
– Commande publique : Richard Di Rosa
– Espace Fortant de France
– Villa Saint-Clair

SIJEAN
– LAC (Lieu d'art contemporain)

SOTTEVILLE-LÈS-ROUEN
– Frac Haute-Normandie

STRASBOURG
– Centre européen d'actions artistiques
contemporaines
– La Chaufferie
Galerie de l'école des Arts décoratifs
– La Laiterie
Centre européen de la jeune création
– Musée d'Art moderne et contemporain
– ST'ART, Foire d'art contemporain
de Strasbourg
– Tramway, Commandes publiques

TANLAY
– Centre d'art contemporain
du château de Tanlay

THIERS
– Le Creux de l'enfer, Centre d'art
contemporain

THOUARS
– Commandes publiques :
Ange Leccia, Jacques Vieille
– Chapelle Jeanne d'Arc

TOULOUSE
– Espace d'art moderne et contemporain
de Toulouse et Midi-Pyrénées
– Galerie Sollertis

TOURCOING
– Le Fresnoy, Studio national des arts
contemporains

TOURS
– Centre de création contemporaine
– Galerie Michel Rein

TRÉDREZ-LOCQUÉMEAU
– Galerie du Dourven

TROYES
– Passages, Centre d'art contemporain

VALENCE
– Le musée de Valence

INDEX DES NOMS D'ARTISTES

Pour éviter l'inflation, nous n'avons retenu ici que le nom des artistes qui sont cités dans les notices descriptives des lieux et dont les œuvres y sont conservées en permanence, donc ordinairement accessibles.

BILL Max : Mouans-Sartoux.

BLAIS Jean-Charles : Amiens (Frac Picardie) ; Paris (commandes publiques).

BLAZY Michel : Montpellier.

BMPT : Dijon (Frac Bourgogne).

BOISROND François : Paris (Fondation Coprim).

BOROFSKY Jonathan : Nice (Musée d'Art moderne et d'Art contemporain) ; Strasbourg (Tramway).

BOSSUT Étienne : Rennes (commandes publiques).

BOUILLON François : Beaumont-du-Lac / Vassivière ; Rochechouart.

BOURGEOIS Louise : Paris (Bibliothèque nationale de France).

BOUVERET Philippe : Milly-la-Forêt.

BULLOCH Angela : Montpellier.

BURDEN Chris : Ay ; Montpellier.

BUREN Daniel : Lyon (Place des Terreaux) ; Lyon (Lyon Parc Auto) ; Mouans-Sartoux ; Paris (commandes publiques).

BURY Pol : Flaine.

CALDER Alexandre : Grenoble (Musée) ; La Défense (commandes publiques).

CALET Bernard : Beaumont-du-Lac / Vassivière.

CARO Anthony : Grenoble (Musée).

CÉSAR : Blois (Musée de l'Objet) ; Nice (Musée d'Art moderne et d'Art contemporain) ; La Défense (commandes publiques).

CHARLTON Alan : Dijon (Frac Bourgogne).

CHILLIDA Eduardo : Grenoble (Musée).

CHOPY Marc : Lyon (Hôtel des Beaux-Arts).

CLAREBOUDT Jean : Saint-Cyr-sur-Loire.

CLOSKY Claude : Montpellier.

COIGNET Jean-Gabriel : Villeneuve-d'Ascq.

COLLIN-THIÉBAUT Gérard : Strasbourg (Tramway).

COUTURIER Marc : Amiens (Frac Picardie) ; Beaumont-du-Lac/Vassivière.

CRIBIER Pascal : Vez.

DALBIS Éric : Créteil.

DALÍ Salvador : Blois (Musée de l'Objet).

DEACON Richard : Villeneuve-d'Ascq.

DEBRÉ Olivier : Amiens (Frac Picardie).

DEGOTTEX Jean : Bourg-en-Bresse.

DEZEUZE Daniel : Le Puy.

DIAO David : Dijon (Frac Bourgogne).

DIBBETS Jan : Paris (commandes publiques).

DIETMAN Erik : Blanquefort ; Rennes (commandes publiques).

DI ROSA Richard : Sète (commande publique).

DI SUVERO Mark : Grenoble (Musée).

DIMITRIJEVIC Braco : Oiron.

DOWNSBOROUGH Peter : Rennes (commandes publiques).

DUBUFFET Jean : Créteil ; Flaine ; Issy-les-Moulineaux.

DUCORROY Joël : Nice (Hôtel Windsor).

FABRO Luciano : Rochechouart.

FAVIER Philippe : Créteil.

FILLIOU Robert : Blois (Musée de l'Objet).

FINLAY Ian Hamilton : Bignan / Kerguéhennec.

FLANAGAN Barry : Strasbourg (CEAAC) ; Villeneuve-d'Ascq.

FLEISCHER Alain : Juvisy-sur-Orge.

FONTANA Lucio : Lyon (Musée d'Art contemporain).

FRIEDMANN Gloria : Dijon (Frac Bourgogne) ; Saint-Cyr-sur-Loire.

GAROUSTE Gérard : Paris (Bibliothèque nationale de France).

GASIOROWSKI Gérard : Nantes (Frac Pays de la Loire).

GAVOTY Jean-François : Lyon (Hôtel des Beaux-Arts).

GERZ Jochen : Biron.

GOLDSWORTHY Andy : Beaumont-du-Lac / Vassivière.

GORMLEY Anthony : Rennes (commandes publiques).

GRAF-RUBY Isabelle : Lyon (Hôtel des Beaux-Arts).

GRAND Toni : Bignan / Kerguéhennec ; Céret ; Nantes (Frac des Pays de Loire).

GRÜNFELD Thomas : Oiron.

HAINS Raymond : Rennes (Musée des Beaux-Arts).

HONEGGER Gottfried : Dijon (Frac Bourgogne) ; Grenoble (Musée) ; Mouans-Sartoux ; Nevers.

HORN Rebecca : Rochechouart.

HYBERT Fabrice : Amiens (Frac Picardie) ; Bessines ; Nantes (Musée des Beaux-Arts).

ISOU Isidore . Blois (Musée de l'Objet).

JONES David : Beaumont-du-Lac / Vassivière.

KABAKOV Ilya : Lyon (Musée d'Art contemporain) ; Oiron.

KASIMIR Marin : Issoudun.

KERSALÉ Yann : Saint-Nazaire.

KIENHOLZ Edward : Blois (Musée de l'Objet).

KLEIN Yves : Nice (Musée d'Art moderne et d'art contemporain).

KOSUTH Joseph : Figeac.

KOUNELLIS Iannis : Rochechouart.

KRUGER Barbara : Strasbourg (Tramway).

LAIB Wolfgang : Rochechouart.

LAURETTE Matthieu : Montpellier.

LAVIER Bertrand : Blois (Musée de l'Objet) ; Dijon (Frac Bourgogne).

LECCIA Ange : Lyon (Musée d'Art contemporain) ; Thouars (Tour du Prince de Galles).

LE GAC Jean : Cannes.

LEWITT Sol : Amiens (Musée de Picardie) ; Grenoble (Musée) ; Vez.

LICHTENSTEIN Roy : Paris (Bibliothèque nationale de France).

LONG Richard : Bignan / Kerguéhennec ; Bordeaux (capcMusée d'art contemporain) ; Rochechouart.

LÜPERTZ Markus : Nevers

MAC CARTHY Paul : Montpellier.

MAGNIN Stéphane : Marseille (Frac Provence-Alpes-Côte d'Azur).

MAN RAY : Blois (Musée de l'Objet).

MARCEL Didier : Dole.

MAREK Raoul : Oiron.

MASSON André : Amiens (Frac Picardie).

MATISSE Henri : Nice (Musée d'Art moderne et d'Art contemporain).

MERKADO Nissim : Rennes (commandes publiques).

MERZ Mario : Bignan / Kerguéhennec ; Strasbourg (Tramway).

MESSAGER Annette : Rochechouart.

MING Yan Pei : Dijon (Frac Bourgogne).

MIRÓ Juan : La Défense (commandes publiques).

Miyawaki Aiko : La Défense (commandes publiques).

Morellet François : Bignan / Kerguéhennec ; Dijon (Frac Bourgogne) ; Lyon (Lyon Parc Auto) ; Mouans-Sartoux ; La Défense (commandes publiques) ; Rennes (commandes publiques).

Moriceau Laurent : Nantes (Frac Pays de la Loire).

Mullican Matt : Lyon (Lyon Parc Auto).

Nahon Brigitte : La Défense (commandes publiques).

Naumann Bruce : Lyon (Musée d'art contemporain).

Nemours Aurélie : Dijon (Frac Bourgogne).

Nonas Richard : Grenoble (Musée).

Nordmann Maria : Bignan/Kerguéhennec.

Oldenburg Claes : Paris (commandes publiques).

Oulipo : Strasbourg (Tramway).

Pagès Bernard : Bourg-en-Bresse ; Lusigny-sur-Barse.

Paik Nam June : Blois (Musée de l'Objet).

Paolini Giulio : Nantes (Musée des Beaux-Arts).

Parant Jean-Luc : Lyon (Musée d'Art contemporain).

Penone Giuseppe : Amiens (Frac Picardie) ; Bignan / Kerguéhennec ; Lyon (Conservatoire national de musique) ; Nantes (Frac Pays de la Loire) ; Rochechouart.

Perrin Philippe : Nice (Hôtel Windsor).

Picasso Pablo : Céret ; Flaine.

Pignon Édouard : Créteil.

Pignon-Ernest Ernest : Strasbourg (CEAAC).

Polke Sigmar : Rochechouart.

Pondruel Denis : Strasbourg (CEAAC).

Quardon Françoise : Lyon (Musée d'Art contemporain).

Rabinowitch David : Digne.

Raetz Markus : Bignan / Kerguéhennec.

Ramette Philippe : Saint-Cyr-sur-Loire.

Raynaud Jean-Pierre : Bignan / Kerguéhennec ; Bruère-Allichamps ; Paris (Musée national d'Art moderne, Centre Georges-Pompidou) ; La Défense (commandes publiques) ; Saint-Étienne (Musée d'Art moderne) ; Vence (Château Notre-Dame-des-Fleurs) ; Vez.

Raysse Martial : Paris (Bibliothèque nationale de France).

Rebeyrolle Paul : Eymoutiers ; Lusigny-sur-Barse.

Reip Hugues : Dole.

Richter Gerhard : Rochechouart.

Rickey Georges : Grenoble (Musée).

Rinke Klaus : Amiens (Frac Picardie) ; Lusigny-sur-Barse.

Rivers Larry : Milly-la-Forêt.

Rouan François : Nevers.

Roudenko-Bertin Claire : Nantes (Frac Pays de la Loire).

Rückriem Ulrich : Bignan/ Kergué-hennec ; Bourg-en-Bresse.

Rossi Aldo : Beaumont-du-Lac / Vassivière.

Rutault Claude : Dijon (Frac Bourgogne) ; Nice (Hôtel Windsor) ; Tours (Centre de création contemporaine).

Saint Phalle Niki de : Château-Chinon.

Sarkis : Sélestat (commande publique).

SAULNIER Emmanuel : Vassieux-en-Vercors.

SCHÜTTE Thomas : Rochechouart.

SERRA Richard : Bourg-en-Bresse ; Chagny.

SHANNON Tom : Oiron.

SOLANO Susana : Montpellier.

SOTO Jesus Rafael : Milly-la-Forêt.

SOULAGES PIERRE : Conques.

SPALETTI Ettore : Nantes (Frac Pays de la Loire).

SPOERRI Daniel : Milly-la-Forêt ; Oiron.

STEIR Pat : Bignan / Kerguéhennec.

TAPIÈS Antoni : Céret.

TÉLÉMAQUE Hervé : Rennes (commandes publiques).

TINGUELY Jean : Château-Chinon ; Milly-la-Forêt ; Vence (Château Notre-Dame-des-Fleurs).

TITUS-CARMEL Gérard : Amiens (Frac Picardie).

TOPOR Roland : Flaine.

TOSANI Patrick : Metz (Gare) ; Rochechouart.

TOUYARD Gilles : Dole.

TREMLETT David : Amiens (Frac Picardie) ; Châtellerault (Galerie de l'Ancien Collège) ; Rochechouart.

TURRELL James : Crestet ; Lyon (Musée d'Art contemporain).

TUTTLE Richard : Amiens (Frac Picardie).

VAN LAMSWEERDE Eugène : Lusigny-sur-Barse.

VARINI Felice : Dijon (Frac Bourgogne).

VASARELY : Flaine.

VENET Bernar : Grenoble (Musée) ; La Défense (commandes publiques) ; Roquebrune-sur-Agen ; Strasbourg (CEAAC).

VERGIER Françoise : Nohant-Vic.

VERJUX Michel : Dijon (Frac Bourgogne) ; Lyon (Lyon Parc Auto) ; Mouans-Sartoux.

VIALLAT Claude : Annecy ; Céret ; Nevers ; Nice (Musée d'Art moderne et d'Art contemporain) ; Paris (Bibliothèque nationale de France).

VIEILLE Jacques : Dijon (Frac Bourgogne) ; Thouars (Tour du Prince de Galles).

VILLEGLÉ Jacques : Rennes (Musée des Beaux-Arts).

VILMOUTH Jean-Luc : Châtellerault (Galerie de l'Ancien Collège).

WEINER Lawrence : Nice (Hôtel Windsor).

WEST Franz : Bignan / Kerguéhennec.

WESY-FLORIO France : Lyon (Hôtel des Beaux-Arts).

WOODROW Bill : Blois (Musée de l'Objet).

ZAGARI : Lyon (Hôtel des Beaux-Arts).

LÉGENDES ET CRÉDITS PHOTOGRAPHIQUES

COUVERTURE ET PAGE 12
Strasbourg, Jonathan Borofsky, *La Femme qui marche vers le ciel*, 1994 (Ph. L. Lecat).

PAGE 14
Albi, Espace départemental d'art contemporain, Cimaise et Portique. Exposition Pedro Cabrita Reis, mai 1993 (Ph. D.R.).

PAGE 15
Altkirch, Centre rhénan d'art contemporain. « Exposition Picturale Est », 1997 (Ph. Guy Buchheit).

PAGE 16a
Amiens, Fonds régional d'art contemporain Picardie. Exposition Klaus Rinke, septembre 1994 - janvier 1995 (Ph. André Morin).

PAGE 16b
Amiens, Musée de Picardie. Exposition Philippe Cognée, mai-septembre 1995 (Ph. David Rosenfeld).

PAGE 17
Angoulême, Fonds régional d'art contemporain Poitou-Charentes. Exposition Paul McCarthy, 1993-1994 (Ph. D.R.).

PAGE 18
Annemasse, Villa du Parc. Exposition Albert Chubac (Ph. Diane Bouchet).

PAGE 23
Beaumont-du-Lac, Centre d'art contemporain de Vassivière-en-Limousin. Œuvre de l'architecte Aldo Rossi, 1990 (Ph. Jacques Hœffner).

PAGE 24
Bessines, Commande publique : Fabrice Hybert, 1989-1990 (Ph. D.R.).

PAGE 27
Bignan, Domaine de Kerguéhennec, Centre d'art contemporain. Sculpture de Markus Raetz, 1989 (Ph. Kleinfenn).

PAGE 28a
Biron, Commande publique : Jochen Gerz, 1996 (Ph. E. Shalev Gera).

PAGE 28b
Blanquefort, Château-Dillon, Chai du lycée viticole. Commande publique : Erik Dietman, 1987 (Ph. © NA).

PAGE 29
Blois, Conservatoire national de musique. Commande publique : Ben, 1995 (Ph. D.R.).

PAGE 30
Blois, Musée de l'Objet. Vue partielle (Ph. François Lagarde).

PAGE 32
Bordeaux, capcMusée d'art contemporain. Exposition Jean-Pierre Raynaud, juin-novembre 1993 (Ph. F. Delpech).

PAGE 34
Bordeaux, Mécénart Aquitaine. Château de La Chesnaye, Cussac : Wall drawing de David Tremlett, 1989 (Ph. D.R.).

PAGE 35
Bourg-en-Bresse, Monastère-musée de Brou. Commande publique : Richard Serra, 1985-1986 (Ph. Blaise Adilon).

PAGE 36a
Bourges, La Box. Exposition Isabelle Lévénez, mars 1997 (Ph. D.R.).

PAGE 36b
Bourg-Saint-Andéol, Église. Commande publique : Jean-Pierre Bertrand, 1987-1989 (Ph. Anne Garde).

PAGE 37a
Brétigny-sur-Orge, Espace Jules-Verne. Exposition Didier Trenet, février-avril 1996 (Ph. Marc Domage).

PAGE 37b
Bruère-Allichamps, Abbaye de Noirlac. Commande publique : Jean-Pierre Raynaud, 1975 (Ph. D.R., Archives Denyse Durand-Ruel).

PAGE 38
Caen, Artothèque. Exposition Anne Deguelle, décembre 1997 - janvier 1998 (Ph. Jean-Marc Piel).

PAGE 39
Cahors, Le Printemps de la photographie, juin 1997 (Ph. David Marnier).

PAGE 40
Cajarc, Maison des arts Georges-Pompidou. Exposition « Autour d'une collection : le Président et Mme Georges Pompidou » (Ph. D.R.).

PAGE 41
Calais, Musée des Beaux-Arts et de la Dentelle. Exposition « États des lieux », photographies de Valérie Belin, été 1997 (Ph. D.R.).

PAGE 42A
Cannes, Fort royal de l'Île-Sainte-Marguerite. Commande publique : Jean Le Gac, 1992 (Ph. Jean Brasille).

PAGE 42b
Cases-de-Pène, Château de Jau. Exposition Konrad Klapheck, 1998 (Ph. D.R.).

PAGE 43
Castres, Centre d'art contemporain. Exposition Philippe Lepeut, 1998 (Ph. Bernard Delorme).

PAGE 44
Céret, Musée d'Art moderne. Exposition Toni Grand, 1993 (Ph. D.R.).

PAGE 45
Chagny, Galerie Pietro Sparta. Exposition collective Laurence Weiner, Mario Merz et Niele Toroni, 1991 (Ph. D.R.).

PAGE 47
Château-Chinon, Commande publique : Jean Tinguely et Niki de Saint Phalle, 1986-1988 (Ph. Sabine Weiss).

PAGE 48
Châtellerault, Galerie de l'Ancien Collège. Exposition Paul Pouvreau (Ph. D.R.).

PAGE 49
Châtellerault, Commande publique : Jean-Luc Vilmouth, 1994 (Ph. Laurent Lecat).

PAGE 50
Chatou, Maison Levanneur, Centre national de l'estampe et de l'art imprimé. Exposition Noël Dolla (Ph. André Morin).

PAGE 51
Clermont-Ferrand, Fonds régional d'art contemporain Auvergne. Exposition Christian Jaccard, 1997 (Ph. D.R.).

PAGE 52
Conques, Église abbatiale. Commande publique : Pierre Soulages, 1994 (Ph. D.R.).

PAGE 54
Crestet, Centre d'art. Exposition Marc Couturier, 1997 (Ph. D.R.).

PAGE 56
Delme, Synagogue de Delme, Espace d'art contemporain. Exposition Bruno Carbonnet, 1996 (Ph. Olivier Kamoun, Coll. Caisse des dépôts et consignations).

PAGE 57
Dijon, Le Consortium, Centre d'art contemporain, et l'Usine. Exposition Lauren Szold, 1993 (Ph. D.R.).

PAGE 58
Dijon, Le Consortium, Centre d'art contemporain, et l'Usine. Exposition Bertrand Lavier, 1993 (Ph. D.R.).

PAGE 59a
Dijon, Espace Frac Bourgogne. Exposition Marc-Camille Chaimowicz, 1993-1994 (Ph. Frédéric Buisson).

PAGE 59b
Dole, Fonds régional d'art contemporain Franche-Comté. Exposition Dennis Adams, 1994 (Ph. D.R.).

PAGE 62a
Dunkerque, Fonds régional d'art contemporain Nord-Pas-de-Calais. Exposition « On n'a pas fini de parler de Dada », œuvre de Bertrand Lavier, 1994 (Ph. André Morin).

PAGE 62b
Enghien-les-Bains, Eaux de Là, Biennale d'art contemporain. Œuvre de Denis Pondruel, 1996 (Ph. J. Hœpffner).

PAGE 113a
Nantes, Musée des Beaux-Arts. Exposition Sarkis, mars-mai 1997 (Ph. A.G., Ville de Nantes, Musée des Beaux-Arts).

PAGE 113b
Nevers, Cathédrale Saint-Cyr-Sainte-Julitte. Commande publique : Claude Viallat, 1991 (Ph. CNAP).

PAGE 115
Nice, Musée d'Art moderne et d'Art contemporain. « Accrochage » (Ph. D.R.).

PAGE 116
Nice, Villa Arson. Œuvre de Felice Varini (Ph. Jean Brasille).

PAGE 117
Nîmes, Carré d'art, Musée d'Art contemporain. Exposition Giuseppe Penone, 1997 (Ph. D.R.).

PAGE 119
Nohant-Vic, Maison de George Sand. Commande publique : Françoise Vergier, 1991 (Ph. D.R.).

PAGE 120
Noisiel, La Ferme du Buisson, Centre d'art contemporain. Exposition « L'Écart », œuvre de Jana Sterbak, octobre-novembre 1996 (Ph. Francois Poivret).

PAGE 121
Oiron, Château d'Oiron. Œuvre de Tom Shannon, 1992 (Ph. Laurent Lecat).

PAGE 123a
Paris, Bibliothèque nationale de France. Œuvre de l'architecte Dominique Perrault, 1995 (Ph. Ph. Piguet).

PAGE 123b
Paris, Musée national d'Art moderne, Centre Georges-Pompidou, Exposition Bruce Nauman, 1998 (Ph. P. Migeat).

PAGE 125a
Paris, Centre national de la photographie. Exposition Thomas Ruff, octobre 1997 (Ph. Bruno Scotti - Dap).

PAGE 125b
Paris, Station de métro Assemblée-Nationale. Commande publique : Jean-Charles Blais, 1989 (Ph. D.R.).

PAGE 126
Paris, La Défense. Commande publique : François Morellet (Ph. P.M.).

PAGE 127a
Paris, École nationale supérieure des Beaux-Arts. Exposition « Transit », 1997 (Ph. Bruno Scotti - Dap).

PAGE 127b
Paris, FIAC, Foire internationale d'art contemporain. Vue partielle (Ph. André Morain).

PAGE 128
Paris, Fondation Cartier pour l'art contemporain. Exposition Alain Sechas, avril-mai 1997 (Ph. D.R.).

PAGE 129
Paris, Fondation Coprim, Pour la promotion de l'art contemporain. Ve Prix de la fondation Coprim, juin 1998 (Ph. Laurent Alvarez).

PAGE 130
Paris, Fondation Électricité de France, Espace Électra. Exposition Hervé Télémaque, 1995 (Ph. Pierre Bérenger).

PAGE 131
Paris, Galerie nationale du Jeu de Paume. Exposition Bernard Moninot, 1991-1992 (Ph. Bruno Scotti - Dap).

PAGE 134
Paris, Musée d'Art moderne de la Ville de Paris. Exposition Jean-Luc Moulène, avril-juin 1997 (Ph. Marc Domage).

PAGE 136
Paris, Musée Zadkine. Exposition Dominique Labauvie, mars-mai 1998 (Ph. Fabrice Poivret).

PAGE 137
Paris, Renn, Espace d'art contemporain. Exposition Yves Klein, octobre 1992 - avril 1993 (Ph. Balthasar Burkhard).

PAGE 149a
Poitiers, Le Confort moderne. Exposition Fabrice Hybert, 1998 (Ph. Marco Fedele Di Catrano).

PAGE 149b

Pontault-Combault, Centre photographique d'Île-de-France. Exposition Stéphane Couturier, été 1998 (Ph. Stéphane Couturier).

PAGE 150a

Pont-de-l'Arche, Salle d'Armes. Exposition Alain Balzac, février-mars 1997 (Ph. Alain Balzac).

PAGE 150b

Pougues-les-Eaux, Centre d'art contemporain, Parc Saint-Léger. Exposition « Espaces à construire », œuvre de Simone Decker, avril 1998 (Ph. J.M. Monthiers).

PAGE 151

Quimper, Le Quartier, Centre d'art contemporain. Œuvre de Bruno Rousselot, 1997 (Ph. A. Le Nouail).

PAGE 152

Reims, Le Collège, Fonds régional d'art contemporain Champagne-Ardenne. Exposition Raymond Hains, 1998 (Ph. D.R.).

PAGE 153

Rennes, Commande publique : Merkado (Ph. D.R.).

PAGE 154

Rennes, La Criée, Centre d'art contemporain. Exposition Jean-Gabriel Coignet, mars-mai 1997 (Ph. H. Beurel).

PAGE 156

Rochechouart, Musée départemental d'Art contemporain de la Haute-Vienne. Exposition Annette Messager et Christian Boltanski, 1990 (Ph. F. Le Saux).

PAGE 157

Roquebrune-sur-Agen, Rocher des Trois Croix. Commande publique : Bernar Venet, 1991 (Ph. D.R.).

PAGE 158

Rouen, Grande galerie Aître Saint-Maclou. Exposition Éric Duyckaerts, 1996 (Ph. J. Bloquet).

PAGE 159

Rueil-Malmaison, Centre d'art contemporain. Exposition Pierre Antoine, février-mars 1995 (Ph. D.R.).

PAGE 160

Saint-Cyr-sur-Loire, Parc de sculptures de la Perraudière. Œuvre de Philippe Ramette, 1998 (Ph. EMAP. Production : Agence d'artiste - CCC).

PAGE 162

Saint-Étienne, Musée d'Art moderne. Vue partielle. Œuvres de Noël Dolla et Bernard Pagès (Ph. D.R.).

PAGE 163

Saint-Fons, Centre d'arts plastiques, Lieu Ressources. Exposition Pascal Pinaud, juin-juillet 1996 (Ph. D.R.).

PAGE 164a

Saint-Gaudens, Chapelle Saint-Jacques. Exposition Corine Sentou, février 1997 (Ph. René Sultra).

PAGE 164b

Saint-Nazaire, Zone portuaire. Commande publique : Yann Kersalé, 1990 (Ph. J.N. Vinter).

PAGE 165

Saint-Paul-de-Vence, Galerie Catherine Issert. Exposition « Si je t'attrape », été 1998 (Ph. D.R.).

PAGE 167a

Saint-Savin, Abbaye de Saint-Savin, Centre international d'art mural. Exposition Georges Rousse, 1996 (Photo C.I.A.M.).

PAGE 167b

Saint-Yrieix-la-Perche, Biennale du livre d'artiste. Vue partielle d'exposition : œuvres de Claude Pélieu et Errò, 1991 (Ph. D.R.).

PAGE 168a

Saumur, Bouvet-Ladubay, Centre d'art contemporain. Exposition Miguel Chevalier, 1998 (Ph. Alain Chudeau).

PAGE 168b

Sélestat, Commande publique : Sarkis, 1993 (Ph. Gutekunst).

PAGE 192
Villeurbanne, Institut d'art contemporain, Frac Rhône-Alpes / Nouveau musée. Exposition J. Basserode, 1998 (Ph. André Morin).

PAGE 194
Yvetot, Galerie Duchamp. Exposition Patrick Merckaert, février-mars 1995 (Ph. D.R.).

REMERCIEMENTS

Ce guide n'aurait jamais vu le jour sans l'adhésion enthousiaste que m'a exprimée d'emblée François Barré, alors Délégué aux Arts Plastiques, lorsque je lui ai parlé de ce projet. Qu'il en soit ici chaleureusement remercié.

Merci à ses deux successeurs, Alfred Pacquement et Jean-François de Canchy, pour l'aide très précieuse qu'ils ont bien voulu m'accorder afin d'en rendre plus aisée la réalisation.

Un grand merci à Marion Sauvaire pour son attentive et permanente collaboration.

Je ne saurais manquer d'associer à ces remerciements tous les responsables de ces lieux d'art comtemporain qui m'ont facilité le travail documentaire, notamment iconographique.

Enfin, je remercie toutes celles et tous ceux qui, à des titres divers, m'ont facilité la tâche : Désirée Charmant, Chloé Coursaget, Aurélie Wacquant, David Cameo, Olivier Kaeppelin et Jean-Pierre Criqui, sans oublier mon éditeur et toute son équipe qui ont cru d'emblée à ce projet et m'ont permis de le réaliser.

Conception graphique et maquette
de Raymonde Branger et Guilhem Nave.

Achevé d'imprimer
en octobre 1998 sur les presses
de l'imprimerie Musumeci, à Aosta, Italie.